新潮文庫

ケインとアベル

上巻

ジェフリー・アーチャー
永井　淳訳

ケインとアベル

上巻

〈主要登場人物〉

ヴワデク・コスキェヴィチ……………ポーランドの森で生れた孤児。
後のアベル
フロレンティナ(フロルチア)…………ヴワデクの養父母の娘
ロスノフスキ男爵…………………………領主
レオン……………………………………男爵の息子
ピエール・デュビアン…………………強制労働収容所の医師
エドワード・プレンダーガースト……トルコ駐在イギリス副領事
イェジー(後にジョージ)・ノヴァク…｝船上で知り合った
ザフィア…………………………………｝ヴワデクの移民仲間
デイヴィス・リロイ……………………リッチモンド・グループの経営者
デズモンド・ペイシー…………………ホテル支配人

*

ウィリアム・ケイン……………………ボストンの銀行家の一人息子
マシュー・レスター……………………ウィリアムの無二の親友
ヘンリー・オズボーン…………………ウィリアムの継父
トーマス・コーエン……………………ケイン家の弁護士
アラン・ロイド…………………………銀行頭取。ウィリアムの名付親
トニー・シモンズ………………………銀行財務部長
キャサリン(ケイト)・ブルックス……著名な飛行家の未亡人

感謝のことば

著者は本書の完成を可能にした二人の人物に感謝したい。二人とも匿名《とくめい》を望んでいるが、それは一人が目下自伝の執筆中であり、もう一人がアメリカ合衆国でいまもなお要職にあるという理由による。

マイケルとジェーンに

第一部

1

一九〇六年四月十八日
ポーランド、スウォーニム

彼女は息を引き取った瞬間にようやく叫ぶのをやめた。彼が叫びはじめたのはその瞬間だった。

森で兎狩《うさぎが》りをしていた少年には、自分を驚かせたのが女の臨終の叫びだったのか、それとも赤子の産声《うぶごえ》だったのか、定かではなかった。彼はわが身にふりかかるかもしれない危険を感じてさっと振り向き、明らかに苦しんでいる獣の姿を目で捜した。だがそんな叫び声を発する動物を、彼はかつて知らなかった。音のしたほうへ用心深く近づいて行った。叫び声はかぼそい泣き声に変っていたが、やはり少年の知っているどんな動物の声とも似ていなかった。彼は自分の手で仕止められる小動物であってくれればよいと願った。せめてたまには夕食に兎以外のごちそうを食べたかった。

少年は肩甲骨《けんこうこつ》のあたりに樹皮の確かな感触をおぼえながら、立木から立木へと走って移動し、声が聞えてきた川岸のほうへこっそりと近づいて行った。空地には立ちどまるな、と父親に教えられていた。森のはずれに達すると、谷を下って川にいたる眺めが一望のもとに開けたが、それでもまだ、奇妙な叫びがありふれた動物の口から出たものでないことに気づくまでにしばらく時間がかかった。なおも泣き声のするほうへ忍び足で近づいて行き、やがて身を護《まも》るものとてない空地に立っていた。突然、服の裾《すそ》を腰の上までまくりあげ、むきだしの脚を大きく拡《ひろ》げた女の姿が目に入った。少年は女のそんな格好を見たことがなかった。女のそばに駆け寄って、下腹部を見おろした。恐ろしくて手を触れる気にはなれなかった。女の脚のあいだには、紐《ひも》のようなものでつながった、小さな、濡《ぬ》れた、ピンク色の動物が横たわっていた。幼い猟師は皮を剝《は》いだばかりの兎を手から取り落し、小さな生き物のそばにへなへなと坐《すわ》りこんだ。

そのまま長いあいだ茫然《ぼうぜん》としてみつめていたが、やがて女に視線を転じ、たちまちそうしたことを後悔した。女はすでに寒さで紫色になっていた。疲れはてた二十三歳の若い顔は、少年の目には中年女に見えた。女がすでに死んでいることは少年にも一目でわかった。彼はぬるぬるする小さな肉体を拾いあげ——なぜそうしたのかとたずねられたら、実際はだれもたずねはしなかったが、皺《しわ》だらけの顔をかきむしる小さな爪《つめ》が心配だったからと答えていたことだろう——母と子がぬるぬるする紐でつながっていることに気がついた。

少年は数日前に羊のお産を見ていたので、そのときのことを思いだそうとした。そうだ、あのとき羊飼いはそうしたんだっけ、でも人間の赤子にそんなことができるだろうか？　泣き声はやんでおり、彼はすぐさま決断しなければならないことを知った。兎の皮を剝ぐときに使ったナイフを鞘《さや》から抜き、袖《そで》で汚れを拭《ぬぐ》って、ほんの一瞬ためらったのち、赤子の体に近いところで臍《へそ》の緒を切断した。子羊が生れたとき、それから羊飼いはどうしたんだっけ？　もちろん出血を止めるために臍の緒に結び目を作った。少年はかたわらの地面から草を引き抜いて、大急ぎで臍の緒を縛った。それから赤子を両手で抱きあげた。三羽の死んだ兎と、赤子を産み落して死んだ女をあとに残して、ゆっくりと立ちあがった。母親に背を向ける前に、拡げた脚を合わせ、服の裾を膝《ひざ》の下まで引きさげてやった。それがこの場合にふさわしい行為のような気がした。

「神さま」と、彼は声に出していった。それはひじょうによいことかひじょうに悪いことをしたときに、いつも最初に口をついて出る言葉だった。この場合は自分のしたことがそのどっちなのか、彼にもよくわからなかった。

やがて幼い猟師は、母親が夕食の支度に取りかかり、あとは彼の兎を待つだけという小屋のほうへ走りだした。ほかのものはもう用意ができているだろう。母親は今日は息子が兎を何羽とったかと考えていることだろう。八人家族で食べるには、少なくとも三羽は必要だった。ときおり彼は父親の働く男爵《だんしゃく》の領地から迷いでてくる家鴨《あひる》や、鵞鳥《がちょう》や、雉《きじ》までつかまえてくることがあった。だが今夜はそれらとは違う動物をつかまえたのだ。小屋まで辿《たど》りついたとき、幼い猟師は獲物《えもの》から片手をはなす気にさえなれず、母親があけてくれるまではだしの足でドアを蹴《け》り続けた。彼女はすぐには息子の手のなかの赤子を受け取ろうとせず、片手を胸に当てて立ったまま、その哀れな生き物をみつめていた。

「神さま」と呟《つぶや》いて、彼女は十字を切った。少年は母親の顔を見あげて、喜びまたは怒りの表情を目で捜した。その目には少年がいまだかつて見たこともない慈愛の光があった。彼は自分のしたことがよいことだったに違いないと思った。

「これ、赤ん坊だろう、母《マートカ》さん？」

「男の子だよ」母親は悲しげにうなずきながら答えた。「どこで見つけたんだい？」

「川岸で見つけたんだよ、母さん《マートカ》」

「それで、母親は？」

「死んだよ」

彼女はふたたび十字を切った。

「早く、走って行って父さんに知らせておいで。お邸《やしき》にウルシュラ・ヴォイナックがいるはずだから、二人を赤ん坊の母親のところへ連れてお行き。それから父さんとウルシュラにきっとここへ戻ってもらうんだよ」

幼い猟師は赤子を母親に渡した。ぬるぬるする生き物を手放してほっとしたようすだった。獲物から解放された彼は、両手をズボンで拭《ふ》いて、父親を捜しに駆けだして行った。

母親は肩でドアを閉めると、長女に声をかけて鍋《なべ》をストーヴにかけさせた。それから木の腰掛けに坐って、胸のボタンをはずし、くたびれた乳首を小さくすぼめられた口に押しつけた。生後六か月の末娘のゾフィアは、今夜は夕食抜きで我慢しなければならないだろう。夕食抜きといえば、今夜は一家全員がそうだった。

「でも、どうせ無駄だろうね」彼女はショールをかき合せて自分の腕と赤子を一緒に覆《おお》いながら呟いた。「かわいそうに、あんたはあすの朝までは生きちゃいないだろう」

だが、その夜遅く、産婆《さんば》のウルシュラ・ヴォイナックばあさんが赤子の小さな体を洗って、よじれた臍の緒の処置をするとき、彼女はその思いを口に出さなかった。夫はかたわらに立って無言でその光景を見守っていた。

「お客が家にくるときは、神さまがお見えになるんだよ」と、彼女はポーランドの古い諺《ことわざ》を引合いに出した。

夫がぺっと唾《つば》を吐いた。「コレラにでもかかるがいい。うちはそれじゃなくても子沢山だというのにな」

妻は聞えないふりをして赤子の黒い、薄い髪の毛を撫《な》でた。

「なんて名前をつけようかしら?」と、彼女は夫の顔を見あげながらいった。

夫は肩をすくめた。「知るもんか。名無しのまま死なせてやれ」

2

一九〇六年四月十八日
マサチューセッツ州ボストン

医者が新生児の足首をつかんで持ちあげ、お尻《しり》をぱんぱんと叩《たた》いた。赤子が産声をあげた。

マサチューセッツ州ボストンには、主として金持特有の病気を患《わずら》う人々を受けいれる病院があって、選ばれた数少ない人々の出産も引き受けている。マサチューセッツ総合病院では、母親たちは叫んだりはしないし、もちろん服を着たままでお産などしない。それはしたないことなのだ。

一人の若い男が分娩室《ぶんべんしつ》の前を行きつ戻りつしていた。分娩室では二人の産科医と家庭医一人が分娩に立会っていた。若い父親ははじめての子供の誕生に当って万全を期した。二人の産科医は出産に立会うだけで高額の謝礼を支払われることになる。そのうちの一人、長い白衣の下に夜会服を着たほうは、あとでパーティに出席する予定だったが、このお産にだけは万難を排して立会う必要があった。三人の医師たちはだれが子供を取り上げるかを前もってくじ引きで決めていた。当りくじを引いたのは家庭医のマッケンジー医師だった。安心してまかせられる名医だ、と父親は廊下を行きつ戻りつしながら思った。といってべつに不安があるわけではなかった。ロバーツが今朝妻のアンを一頭立ての二輪馬車で病院まで運んだ。彼女の計算によれば、この日は妊娠九か月目の二十八日目に当っていた。朝食後間もなく陣痛が始まったが、夫は銀行の一日の業務が終るまでは生れないだろうといわれていた。若い父親は規律正しい男だったので、出産によって自分の秩序正しい生活が中断されなければならない理由を認めなかった。にもかかわらず、彼は落ちつきなく歩きまわるのをやめなかった。看護婦や若い医師たちが彼の姿を認めて足早に通り過ぎた。彼のそばを通るときは声をひそめ、充分に遠ざかってからふたたびふだんの話し声に戻った。彼はそのことにまったく気がつかなかった。人々は常に彼をそのように扱ったからである。病院の人間の大部分は彼とじかに顔を合わせたことがなかったが、みんな彼がどういう人物であるかを知っていた。

もしも男の子が生れたら、病院が緊急に必要としている新しい産科病棟を建設することになるだろう。彼はすでに図書館と学校を一つずつ建てていた。子供の誕生を目前にした父親は、夕刊新聞を読もうとして紙面に視線を走らせたが、内容がさっぱり頭に入らなかった。そわそわし、不安さえ感じていた。なにがなんでも男の子が欲しい、やがて自分の跡を継いで銀行の頭取になる息子が欲しいという気持は、彼ら（彼は自分以外のほとんどすべての人間を「彼ら」とみなしていた）にはとうてい理解できないだろう。彼は《イヴニング・トランスクリプト》のページをめくった。ボストン・レッド・ソックスがニューヨーク・ハイランダーズに勝っていた――人々はこの勝利を祝っていることだろう。それから第一面の見出しを思いだして、またそこへ戻って行った。アメリカ史上最大の地震。サンフランシスコは甚大《じんだい》な被害をこうむり、少なくとも四百人の死者が出ていた――人々は喪に服していることだろう。彼は面白くなかった。地震のせいで息子の誕生がかすんでしまう。人々の記憶にはこの日がサンフランシスコ大地震の起きた日として残るだろう。女の子が生れるかもしれないという考えは、ただの一瞬たりとも彼の心中をよぎらなかった。やがて経済欄に視線を移して、株式市況を注意深くチェックした。地震のせいで銀行の持株の価値が十万ドルも目減りしていたが、彼の個人資産は依然として一千六百万ドルを優に上まわっているから、カリフォルニア大地震ぐらいではびくともしなかった。生活費は利子のそのまた利子で充分まかなえるから、一千六百万ドルの元金はまだ生れてこない息子のために手つかずで残ることになるだろう。彼は引きつづき廊下を行きつ戻りつしながら《トランスクリプト》を読むふりをした。

白衣の下に夜会服を着こんだ産科医が、分娩室のスウィング・ドアを押しあけて、吉報を伝えにやってきた。労せずして得た莫大な謝礼のお返しになにかしなければならないと感じていたのだが、今の彼はこの吉報を伝えるのに最もふさわしい服装をしていた。二人の男は一瞬たがいに顔を見合せた。産科医のほうもやや神経質になっていたが、父親の前でそれを態度にあらわしてはならなかった。

「おめでとうございます。坊っちゃんです。元気のいい小さな男の子ですよ」

赤ん坊が生れると、世間の人々はどうしてこんなばかげた言葉を口にするのかな、と父親は思った。生れたての赤ん坊は小さいに決ってるじゃないか。彼にはこの吉報――男児誕生――の意味がまだよく呑《の》みこめていなかった。彼はもう少しで神への感謝の念を口に出すところだった。産科医は思いきって質問し、沈黙を破った。

「名前はもうお決めになりましたか？」

父親は躊躇《ちゅうちょ》なく答えた。「ウィリアム・ローウェル・ケインだ」

3

赤子が舞いこんだ興奮もとっくにおさまり、家族が床に入ったあとも、母親は彼を腕に抱いたまま起きていた。ヘレナ・コスキェヴィチは人生を価値あるものだと思っていたし、みずから九人の子供を産んでそのことを証明していた。うち三人は幼いうちに死んでしまったが、それもできるだけ手を尽した末のことだった。

今年三十五歳になる彼女は、昔は強壮だった夫のヤシオも、もはや息子も娘も与えてくれないことを知っていた。この子は神さまからの授かりものだから、きっと生きのびる運命に違いない。ヘレナの信仰は素朴だったが、それはよいことだった。運命は素朴な生活を送る以上の余裕を彼女に与えなかったからである。好きこのんでそうなったわけではなく、粗食と重労働と貧乏のせいで、髪には白いものが混り、体は痩《や》せ細っていた。不平不満を口にすることなど考えたこともなかったが、顔の皺は今の世の中では母親というよりむしろ祖母にふさわしかった。生れてこのかた新しい服を着たことはただの一度もなかった。

ヘレナはしなびた乳房を、乳首のまわりにうっすらと赤く跡がつくほど強くしぼった。小さな乳の滴《しずく》がほとばしった。人生もなかばの三十五歳にもなると、人それぞれに多少は役に立つ知識を身につけているものだが、ヘレナ・コスキェヴィチのそれは今や大いに価値があった。

「母さんのいちばん小さな坊や」と、彼女は赤子にやさしく話しかけて、すぼめた口に乳首をあてがってやった。青い目をあいて、懸命に乳首を吸う赤子の鼻の頭に、小さな汗の粒がふきでた。やがて母親は疲れきって、心ならずも深い眠りの底に沈んだ。

奴隷《どれい》同様の生活のなかで、唯一《ゆいいつ》の自己主張の証《あかし》である黒々とした口ひげをたくわえた、がっしりした体軀《たいく》の鈍重な男、ヤシオ・コスキェヴィチが、朝の五時に寝床から起きだしてみると、赤子を抱いた妻が揺り椅子《いす》で眠っていた。彼は昨夜妻が同じベッドに寝ていないことに気がつかなかったのだ。彼は、ありがたいことに少なくとも泣き声だけはたてなくなった父無し子《ててなしご》の顔を見おろした。死んだのだろうか？　ヤシオはこの窮地を脱するいちばん簡単な方法は、仕事にかかって、この突然の闖入者《ちんにゅうしゃ》とはかかわり合わないことだと考えた。赤子が生きるか死ぬかということは女房に心配させておけばいい。おれは夜明けと同時に男爵のお邸に着くことだけ考えていればいいんだ。彼は山羊《やぎ》の乳を二口三口ごくりと飲んで、濃い口ひげを袖口で拭った。それから片手でパンの塊を鷲《わし》づかみにし、もう一方の手に罠《わな》を持って、足音を忍ばせながら小屋の外に出た。物音で目をさました女房と、赤子のことでいさかいが始まるのがいやだったからだ。大股《おおまた》で森のほうへ歩きだした。もう彼の頭には、今度顔を見るときはあの小さな闖入者が死んでいるかもしれないという考えしかなかった。

続いて、何十年も狂いがちに時を刻んできた古い柱時計が午前六時を打つ直前に台所に現われたのは、長女のフロレンティナだった。起床や就寝の時間かどうかを知りたい人間にとって、この時計が果す役割はせいぜい補助的なものでしかなかった。フロレンティナの日課の一つに、朝食の支度があった。仕事自体は革袋に入った山羊の乳と一塊りのライ麦パンを八人家族に分けるという簡単なものだが、だれからも文句が出ないように平等に分けるためにはソロモン王の知恵を必要とした。

フロレンティナは、はじめて会った人間の目には、器量よしだが弱々しくみすぼらしい娘と映った。過去三年間彼女が着たきり雀《すずめ》で通してきたことはいかにも不公平だったが、育った環境にまどわされずに子供を見る目を持っている人々には、ヤシオが彼女の母親に恋したわけが納得できた。フロレンティナの長い金髪は光り輝き、はしばみ色の目は貧しい生れと粗食をものともせずに、生きいきとした光を放っていた。

彼女は揺り椅子に忍び足で近づき、母親と、一目見て気に入った赤ん坊を上から見おろした。彼女は八歳になる現在まで人形一つ持ったことがなかった。それどころか、家族が聖ミコワイの祭のお祝いに男爵の城に招待されたとき、たった一度人形を見たことがあるだけだった。そのときでさえその美しい人形に実際に手を触れたわけではなかったが、今彼女はこの赤ん坊を両腕に抱きしめたいという説明しがたい衝動に駆られた。前かがみになって母親の腕のなかから赤ん坊をそっと抱きあげ、小さな青い目――透き通るような青だった――をのぞきこみながらハミングをはじめた。母親の暖かい胸から少女のひんやりした手へと急に移されたために、赤ん坊の機嫌が悪くなった。火がついたように泣きだした。泣き声で目をさました母親は、いつの間にか眠ってしまった自分を咎《とが》めるような表情を浮べただけだった。

「おやまあ、まだ生きてるよ」と、彼女はフロレンティナにいった。「わたしはこの子にもう一度おっぱいをあげてみるから、お前は子供たちの朝ごはんの支度をしておくれ」

フロレンティナはしぶしぶ赤ん坊を返して、母親がふたたび痛む乳房をしぼるのを見守った。少女はまるで催眠術にでもかかったようだった。

「さっさとおしよ、フロルチア」母親は娘を叱《しか》った。「ほかの家族も食べなきゃならないんだからね」

フロレンティナはいいつけに従い、やがて屋根裏の寝床からおりてきた男の子たちが、おはようといいながら母親の手にキスをし、新しい家族を恐る恐る眺めた。彼らが知っているのは、この子が母親のおなかから生れたのではないということだけだった。フロレンティナはこの朝興奮のあまり朝ごはんを食べなかったので、男の子たちが当然のように彼女の分を山分けし、母親の分だけはテーブルの上に残しておいた。それぞれが毎日の仕事に取りかかるとき、母親が赤ん坊の到着以来なにも食べていないことに気がついた者は一人もいなかった。

ヘレナ・コスキェヴィチは、子供たちが幼いうちから自活する力を身につけたことに満足していた。彼らは母親に手伝ってもらったりうるさくいわれたりしなくても、家畜に餌《えさ》をやり、山羊や牛の乳をしぼり、畑の野菜の世話をし、それぞれの日課をちゃんとこなすことができた。夕方ヤシオが家に帰ったとき、彼女は急に夫の夕食を用意しておかなかったことに気がついたが、フロレンティナが弟のフランクから獲物の兎《うさぎ》を受け取って、すでにそれを料理しはじめていた。フロレンティナは母親が病気のときだけまかされる夕食の支度という仕事を誇りにしていた。そしてヘレナ・コスキエヴィチが病気で寝こむという贅沢《ぜいたく》をみずからに許すことはまれだった。幼い猟師は兎を四羽、父親はマッシュルームを六個とじゃがいも三個を持ち帰っていた。今夜は正真正銘のごちそうにありつける。

食後、ヤシオは火のそばの自分の椅子に腰をおろして、はじめて赤子の顔をしげしげと眺めた。赤子の腋《わき》の下に両手を通して、左右の親指でぐらぐらする首を支えながら、罠猟師の目で観察した。皺《しわ》だらけで歯のない顔をかろうじて埋め合せているのは、まだ焦点の定まらない、大きな青い目だけだった。痩せた体に視線を移したとたんに、なにかが彼の注意を引きつけた。彼は眉《まゆ》をひそめて、こわれ物のような赤子の胸を親指でこすった。

「気がついてたかい、ヘレナ?」と、罠猟師は赤子の肋骨《ろっこつ》を指先で突つきながらいった。「このみすぼらしい父無し子は乳首がかたっぽしかないぞ」

今度は妻が眉をひそめながら親指で赤子の肌をこすった。まるでそうすることによって見えない乳首が現われるとでもいうように。だが夫のいうとおりだった。けし粒のようなくすんだ色の左乳首はちゃんとあったが、薄い右胸はのっぺりしていて、色もむらのないピンク色だった。

女の迷信にたちまち火がついた。「この子は神さまの贈物なんだよ」と、彼女は興奮して叫んだ。「ごらんよ、神さまのお印を」

男は赤子を邪慳《じゃけん》に女の手に押しつけた。「お前はばかだよ、ヘレナ。この子の父親は悪い血を持っていたのさ」彼は赤子の血筋に関する自分の考えをより正確に表現するために、火のなかにぺっと唾を吐いた。「どっちにしろ、おれはこの父無し子が育たないほうに、じゃがいもを一個賭《か》けてもいいよ」

ヤシオ・コスキェヴィチは赤子が生きのびることをじゃがいも一個分ほども望んでいなかった。生れつき薄情な男ではなかったが、この子は自分の子ではなかったし、これ以上養う口がふえたらいよいよ生活苦がつのるばかりだった。だが、それが神さまの思召《おぼしめ》しだというのなら、自分がとやかくいう筋合いではないと判断し、それっきり赤子のことは忘れて、火のそばで深い眠りに入った。

日がたつにつれて、さしものヤシオ・コスキェヴィチもこの子は育つかもしれないと思いはじめた。彼が賭事好きの男だったら、じゃがいも一個を失っていただろう。長男の猟師は、弟たちに手伝わせて、男爵《だんしゃく》の森から拾い集めた木で赤ん坊用のベッドを作ってやった。フロレンティナは自分の服の一部を切り取った端切《はぎ》れを縫い合せて、小さな服を作った。もしも彼らが道化師《ハーレクイン》という言葉の意味を知っていたら、つぎはぎだらけの服を着た赤ん坊をその名前で呼んでいたことだろう。事実、赤ん坊の命名はこの一家に何か月ぶりの論争を引き起した。名前について意見がないのは父親だけだった。すったもんだのあげくにようやくヴワデクという名前が決り、つぎの日曜日に、男爵の広大な領地にある礼拝堂で、子供はヴワデク・コスキェヴィチとして洗礼を施された。母親はこの子を生かしてもらったことを神に感謝し、父親は諦《あきら》めとともに現実を受けいれた。

その夜は洗礼を祝ってささやかなごちそうが用意され、男爵の贈物である一羽の家鴨《あひる》が食卓にいろどりを添えた。コスキェヴィチ一家は心ゆくまでごちそうを楽しんだ。

その日からフロレンティナは食物を九等分することをおぼえた。

4

アン・ケインは朝まで熟睡した。朝食のあと息子のウィリアムが病院の看護婦に抱かれて戻ってくると、彼女はふたたび待ちきれずにわが子を抱きしめた。

「では、ミセス・ケイン」白衣の看護婦がきびきびといった。「赤ちゃんにも朝ごはんをあげましょうか？」

看護婦は、突然乳房が大きく張っていることに気がついたアンをベッドの上に起きあがらせて、二人の新米に授乳の手順を指導した。アンは、ここで恥ずかしそうな顔をするのは母親らしくない態度であると気がついて、父親のそれよりもなお青いウィリアムの青い目をじっとみつめながら、喜び以外のものであるはずがない自分の新しい立場を受けいれた。二十一歳の今、彼女は自分になに一つ欠けるところがないことを知っていた。キャボット家の一員として生れ、ローウェル一族の分家に嫁ぎ、そして今や、昔の学友の一人から送られたカードの言葉が簡潔に要約している伝統を継承すべき男の第一子に恵まれたのである。

豆と鱈《たら》を産する地、
ボストン市に栄あれ。
そこではキャボット家はローウェル家にのみ語りかけ、
ローウェル家は神にのみ語りかける。

アンは三十分間ウィリアムに話しかけたが、相手はほとんど反応を示さなかった。

やがて彼は病室に連れてこられたときと同じように眠ってしまった。アンは枕《まくら》もとに山のように積みあげられた果物やキャンディの誘惑と雄々しく戦った。夏までにはどんな服でも着られる体型に戻って、当然のことながら時代の先端を行く雑誌に再登場すべく決意していた。ガロンヌ公爵は彼女こそ鑑賞に耐えるボストン唯一の美人だといわなかったか？　彼女の長い金髪と、美しく繊細な顔だちと、楚々《そそ》とした姿かたちは、一度も訪れたことのない町々でも好奇心と讃嘆の的となった。彼女は鏡をのぞいてみた。顔には目立つ皺は一本もなかった。これで元気のよい男の子の母親だとはだれも信じないだろう。元気のよい男の子でほんとによかった、と彼女は胸を撫《な》でおろした。

軽い昼食をとってから、午後に訪れる見舞客を迎える用意をした。今日の見舞客はすでに秘書によって篩《ふるい》にかけられた人たちだった。第一日目に彼女に会うことを許されるのは、家族か、名門中の名門の人々だけだった。ほかの人々はまだ面会できる状態ではないという口実で断わられることになるだろう。しかしボストンは人々が社会的地位の最も細かい区分までわきまえているという点で、アメリカで最後に残された土地柄なので、予期せぬ見舞客が闖入することはまずないと思われた。

彼女が一人で占領している病室は、花で埋まってさえいなければ、ベッドがあと五つは楽に収容できそうだった。若い母親がベッドに坐《すわ》ってさえいなかったら、なんの気なしに通りかかった人間が、ここをささやかな園芸展示会場とかんちがいしたとしても、大目に見てやらなければならないだろう。アンはまだ馴染《なじ》みのうすい電燈《でんとう》のスイッチをひねった。夫のリチャードと彼女はキャボット家が電気を引くまで待っているのだった。キャボット家に電気が引けたときこそ、電磁誘導なるものが社会的に受けいれられた証であると、全ボストンが考えていた。

最初の訪問者はアンの義母で、前年夫に先立たれたために、今では一家の長の立場にあるトーマス・ローウェル・ケイン夫人だった。彼女は優雅な中年の終りにいたって、自分自身はなんの気兼ねもなく、そして疑いもなく部屋の主《ぬし》を狼狽《ろうばい》させるような形で、ずかずかと部屋に入りこむテクニックを完成させた。彼女は踝《くるぶし》を絶対に人目にさらさない長いシュミーズ・ドレスを着ていた。彼女の踝を見たことがあるたった一人の男はすでにこの世になかった。彼女は昔から痩《や》せていた。彼女にいわせれば、太った女たちは粗末な食事をしていることを意味し、それ以上に育ちが悪いことを意味していた。彼女は今やローウェル家の最年長者であり、その点ではケイン家を含めてもなお彼女より年上の者はいなかった。したがって生れたばかりの孫の顔を最初に見にくるのが彼女であることは、自他ともに認めるところだった。結局のところ、アンとリチャードの出会いを取りもったのは彼女ではなかったか？　ケイン夫人にとって愛はさほど重要なものとは思えなかった。富と、地位と、威信となら、彼女はいつでも折り合ってゆける自信があった。愛があるに越したことはないが、それがいつまでも続くことはめったになかった。それにひきかえほかの三つのものは永もちした。彼女は嫁の額にねぎらいのキスを与えた。アンが壁のボタンを押すと、静かなブザーの音が響いた。その音がケイン夫人を驚かせた。彼女は電気なるものが一般に普及するとは思ってもいなかったのだ。看護婦がふたたび跡継ぎを抱いて病室に入ってきた。ケイン夫人は孫を念入りに観察し、満足そうに鼻を鳴らしてから、もういいというように手を振って遠ざけた。

「でかしたわね、アン」母親はまるで嫁が運動会でつまらない賞にでもありついたような口調でいった。「家族全員があなたをとても誇りにしてますよ」

　数分後にアンの実の母親、エドワード・キャボット夫人が到着した。彼女もケイン夫人と同じように数年前に夫を亡《な》くし、二人は遠目にはどっちがどっちかわからないほどよく似ていた。しかし公平に見て、彼女のほうが新しい孫と娘にケイン夫人よりもかなり深い関心を示した。観察は花にまで及んだ。

「ジャクスン夫妻もご親切におぼえていてくださったのね」と、キャボット夫人は小声でいった。

ケイン夫人の観察はそれにくらべてお座なりだった。彼女の視線は美しい花の上をさっと走ってから、送り主のカードの上に止った。そして心和ませる名前を独り言のように呟《つぶや》いた。アダムズ夫妻、ローレンス夫妻、ロッジ夫妻、ヒギンスン夫妻。どちらの祖母も自分の知らない名前についてはなにもいわなかった。二人とももうなにか新しいものや新しい人をおぼえようとする年齢を通り過ぎていた。彼女たちは充分に満足して一緒に帰って行った。跡とり息子が生まれ、しかも一目でまずまず申し分のない子供であることがわかった。二人とも一族に対する自分の最後のつとめが、代理人によってではあれ、りっぱに果されたからには、もう裏方にまわってもよいころだろうと考えていた。

だがその考えは間違っていた。


アンとリチャードの親しい友人たちが、贈物とお祝いの言葉を持って、午後からどっと押しかけてきた。贈物は金や銀の製品からなり、お祝いの言葉は甲高い上流階級のアクセントで話された。

夫が一日の仕事を終えて駆けつけたとき、アンはいささか疲れ果てていた。リチャードは生れてはじめて昼食にシャンパンを飲んだ——老エイモス・カーブズのたっての勧めもあったし、サマセット・クラブの全員がじっと見守っているので、さすがのリチャードも断わりきれなかったのだ。妻の目に映った彼はふだんよりやや固苦しさが消えていた。長い黒のフロック・コートに細縞《ほそじま》のズボンという重厚な服装で、身長が優に六フィート一インチはあった。真ん中で分けた黒い髪が大きな電球の光を受けて輝いていた。三十三歳という彼の年齢を正確にいい当てられる人間は少ないだろう。若さは彼にとって重要ではなかった。重要なのは中身だった。またしてもウィリアム・ローウェル・ケインが呼ばれ、父親は銀行の一日の業務を終えて収支をチェックするような目で息子を観察した。どこにも欠陥はないようだった。二本の脚、二本の腕、十本の指、十本の足の指がちゃんと揃《そろ》っており、将来自分を困らせるようなことはなさそうだったので、彼は息子を解放した。

「ゆうべセント・ポールズの校長に電報を打っておいたよ。ウィリアムは一九一八年九月の入学を許可された」

アンはなにもいわなかった。リチャードはもう生れたばかりのウィリアムの進路を決めにかかっていた。

「さて、きみのほうはもうすっかり回復したかね？」と、彼は続けてたずねた。彼自身は生れてこのかた三十三年間にただの一日も病院に入ったことがなかった。

「ええ——まあ——そう思いますけど」妻は気おくれしながら答え、夫に不快感しか与えないとわかっている涙をこらえた。その答えのニュアンスはとうてい夫に理解してもらえそうになかった。彼は妻の頰にくちづけして、ルイスバーグ・スクエアにある一族の館《やかた》、レッド・ハウスへ馬車で帰って行った。使用人、召使、それに息子と看護婦を加えて、これからは八人の口を養っていかねばならない。リチャードはその問題を気にもとめなかった。

ウィリアム・ローウェル・ケインは、教会の祝福と父親が生れる前から決めていた名前を、米国聖公会セント・ポール教会で受けた。ボストンじゅうのすべての有力者と、一部の非有力者が列席した。ローレンス老主教が式を執りおこない、名声隠れもない二人の銀行家J・P・モーガンとアラン・ロイド、それにアンの親友のミリー・プレストンが選ばれた名付親の役目を果した。主教猊下《げいか》がウィリアムの額に聖水を注ぎかけた。赤ん坊は声一つたてなかった。早くも上流階級にふさわしい生き方を学びつつあった。アンは息子が無事に生れたことを神に感謝し、リチャードもまた、ケイン家代々の事績を記録する外部の簿記係としかみなしていない神に、財産を遺《のこ》す息子が生れたことを感謝した。しかし、万一の場合を慮《おもんぱか》ってもう一人男の子を作っておくほうがよいかもしれない、と彼は思った。彼はひざまずいた姿勢から、かたわらの満足そうな妻にちらと視線を走らせた。

第二部

5

ヴワデク・コスキェヴィチの成長は遅かった。養母の目には、この子の健康が将来問題になることが明らかだった。ふつうは育ち盛りの子供がかかる病気と、そうでない病気のすべてに取りつかれ、しかもそれらをコスキェヴィチ一家のほかの者に手当りしだいうつしてしまうのだった。ヘレナは彼を実の子と同じように扱い、夫のヤシオが自分たちのあばら屋にヴワデクがいることを、神よりはむしろ悪魔のせいにして文句をいいはじめるたびに、いつもヴワデクの肩を持った。一方フロレンティナはまるでわが子のようにヴワデクの世話を焼いた。彼女はヴワデクを一目見た瞬間から深い愛情を抱いたが、その愛情は文無しの罠《わな》猟師の娘である自分には、一生結婚相手が見つからないのではないかという不安から生じたものだった。そうなれば子供を産むこともできない。ヴワデクこそは彼女の子供だった。

ヴワデクを発見した猟師の長男は、彼をおもちゃのように扱ったが、かよわい乳飲子からしだいに体も頑丈になって、よちよち歩きをするようになった弟が気に入っていることを口に出していうには、あまりにも父親を恐れていた。いずれにしても来年一月になれば、幼い猟師は学校をやめて男爵《だんしゃく》の領地で働きはじめなければならない、と父親から申しわたされていた。三人の弟たち、ステファンとユゼフとヤンは、ヴワデクにほとんど関心を示さず、残る一人の家族ゾフィアは彼を抱いてかわいがるだけで満足していた。

両親ともに、自分の実の子供たちとはあまりにかけはなれたヴワデクの性格や知能に対する心構えができていなかった。肉体または知能の差異はだれが見ても歴然としていた。コスキェヴィチ家の人々はみな長身、骨太で、髪は金髪、目は灰色だった。ヴワデクは背が低く、ずんぐりした体つきで、髪は黒く、目はあくまで青かった。コスキェヴィチ家の人々はみな勉強嫌いで、年齢や世間体が許すようになると同時に村の学校を中退した。一方ヴワデクは、歩きだすのこそ遅かったが、十八か月で言葉を話すようになった。三歳で文字を読んだが、まだ独りでは服が着られなかった。五歳で字を書いたが、寝小便の癖はやまなかった。彼は父親の絶望の種となり、母親の誇りとなった。彼がこの世に生れでてからの四年間で記憶に残ることといえば、しょっちゅう病気になって死にかけたことと、なんとか死なせまいとするヘレナとフロレンティナの不断の努力だけだった。彼はつぎはぎだらけの服を着て、はだしで丸太小屋のなかを走りまわり、母親のあとばかり追いかけていた。フロレンティナが学校から帰ってくると、今度は彼女にまつわりついて、寝るまで片時もそばをはなれなかった。フロレンティナは食物を九等分するとき、しばしば自分の分け前の半分をヴワデクに与え、彼が病気をしたときは分け前をそっくりやって、自分はなにも食べなかった。ヴワデクは彼女に作ってもらった服を着、彼女に教わった歌を歌い、彼女がもらった数少ないおもちゃやプレゼントを分ち合った。

フロレンティナはほぼ毎日のように学校へ行ったので、ヴワデクも幼いころから一緒に学校へ行きたがった。やがて入学を許されると、(村の学校に着くまでフロレンティナの手にしっかりとつかまって)苔《こけ》むした樺《かば》や糸杉の森を通り、菩《ぼ》提樹《だいじゅ》や桜の畑を横切って、スウォーニムまでの十八ヴォルスタ、およそ九マイルの道のりを歩いて通った。

ヴワデクは初日から学校が好きになった。学校はそれまで彼の全世界だった小さな小屋からの逃避の場だった。また、学校は生れてはじめてロシアによる東部ポーランドの占領という苛《か》酷《こく》な現実を彼に教えてくれた。母国語のポーランド語を話せるのは小屋にいるときだけで、学校ではロシア語を話さねばならないことを知った。周囲の子供たちからは、抑圧された母国語と祖国文化への烈々たる誇りが感じられた。彼もまた同じ誇りを感じた。意外なことに、ヴワデクは教師のコトフスキ氏が、家にいるときの父親と違って、自分をばかにしていないことを知った。家と同様学校でも彼は最年少だったが、身長を除くすべての点で同級生を追い抜くのにさして時間はかからなかった。背が低いために仲間はいつも彼の真の才能を不当に見くびった。子供というのはいつの時代でも体の大きいやつがいちばん偉いと考えがちなものである。五歳になるともう鉄細工以外のすべての科目で彼の右に出る生徒はいなかった。

夜、小さな丸太小屋では、ほかの子供たちが春の庭で匂《にお》やかに花開く菫《すみれ》やポプラの世話をしたり、木の実を摘んだり、薪《まき》を割ったり、兎《うさぎ》をつかまえたり、服を縫ったりするあいだに、ヴワデクは手当りしだいに本を読み、ついには長男が一度も開かずにほうっておいた本や、すぐ上の姉の本まで残らず読みあげてしまった。やがてヘレナ・コスキェヴィチは、長男が三羽の兎のかわりに小さな生き物を家へ持ち帰ったとき、自分が期待していた以上に値打ちのあるものを手に入れたことを徐々に理解した。ヴワデクはもう彼女には答えられない質問をするようになっていた。もうすぐ自分はとうていこの子に太刀打ちできなくなってしまうだろう、そのときどうすればよいのか彼女にはわからなかった。彼女は運命に揺ぎない信頼を寄せていたので、自分の力の及ばないところでその決定が下されたときも、べつに驚きはしなかった。

一九一一年秋のある夜、ヴワデクの人生の最初の転機が訪れた。家族全員が甜菜《てんさい》と肉団子の粗末な夕食を終えて、ヤシオ・コスキェヴィチは火のそばで鼾《いびき》をかき、ヘレナは縫物をし、ほかの子供たちは遊び興じていた。ヴワデクが母親の足もとに坐《すわ》って本を読んでいると、ステファンとユゼフがペンキを塗ったばかりの松かさを奪い合う騒ぎを圧して、力強くドアをノックする音が聞えた。家族全員がはっと口をつぐんだ。コスキェヴィチ一家にとってノックの音は常に予期せぬ出来事だった。彼らの小屋はスウォーニムからは十八ヴォルスタ、男爵の領地からでも六ヴォルスタ以上はなれていたからである。客が訪れることはめったになく、たまにあっても野イチゴのジュース一杯でもてなされ、騒々しい子供たちの声を聞かされるのが関の山だった。家じゅうの人間が心配そうにドアのほうを見た。彼らは最初のノックが聞えなかったかのように、つぎのノックの音を待った。それは前よりもやや高く鳴り響いた。ヤシオがねぼけまなこで椅子《いす》から腰をあげ、戸口のほうに歩いて行って、用心深くドアをあけた。戸口に立った男の顔を見たとたんに、全員が頭を下げたが、ヴワデクだけは分厚い熊《くま》の皮の外套《がいとう》を着た、恰幅《かっぷく》のよい、整った顔だちの、貴族的な容姿の持主を臆《おく》することなく見あげた。その人物の存在は狭い部屋を威圧し、父親の目には不安の色が浮んだ。

だが温かい微笑がその不安を吹きとばした。罠猟師はロスノフスキ男爵を家のなかに招じ入れた。だれも口をきかなかった。男爵が過去にこの家を訪れたことは一度もなく、みんなどういえばよいかわからなかったのである。

ヴワデクは読みかけの本を置いて立ちあがり、見知らぬ男のほうに歩み寄って、父親が止める間もなく片手を差しだしていた。

「こんばんは」

男爵はその手を握りしめ、二人はたがいの顔をみつめ合った。男爵が手をはなしたとき、ヴワデクの視線が相手の手首にはめられたみごとな銀の腕輪の上に止った。そこに彫られた文字は彼には読めなかった。

「お前がヴワデクだな」

「はい、そうです」少年の声にも態度にも、男爵が自分の名前を知っていることについての驚きはなかった。

「わたしはお前のことでお前の父親に会いにきたのだ」と、男爵が続けた。

ヴワデクは男爵の前に立ったまま、相手の顔を見あげた。罠猟師が手を振って、子供たちに向うへ行ってろと合図した。二人は膝《ひざ》を曲げて上体をかがめ、四人はお辞儀をして、六人ともおとなしく屋根裏へ引っこんだ。ヴワデクだけはその場に残ったが、だれもなにもいわなかった。

「コスキェヴィチ」男爵はだれも椅子をすすめないので、相変らず立ったままで続けた。罠猟師が椅子をすすめない理由は二つあった。彼自身ひどく気おくれしていたのと、男爵が自分を叱《しか》りにきたものと考えたためだった。「お前に頼みがあってきた」

「わたしでお役に立てますなら、なんなりと」父親は自分が与えられるものなら男爵はすでにその百倍も持っているはずだといぶかりながら答えた。

「倅《せがれ》のレオンは六歳で、城で二人の家庭教師から個人教授を受けている。一人はポーランド人で、もう一人はドイツ人だ。彼らがいうには、レオンは頭がいいが、自分以外に負かす相手がいないために競争心に欠けるところがあるそうだ。スウォーニムの村の学校のコトフスキ先生は、レオンに必要な競争相手の資格があるのはヴワデクだけだといっている。そこで物は相談だが、お前の息子に学校をやめさせて、レオンの勉強仲間として城へよこしてはくれまいか」

ヴワデクは男爵の前に立ったまま、目をみはりながら、食物と、飲物と、本と、コトフスキ先生よりも賢い教師たちという輝かしい未来図を思い描いた。母親のほうにちらと視線を向けると、彼女もまた驚きと悲しみの表情を浮べて男爵をじっとみつめていた。父親が母親のほうを振り向いたが、二人のあいだで交わされた一瞬の無言の会話が、子供には永遠のように思えた。

罠猟師は男爵の足もとを見ながら無愛想に答えた。「ありがたいことでございます」

男爵はヘレナ・コスキェヴィチに問いかけるような視線を向けた。

「聖母マリア様はわたしが子供の将来の邪魔をすることをお許しになりません」と、彼女は小声でいった。「もっとも、わたしがどんなに辛《つら》い思いをするかはマリア様だけがご存じですけど」

「しかし、マダム・コスキェヴィチ、ヴワデクは定期的にあんたに会いにこられるんだよ」

「わかっております。はじめのうちはこの子も会いにきてくれるでしょう」彼女はなにか願い事をつけくわえようとしかけたが、思いなおして沈黙した。

男爵は微笑を浮べた。「よろしい。これで話は決った。明朝七時に子供を城へ連れてきてくれ。学期中はヴワデクをわれわれと一緒に住まわせて、クリスマスになったらお前たちのところへ帰すことにする」

ヴワデクがわっと泣きだした。

「こら、静かにしろ」と、罠猟師が叱った。

「ぼくは行きたくない」ヴワデクは内心行きたくてたまらないのに、断固たる口調でいった。

「お前は黙ってろ」と、罠猟師が今度はやや声を荒らげた。

「なぜなのだ?」と、男爵が同情するような口ぶりで質問した。

「フロルチアと別れるのはいやだ──絶対にいやだ」

「フロルチア?」と、男爵がたずねた。

「わたしの長女でございます」と、罠猟師が答えた。「フロルチアのことはどうぞご心配なく。この子はおおせのとおりにいたしますから」

一瞬の沈黙が訪れた。男爵はしばし考えこんだ。ヴワデクは計算ずくで泣き続けた。

「娘はいくつになるかね?」と、男爵がたずねた。

「十三歳でございます」

「台所仕事はできるかな?」男爵はヘレナ・コスキェヴィチが少年に誘われて泣きだすようすがないのを見てとり、ほっとしながら質問した。

「はい、できますとも」と、彼女が答えた。「娘は料理も縫物も、そのほかなんでも……」

「よろしい、では娘も一緒によこしてくれ。明朝七時に二人を待っているぞ」

男爵は戸口まで行って振りかえり、ヴワデクにほほえみかけた。ヴワデクも微笑を返した。彼は生れてはじめての駆引に勝ったのだ。母親の両腕にしっかりと抱かれて、閉ったドアを眺めながら、彼女の囁《ささや》き声を聞いた。「ああ、母さん《マートカ》のかわいい坊や、これからお前はどうなるんだろう？」

ヴワデクはその答えが待ちきれない気分だった。

ヘレナ・コスキェヴィチはその夜のうちにヴワデクとフロレンティナの荷物をまとめあげた。といっても、一家の持物すべてを荷造りするとしても、大して時間がかかるわけではなかった。翌朝、残った家族はドアの前に立って、それぞれ小脇《こわき》に紙包みを一個ずつ抱えながら出発する二人を見送った。背が高くて気品のあるフロレンティナは、何度も振りかえって泣きながら手を振った。だが、背が低くて不格好なヴワデクのほうは、ただの一度もあとを振りかえらなかった。フロレンティナは男爵の城に着くまでずっとヴワデクの手をしっかり握り続けた。今や彼らの役割は逆転し、その日から彼女のほうが彼に依存するようになった。

巨大な樫《かし》の扉をおずおずとノックしたときに現われた、刺繡《ししゅう》入りの緑色のお仕着せを着た堂々たる風采《ふうさい》の男は、明らかに彼らの到着を待っていたようだった。二人とも近くのロシア・ポーランド国境を警備するグレイの軍服を着た兵士たちの姿を町で見かけて、感嘆の目をみはったことはあったが、見るからに大物らしい風格を漂わせて、自分たちをはるか上から見おろしているこのお仕着せの召使ほどまばゆい存在を見るのは生れてはじめてだった。ホールには分厚い絨毯《じゅうたん》が敷きつめられ、ヴワデクはその緑と赤の美しい模様に驚きの目を向けながら、靴を脱いだものかどうかと思い迷い、靴のままでその上を歩いても全然足音が響かないことに改めて驚いた。きらびやかなお仕着せ姿の男は彼らを城の西翼の寝室へ案内した。寝室は個室だった――こんな部屋に入れられて独りで眠れるだろうか？　少なくとも部屋と部屋の境の壁にドアがあったので、完全に引きはなされてしまったわけではなかったし、事実二人はその後いく晩も一つのベッドで一緒に寝た。

荷物をといたあとで、フロレンティナは台所へ、ヴワデクは城の南翼にある遊戯室へ連れて行かれて、男爵の息子のレオンに引き合わされた。レオンは背の高い美少年で、一目でその魅力のとりこになったヴワデクは、予断にもとづく喧嘩腰《けんかごし》の態度を振り捨て、自分でもそのことを意外に思うと同時にほっと胸を撫《な》でおろしもした。レオンは若死にした母親のかわりになって彼に乳を与え、すべての面で世話を焼いてきた献身的なリトアニア女の乳母のほかに、遊び相手とてない孤独な少年だった。森からやってきたずんぐりした少年は、恰好《かっこう》の仲間になりそうだった。少なくとも一つの点で、二人とも自分たちが対等とみなされたことを知っていた。

レオンはただちにヴワデクのために城内の案内役を買って出、午前中いっぱいかかって城内を一巡した。ヴワデクは城の広さと、家具や織物の豊かさと、あらゆる部屋に敷きつめられた絨毯に驚かされ続けた。しかしレオンにはほどほどに感銘を受けたようすしか見せなかった。結局のところ彼は実力を買われてこの城にところを得たのだった。城の主要部分は初期ゴシック様式であると、男爵《だんしゃく》の息子は、ヴワデクがゴシックの意味を知っていることが自明であるかのように説明した。ヴワデクはしたり顔でうなずいた。つぎにレオンは新しい友達を、何列ものワインの壜《びん》が埃《ほこり》と蜘蛛《くも》の巣におおわれて眠っている広大な地下室に案内した。ヴワデクがいちばん気に入った部屋は、アーチ型天井を支える太い柱と石を敷きつめた床のある、広々とした食堂だった。壁には動物の首がずらりと飾られていた。レオンはそれらを野牛、熊、大鹿、猪《いのしし》、穴熊などと説明した。食堂のいちばん奥の壁には、牡鹿《おじか》の枝角の下に男爵家の紋章が燦《さん》然《ぜん》と輝いていた。ロスノフスキ家の家訓が、「運命は勇者にほほえむ」と読みとれた。ナイフとフォークをうまく使いこなせないために、ほとんど食べられずに終った昼食のあとで、ヴワデクは二人の家庭教師と会ったが、彼らはレオンと違ってヴワデクを暖かく歓迎しなかった。夜はいまだかつて見たこともないほど長いベッドに入りこんで、フロレンティナに昼間の冒険を話して聞かせた。彼女の興奮した目は一瞬も弟の顔からはなれず、また驚きのあまり口をぽかんとあけたままで話に聞きいった。とりわけ、ヴワデクが右手の五本の指を密着させ、左手の指を大きく拡《ひろ》げてその形状を説明したナイフとフォークの話のときなど、あいた口がふさがらないようすだった。

個人教授は朝食前の七時ちょうどに始まり、短時間の食事休みを除いてまる一日じゅう続いた。はじめは明らかにレオンがヴワデクをリードしていたが、ヴワデクは確固たる決意のもとに教科書と取り組んだので、数週間たつとその差はしだいに縮まり、同時に二人の生徒のあいだの友情と競争心が大きく育っていった。ドイツ人とポーランド人の家庭教師は二人の生徒、男爵の子息と罠《わな》猟師の息子を対等に扱うことに困難をおぼえたが、村の学校のコトフスキ氏の選択が正しかったかどうかと男爵にたずねられたときは、しぶしぶながらその正しさを認めざるを得なかった。ヴワデク自身は家庭教師たちから差別待遇を受けてもいっこうに気にならなかった。レオンが常に彼を対等に扱ってくれたからである。

男爵は二人の少年が着実に進歩しつつあることに満足の意を表し、ときおりヴワデクに着るものやおもちゃを与えた。ヴワデクが当初男爵に対して抱いたやや他人行儀な尊敬の念は、やがて敬愛の念に変り、クリスマスに父母の待つ森の小屋へ帰る日が近づくとともに、レオンと別れることを思って心を痛めた。

彼のこの悲しみには根拠があった。母親との再会は確かにうれしかったものの、男爵の城で暮した三か月という短い期間が、以前にはまったく気づかなかったわが家の欠陥を彼の目に明らかにしていたからである。休暇中は時間のたつのが遅かった。ヴワデクはたった一間に屋根裏の寝床があるだけの小屋の生活に息苦しさをおぼえ、手で食べる乏しい食事に不満をおぼえた。城ではだれも食物を九人前に分けたりはしなかった。二週間たつとヴワデクはレオンと男爵のもとへ帰りたくなった。毎日午後になると城までの六ヴォルスタの道のりを歩いて行き、腰をおろして城の領地を囲む巨大な壁を眺めるのだった。一方台所の召使たちと一緒の生活しか知らないフロレンティナのほうは、わが家に帰ることをヴワデクよりも容易に受けいれ、ヴワデクにとって小屋はもう二度とわが家ではありえないという現実を理解できなかった。罠猟師は、今ではきれいな服を着て、上品な言葉で話し、わずか六歳という年齢で彼には理解もできなければ理解しようとも思わない事柄について語る少年を、どう扱えばよいのか皆目見当がつかなかった。少年は一日じゅう読書で時間をつぶすだけで、ほかのことはなにもしなかった。いったいこの子はどうなるのだろう、と罠猟師は思った。斧《おの》の使い方や罠で兎《うさぎ》をとることも知らずに、どうやって生活してゆくつもりなのだろうか？　彼もまた休暇が一日も早く終ってくれることを祈った。

　ヘレナはヴワデクのことが自慢で、はじめのうちは彼とほかの子供たちのあいだに楔《くさび》が打ちこまれたことを認めようとしなかった。だが、結局その事実を認めないわけにはいかなくなった。ある晩兵隊ごっこをしているとき、双方の大将役をつとめるステファンとフランクがともにヴワデクを自軍に加えることを拒否した。

「なぜぼくだけいつも仲間はずれにされるんだ？」と、ヴワデクが叫んだ。「ぼくだって戦闘を学びたいよ」

「お前はおれたちとは違うからさ」と、ステファンがいった。「お前はほんとはおれたちの兄弟じゃないんだ」

　長い沈黙のあとでフランクが続けた。「だいいち父《オイチエツ》さんはお前なんか欲しくなかったんだ。母《マートカ》さんだけだよ、お前の味方をしたのは」

　ヴワデクは突っ立ったまま身じろぎもせず、まわりを囲んだ子供たちの顔を見まわして、フロレンティナの姿を捜した。

「フランクがいったことはどういう意味だ、ぼくがお前たちの兄弟じゃないというのは？」

　こうしてヴワデクは自分の生れを知り、なぜ自分がいつも兄や姉と区別されてきたのかを理解した。今や完全に自分の殻に閉じこもってしまった彼を見て、母親が心を痛めているのを知ると気が重かったが、ヴワデクは自分が罠猟師の卑《いや》しい素姓とは無関係な未知の血統に属しており、その血統にはあらゆることを可能にするかのような希望の芽が含まれていることを知って、内心ひそかに喜んだ。

みじめな休暇がようやく終ったとき、ヴワデクは喜び勇んで城へ戻った。レオンは両手を拡げて歓迎した。ヴワデクが罠猟師の貧しさのせいで孤立しているのと同じくらい、父親の富のせいで孤立している彼にとっても、クリスマスに祝うべきことはほとんどなかったからである。それ以後二人の少年はますます親密の度を加え、ほどなく切りはなしがたい存在となった。翌年の夏休みには、レオンはヴワデクを城にいさせてくれるよう父親に頼みこんだ。男爵もまたヴワデクを愛するようになっていたので、この頼みを聞きいれた。ヴワデクは天にも昇る心地で、その後死ぬまでにたった一度しか罠猟師の小屋に足を踏み入れなかった。

ヴワデクとレオンは授業が終ると残りの時間にいろんな遊びをした。二人が好んだのはホヴァネーゴ、すなわち隠れんぼの一種だった。城には七十二の部屋があったから、隠れ場所が単調になる気遣いはなかった。ヴワデクが好んだ隠れ場は城の地下牢《ちかろう》で、そこでは壁の上のほうに設けられた一つの小さな石の格子《こうし》窓からわずかに光がさしこむだけで、それでもなお足もとを照らすろうそくが必要なほどだった。ヴワデクは地下牢がいかなる目的のために使われるものかを知らなかったし、使用人たちもだれ一人その話をしなかった。彼らが記憶するかぎり、地下牢は一度も使われたことがなかったからである。

ヴワデクは自分がレオンと対等にわたり合えるのは教室のなかだけで、チェス以外のどんなゲームでも彼の敵ではないことを自覚していた。城に岸を接するシュチャーラ川が彼らの遊び場の延長となった。春にはこの川で魚を釣り、夏は泳ぎ、冬になって氷が張ると、木のスケートをはいて氷上の追いかけっこに打ち興じた。川岸に腰をおろしたフロレンティナが、心配そうに氷の薄いところを注意した。だがヴワデクは彼女の注意に耳をかさず、いつも決って氷の割れ目に落ちこむはめになった。レオンは急速に背丈が伸び、頑健になっていった。走れば足が速く、泳ぎも巧みで、およそ疲れるということを知らず、病気とも無縁だった。ヴワデクは生れてはじめて美貌《びぼう》と逞《たくま》しい体軀《たいく》の意味するところを知り、泳いでも走ってもスケートで滑っても、絶対にレオンには追いつけないことを知った。おまけにレオンが腹のボタンと呼んでいるものが、彼の場合はほとんど目立たないのに反して、ヴワデクの場合は太った体の真ん中から瘤《こぶ》のように醜く突きでていた。ヴワデクは自分の部屋にこもって、何時間も鏡に映ったおのれの体を眺めてはその醜さを恥じ、とりわけほかの子供たちは上半身裸になると、人体のシンメトリーの法則に従ってみな左右に一個ずつ乳首を持っているのに、なぜ自分だけは乳首が一つしかないのだろうと自問した。ときおり眠れないままにベッドに横たわりながら、裸の胸を指先でなぞり、自己憐憫《れんびん》の涙で枕《まくら》を濡《ぬ》らすこともあった。そのあげく、翌朝目ざめたときに人並みの肉体に変っていることを祈りながら眠りに入るのだった。だが彼の祈りは聞きとどけられなかった。

ヴワデクはだれにも、フロレンティナにさえ見られないようにして、毎晩体の鍛練に時間を割いた。断固たる決意のもとに、実際以上に背を高く見せるような姿勢を研究した。彼のほうは腕と脚を鍛え、いくらかでも背丈を伸ばしたいばっかりに、指先で寝室の梁《はり》にぶらさがったりもしたが、レオンのほうは眠っているあいだにもどんどん背が高くなっていった。ヴワデクはいつまでたっても自分が男爵の子息に頭一つ及ばないこと、そして欠けた乳首を手に入れる方法はないことを認めざるをえなかった。ヴワデクの自分の肉体に対する嫌悪《けんお》は自発的なものだった。レオンは友人の外見を批評したりはしなかったからである。自分以外の子供に関する彼の知識は、無条件に尊敬しているヴワデク止りだった。

ロスノフスキ男爵は、出産のときに母親ともども悲劇的な死を遂げたレオンの弟の身替りともいうべき、この気性が激しく、髪の黒い少年に、ますます深い愛着をおぼえるようになった。

二人の少年は毎晩石壁に囲まれた広い食堂で男爵と一緒に夕食をとった。壁に飾られた動物の首の剥製《はくせい》の不気味な影が、ろうそくの明りで揺れ動き、給仕たちが鵞鳥《がちょう》、ハム、イセエビ、芳醇《ほうじゅん》なワインや果物、それにヴワデクの大好物となったデザートのケーキなどを山盛りにした金銀の大皿を運んで、音もなく出入りした。夕食が終って、テーブルのまわりがいちだんと暗くなるころ、男爵は給仕たちをさがらせて、少年たちにポーランドの歴史を物語って聞かせ、壜のなかの小さな金色の葉がろうそくの光で華麗にきらめくグダンスク・ヴォトカを彼らにも味わわせた。ヴワデクは男爵にうるさがられないかぎり何度でもタデウシュ・コシューシコの話をせがんだ。

「偉大な愛国者であり英雄だ」と、男爵は答える。「わが国の独立の戦いを象徴する人物だ、フランスで教育を受け……」

「そのフランス人をわれわれは敬愛している、ちょうどわれわれがすべてのロシア人とオーストリア人を憎んでいるのとは逆に」と、ヴワデクが続ける。コシューシコの話になると、彼の喜びは完全に頭に入っている知識によって倍加されるのだった。

「話をして聞かせているのはどっちなんだね、ヴワデク？」と、男爵は笑いだす。「……それからアメリカでジョージ・ワシントンと一緒に自由と民主主義のために戦った。一七九二年に彼はポーランド人を率いてドゥビェンカの戦いを戦った。卑劣なポーランド王スタニスワフ・アウグストゥスが国民を見捨ててロシア陣営に加わったとき、コシューシコは帝政ロシアの支配を覆《くつがえ》すために愛する祖国に帰った。それから彼はどこの戦いに勝ったのかね、レオン？」

「ラツワヴィーツェの戦いです、そしてワルシャワを解放しました」

「よろしい。だが、悲しいかな、やがてロシア人はマチェヨヴィーツェに大軍を結集し、彼はついに戦いに敗れて捕虜となった。わたしの曾々祖父《そうそう》はその日コシューシコとともに戦い、のちに偉大な皇帝ナポレオン・ボナパルトのためにドンブロフスキ軍団とともに戦ったのだ」

「そしてポーランドのために尽した功績によってロスノフスキ男爵位を授かり、あなたの一族がこの偉大な時代を記念してその称号を永久に受け継ぐことになったのです」と、まるでいつの日か自分がその称号を受け継ぐかのような力強い口調で、ヴワデクがいった。

「ふたたびその偉大な時代が訪れるだろう」と、男爵が物静かな口調でいった。「わたしはなんとしてもその日がくるまで生きていたい」

クリスマスになると、領地の農民たちが家族連れでクリスマス・イヴを祝うために城へやってきた。彼らはこの日朝から断食《だんじき》をし、子供たちは窓から空を見あげて、ごちそうのはじまりの合図である一番星が見えてくるのを待った。男爵《だんしゃく》が深みのある朗々たる声で食前の感謝の祈りを捧《ささ》げた。「主なる神よ、願わくはわれらを祝し、また主の御恵《みめぐ》みによりてわれらの食せんとするこの賜物を祝し給《たま》え」そして一同が食卓につくと、ヴワデクはヤシオ・コスキェヴィチの大食漢ぶりに恥ずかしい思いをするのだった。彼は赤かぶのスープ、バルシチに始まってケーキやプラムにいたる十三のコースのすべてを腹いっぱいになるまで詰めこみ、毎年帰り道の森のなかで気分が悪くなって吐くのが常だった。

ごちそうのあとで、ヴワデクはろうそくと果物で飾りたてたクリスマス・ツリーから贈物をとって、かしこまっている百姓の子供たちに配る役目を楽しんだ――ゾフィアには人形が、ユゼフには森で使うナイフが、そしてフロレンティナにはヴワデクがはじめて男爵に頼みこんだ贈物の真新しいドレスが贈られた。

「やっぱり」と、ヴワデクから贈物を受け取ったユゼフが母親にいった。「あいつはおれたちの弟じゃないよ、母さん《マートカ》」

「ええ」と、彼女は答えた。「でもあの子はいつまでもわたしの息子だよ」

一九一四年の冬から春にかけて、ヴワデクは体力的にも学問の面でも進歩向上を示した。やがて七月に入ると、ドイツ人教師が別れも告げずに突然城を去った。二人の生徒にはその理由がわからなかった。このことがもう一人の教師によって、なぜかきわめて重々しい口調で語られた、サラエヴォでのアナーキスト学生によるフランツ・フェルディナント大公暗殺事件と関係があるとは、若い二人には思いも及ばなかった。男爵はめっきり口数が少なくなったが、その理由も二人にはわからなかった。彼らのお気に入りの若い召使たちがつぎつぎに城から姿を消した。そのことも少年たちには不可解だった。その一年が終るころ、レオンはますます背が高くなり、ヴワデクはますます力強くなった。そして二人ともいちだんと賢くなった。

一九一五年夏のある朝、よく晴れたものうい季節に、男爵がワルシャワへの長旅に出発した。彼自身の説明によれば、それはもろもろの整理をするためのワルシャワ行きだった。彼は二十五日間城を留守にした。そのあいだヴワデクは毎朝寝室のカレンダーに印をつけたが、まるで一生とも思えるほどの長い時間だった。男爵の帰宅が予定された日に、二人の少年はスウォーニムの鉄道駅まででかけて一輛《りよう》編成の週に一本だけの汽車を待ち、男爵の到着を出迎えた。三人は黙々として家路についた。

ヴワデクはこれまたなぜかわからなかったが、男爵が急に老《ふ》けこんで、ひどく疲れているようだと思った。それから一週間のあいだに、彼は召使頭とひんぱんに早口で心配そうな会話を交わし、レオンとヴワデクが部屋に入って行くと決って口をつぐんだ。ふだんの男爵らしくもないこのこそこそした態度が二人を不安にし、知らないうちに自分たちがその原因になっていたのではないかと恐れさせた。ヴワデクは男爵が自分を罠《わな》猟師の小屋へ送り返すのではないかと考えて絶望的な気分になった――結局自分が人の家に入りこんだ赤の他人でしかないことを常に自覚していたからである。

男爵は城に戻ってから数日たった晩に、大広間に二人の少年を呼び寄せた。彼らは恐る恐る広間に入った。男爵はなんの説明もなしにこれからみんなで長い旅に出ると告げた。そのときは非現実的に思われたこの短い会話が、やがて一生のあいだヴワデクの記憶に灼《や》きつくことになる。

「愛する子供たちよ」と、男爵は低い声で口ごもりながらいった。「ドイツとオーストリア＝ハンガリー帝国の戦争屋どもがワルシャワの喉《のど》をしめにかかっており、もうすぐわれわれにも襲いかかってくる」

ヴワデクはドイツ人教師が城を去る間際《まぎわ》の緊迫した日々に、ポーランド人教師がドイツ人に向って投げつけた不可解な言葉を思いだした。「つまりヨーロッパの諸国民の受難の時が、ついにぼくたちの身にも及んだということですか?」と、彼は質問した。

男爵はヴワデクの無邪気な顔をいとしげにみつめた。「われわれの民族精神は百五十年間の窮乏と抑圧のあいだにも滅びてはいない」と、彼は答えた。「ポーランドの運命はセルビアのそれと同じように危機に瀕《ひん》しているかもしれないが、われわれには歴史を動かす力はない。われわれはまわりを囲む三大強国のなすがままなのだ」

「ぼくたちは強い。堂々と戦うことができます」と、レオンがいった。「ぼくたちには木の剣と楯《たて》があります。ドイツ人やロシア人を恐れてはおりません」

「息子よ、お前がやっていたのはただの戦争ごっこだ。この戦争は子供の遊びではない。歴史がわれわれの運命を決定するまで、どこか静かな場所を見つけて暮すために、できるだけ早くここを出発しなければならないのだ。わたしとしてはこれがお前たちの少年時代の終りとならないことを祈るしかない」

レオンもヴワデクも男爵の言葉を不可解と感じ、苛立《いらだ》っていた。戦争は心躍る冒険のように思えるのに、今城を出発してしまえば、それをこの目で見る機会はまずないだろう。召使たちは数日がかりで男爵の財産を荷造りし、ヴワデクとレオンはつぎの月曜日にグロドノの北にある男爵家の小さな夏の別荘へ出発すると告げられた。彼らはほとんど監督する人もないままに勉強と遊びを続けたが、もはや彼らの無数の疑問に答えてくれそうな、またそんな暇のある人間は、城のなかに一人も見当らなかった。

土曜日は授業は午前中だけおこなわれるきまりだった。彼らはアダム・ミツキェヴィチの『パン・タデウシュ』をラテン語に翻訳しているときに、銃声を聞いた。はじめヴワデクはこの耳なれた音を、領地内で獲物《えもの》を撃つ猟師の鉄砲の音だと思った。少年たちはふたたび詩の翻訳に戻った。二度目の一斉射撃の音が、さきほどよりずっと近くで聞えたとき、彼らは驚いて顔を上げた。続いて階下から悲鳴が聞えてきた。彼らはうろたえ気味に顔を見合せた。二人ともそれまでの短い生涯で恐ろしいことを一度も経験していなかったので、なにが起きても恐ろしいとは思わなかった。家庭教師は二人を残して逃げだし、続いて今度は彼らのいる部屋の外の廊下で銃声がした。二人の少年はじっと坐《すわ》ったまま、凍りついたように息を殺していた。

突然ドアが蹴破《けやぶ》られて、家庭教師と似た年格好の、グレイの軍服を着て鉄兜《てつかぶと》をかぶった男が、彼らを見おろすようにして戸口に立った。レオンがヴワデクにしがみつき、ヴワデクは侵入者をにらみつけた。兵士はドイツ語でわめいて彼らに何者だと質問したが、二人ともドイツ語をマスターしており、母国語と同じくらい流暢《りゅうちょう》に話せたにもかかわらず、どちらも答えなかった。もう一人の兵士がうしろから姿を現わすと同時に、最初のドイツ兵が二人のほうに進んで、鶏かなにかのように首ったまをつかまえ、廊下に引きずりだし、ホールを通って城の正面入口から庭に出た。そこではフロレンティナが目の前の芝生の上を凝視しながら、狂ったように金切り声を発していた。レオンはその光景を見るに耐えず、ヴワデクの肩に顔を伏せた。ヴワデクは芝生に腹這《はらば》いになった、主として召使たちからなる死体の列を、恐れと驚きの目で眺めた。血溜《ちだま》りに伏せられた横顔の口ひげが、催眠術でもかけられたように彼の視線を釘《くぎ》づけにした。それは罠猟師の顔だった。ヴワデクはフロレンティナの悲鳴を聞いてもなにも感じなかった。

「パパはいるかい？」と、レオンがたずねた。「パパはいるかい？」

ヴワデクはもう一度死体の列を目で追った。ありがたいことにロスノフスキ男爵の死体は見当らなかった。レオンに吉報を伝えようとしたとき、一人の兵士が近づいてきた。

「しゃべったのは《ヴェーア・ハート・ゲシュプロッヒエン》どいつだ？」と、兵士はすごい剣幕でたずねた。

「ぼくだ《イッヒ》」と、ヴワデクが胸を張って答えた。

兵士は小銃を振りあげて、床尾をヴワデクの頭めがけて打ちおろした。ヴワデクは顔から血をほとばしらせて地面に倒れた。男爵はどこだ、いったいなにが起ったのだ、なぜ自分の家でこんなひどい仕打ちを受けなければならないのか？　レオンがすばやくヴワデクの上におおいかぶさって、兵士がヴワデクの腹を狙《ねら》った二度目の一撃から友を護《まも》ろうとしたとき、渾身《こんしん》の力をこめて振りおろされた銃は、そのままレオンの後頭部を直撃した。

少年たちは二人ともぴくりとも動かなかった。ヴワデクは最初の一撃でまだ頭がぼうっとしていたのと、突然レオンの体の重みがのしかかってきたために、そしてレオンはすでにこときれていたために。

ヴワデクの耳に、別の兵士が彼らの拷問者《ごうもんしゃ》の行為を非難する声が聞えた。兵士たちはレオンを抱きあげたが、ヴワデクは友にしがみついた。兵士が二人がかりでやっと死体を彼の手から引きはなし、ほかの死体と同じように顔を芝生に向けて無造作に投げだした。ヴワデクの目は、やがてふたたび城のなかに追いこまれ、茫然《ぼうぜん》とした表情の数人の生残りと一緒に地下牢に入れられるまで、無二の親友の遺体から一瞬もはなれることがなかった。芝生の死体の列に仲間入りさせられるかもしれないという恐れから、地下牢の扉に閂《かんぬき》がおろされ、兵士たちの話し声が遠ざかって聞えなくなるまで、だれ一人言葉を発する者はいなかった。やがてヴワデクが、「ああ！」と驚きの声を発した。なぜなら地下牢の片隅に、ぐったりと壁にもたれて、男爵が坐っていたからである。怪我《けが》こそしていなかったが、茫然自失のていで宙をみつめ、征服者たちが囚人の責任者を必要としたおかげでかろうじて生きているというにすぎなかった。ほかの者は主人からできるだけはなれて坐っていたが、ヴワデクは男爵に近づいた。彼らははじめて会った日のようにおたがいの顔をじっとみつめ合った。ヴワデクが片手を差しだすと、やはりはじめてのあの日と同じように、男爵がその手を握りしめた。ヴワデクは男爵の誇り高い顔を涙が伝わるのを見守った。二人とも無言だった。彼らはともにこの世で最も深く愛した者を失ったのである。

6

ウィリアム・ケインはすくすくと成長し、彼に接したすべての人々からかわいい子供だとほめられた。幼いころは、それらの人々は主として彼を溺愛《できあい》する親戚《しんせき》や、甘やかしほうだいの召使たちだった。

ビーコン・ヒルのルイスバーグ・スクエアにあるケイン家の十八世紀の建物の最上階は、子供部屋に改造されて、山のようなおもちゃで埋まっていた。さらに新しく雇われた乳母のために寝室と居間が提供された。この階はリチャード・ケインの居住部分から充分にはなれていたので、彼はたとえば赤ん坊の歯がはえるとか、おむつが濡《ぬ》れるとか、乳が飲み足りなくてふいに行儀の悪い泣き声をたてるといったさまざまの問題には気づかずに過すことができた。最初の声、最初の歯、最初の一歩、最初の言葉などは、身長体重の増加とともに、細大洩《も》らさずウィリアムの母親によって家族日誌に記録された。アンはこれらの数字がビーコン・ヒルで知ったほかの子供たちのそれとあまり違わないことを発見して驚いた。

イギリスから呼び寄せられた乳母は、プロイセンの騎兵隊将校が聞いたら大喜びするような食習慣で子供を育てた。ウィリアムの父親は毎晩六時に息子のもとを訪れた。彼は幼児言葉で息子に話しかけることを嫌ったので、結局一言も話さなかった。父と子はたがいに顔を見合せるだけだった。ウィリアムは父親の人差指を、バランス・シートをチェックするときに使う指を強く握りしめた。リチャードの口もとが自然にほころんだ。一年もたつとこの習慣がやや変化し、息子は階下の父に会いにくることを許された。リチャードは背もたれの高い海老茶色《えびちゃいろ》のレザー・チェアに坐って、長男が見え隠れに家具の脚のあいだを這《は》いまわるのを眺め、思いがけないところからひょっこり姿を現わすのを見て、この子は将来きっと上院議員になるだろうと感想を洩らした。ウィリアムは十三か月ではじめて父親の外套《がいとう》の裾《すそ》につかまって歩いた。最初に発した言葉は「パパ」で、このことがひんぱんにこの家を訪れるケイン家とキャボット家の祖母たちをも含めて、家族全員を喜ばせた。二人の祖母はウィリアムを乗せた乳母車を押してボストン市内を歩きまわることこそしなかったが、かたじけなくも毎週木曜日の午後、乳母より一歩さがって公園をご散歩くださり、自分たちより行儀の悪い従者を従えたよその赤ん坊を鋭くにらみつけた。ほかの子供たちが市立公園で家鴨《あひる》に餌《えさ》をやるときに、ウィリアムはジャック・ガードナー氏の贅美《ぜいび》をきわめたヴェネチアン・パレスの潟湖《せきこ》で白鳥を手なずけることに成功した。

二年が経過すると、祖母たちはそろそろもう一人の神童を、ウィリアムにふさわしい弟を作ってもよいころではないかと、暗にほのめかしはじめた。アンは期待に応《こた》えてふたたび妊娠したが、四か月目に入るに従って気分がすぐれず、顔色も悪くなってきたことが悩みの種だった。

妊婦の膨みはじめたおなかを診察するマッケンジー医師の顔から微笑が消えた。十六週目にアンが流産したときも、彼は少しも意外には思わず、彼女が悲嘆に暮れる暇も与えなかった。カルテに「子癇《しかん》前症?・」と記入してから、彼女に向っていった。

「アン、あなたの気分がすぐれなかったのは、血圧が高すぎたからで、おそらくそれは妊娠の進行とともにいちだんと上昇したものと思われます。残念ながら医師たちはまだ高血圧の治療法を発見しておりません。実をいうと、高血圧はだれにとっても危険な状態だが、とくに妊婦にとって危険であるという以外に、われわれにはほとんどなにもわかっていないのです」

アンは涙をこらえながら、もう子供が産めない将来の持つ意味を考えてみた。

「きっとつぎの妊娠のときにはこんなことはないんでしょう?」彼女は医者の口から望ましい答えを引きだすためのいいまわしを考えて質問した。

「また同じことにならなかったらむしろ不思議ですよ。まことに残念だが、二度と妊娠はなさらんほうがいいでしょう」

「でも数か月間気分がすぐれない程度なら我慢しますわ……」

「気分がすぐれないのどうのという問題ではないのです。あなたの命を不必要に危険にさらしてはいけないといってるんですよ」

ともに父親が若死にしたために一人っ子だったリチャードとアンにとって、それは耐えがたい打撃だった。彼ら夫婦は宏壮《こうそう》な大邸宅と次代への責任にふさわしい家族を作りあげるつもりだったのである。「若い婦人にとってほかにどんな仕事があるというの？」と、キャボット家とケイン家の祖母たちはたずねた。以後そのことはだれも話題にしたがらず、ウィリアムがみんなの愛情の中心になった。

一九〇四年に父親が死んだときにケイン・アンド・キャボット銀行・信託会社の頭取に就任したリチャードは、それ以来銀行業務に専念してきた。ステート・ストリートにある建築および財政の確固たる砦《とりで》ともいうべきこの銀行は、ニューヨーク、ロンドン、サンフランシスコに支店を持っていた。ウィリアムの誕生直後、サンフランシスコ支店がクロッカー・ナショナル銀行、ウェルズ・ファーゴ・カリフォルニア銀行などとともに、一九〇六年の大地震で財政的にではなく文字どおりの意味で崩壊したとき、リチャードは一つの問題に直面した。生来用心深い性質の彼は、ロンドンのロイズ保険と多額の保険契約を結んでいた。紳士的なロイズ保険は保険金を全額支払って、リチャードのサンフランシスコ支店再建を可能にした。しかしながらリチャードは、まる一年間不便な思いをしながら四日がかりで汽車に揺られてボストン―サンフランシスコ間を往《い》き来し、再建工事を監督しなければならなかった。一九〇七年十月にユニオン・スクエアに新しい支店を開設したが、一息つく間もなく東部で起りつつあるほかの問題に対処しなければならなかった。ニューヨークの諸銀行では小規模な取付け騒ぎが起きており、多くの小銀行は多額の預金引出しに対処できずにつぶれはじめていた。自分の名前を冠した大銀行の伝説的な頭取、J・P・モーガンが、危機のあいだを持ちこたえるための銀行連合への参加をリチャードに呼びかけた。リチャードは誘いに応じ、この思いきった姿勢が功を奏して、問題は徐々に解決したが、それまでにリチャードは何日か眠られぬ夜を過さなければならなかった。

一方ウィリアムは地震も銀行の倒産も知らずにすやすやと眠っていた。なにはともあれ白鳥には餌をやらなければならなかったし、著名な親戚たちに顔を見せるために、しょっちゅうミルトンやブルックラインやベヴァリーまで出かけて行かねばならなかったからである。

翌年春のはじめにリチャードは、庶民のための自動車を作る自信があると豪語するヘンリー・フォードという男に、慎重な投資をおこなった見返りとして、新しいおもちゃを手に入れた。銀行はフォード氏を昼食に招き、リチャードは彼に説得されて八百五十ドルという高い値段でモデルTを一台買わされるはめになったのである。ヘンリー・フォードはもしも銀行が自分を援助してくれれば、数年以内にコストを三百五十ドルまで落せるから、だれもがうちの車を買えるようになって、応援者も多大の利益にあずかれるだろうと力説した。リチャードは彼を応援したが、製品の値段を半分に下げようという人間にまとまった金を投資したのはこのときがはじめてだった。

リチャードは最初自分の自動車が、たとえ重厚な黒塗りではあっても、銀行頭取の乗物としてはいささか軽薄すぎると思われるのではないかと心配したが、この機械が路上を行く人々の讃美のまなざしを惹《ひ》きつけることを知って安心した。時速十マイルで走る自動車は馬よりは騒々しかったが、マウント・ヴァーノン・ストリートのど真ん中に排泄物《はいせつぶつ》を撒《ま》き散らさないという長所もそなえていた。彼とフォード氏の唯一《ゆいいつ》の意見の対立は、モデルTを各種の色で売りだすべきだという考えに、この男が頑として耳をかさないことだった。フォード氏は値段を安く抑えるために、すべての自動車が黒一色であるべきだと主張した。上流社会の賛同が得られるかどうかという点に関して夫よりも神経質なアンは、キャボット家でも一台購入するまでは自動車に乗ろうとしなかった。

逆にウィリアムは、新聞が「オートモービル」と呼んでいるこの乗物が大好きで、ごてごてと飾りが多く、機械化されていない乳母車にかわるものとして、たちまち自分のためにこの乗物が買われたものと思いこんでしまった。また運転手——防塵《ぼうじん》眼鏡をかけ、てっぺんの平らな帽子をかぶった——のほうが乳母よりも気に入った。ケイン家とキャボット家の祖母たちは、あんな恐ろしい機械には絶対に乗らないと公言し、事実一度も乗らなかった。もっともケイン家の祖母が、知らぬが仏で、自分の葬式のときに自動車に乗るはめになったことだけは特筆しておかねばならないだろう。

それからの二年間に、ウィリアムと同じように、銀行も力を増し、規模も大きくなった。アメリカ人はふたたび拡張のための投資をおこなうようになり、莫大《ばくだい》な金がケイン・アンド・キャボット銀行に流れこんできては、マサチューセッツ州ローウェルの発展途上にあるローウェル皮革工場のような会社に再投資された。リチャードは自分の銀行と自分の息子の成長を、当然といった表情で満足そうに見守った。ウィリアムの五歳の誕生日に、息子を女たちの手から取りあげて、前もって秘書が篩《ふるい》にかけた八人の応募者のうちからリチャード自身が選んだ、マンローという家庭教師を、年俸四百五十ドルで雇った。マンロー先生の仕事はウィリアムが十二歳になったときにセント・ポールズに入れるように鍛えあげておくことだった。ウィリアムはすぐにマンロー先生になついた。彼はこの家庭教師がひどく年をとっていて、たいそう頭のよい人だと思ったが、実際はまだ二十三歳の若さで、エディンバラ大学の英語学科を二番で卒業した秀才だった。

ウィリアムは読み書きの能力を急速に身につけたが、いちばん好きなのは数字だった。彼の唯一の不満は、週日におこなわれる八科目の勉強のうち、算数が一回しかないことだった。ウィリアムは一日の勉強のわずか八分の一では、将来銀行の頭取になろうという人間にしては時間の投資が少なすぎると、すぐさま父親に向って指摘した。

家庭教師の先見の欠如を補うために、ウィリアムは身近な親戚のあとを追いかけまわして、暗算の問題を出してくれとせがんだ。キャボット家の祖母は、ある整数を四で割った数と、それに四分の一を掛けた数がかならず同じになるということが呑《の》みこめず、事実この二つの計算からしばしば違った答えを引きだすような人だったから、たちまち孫に追い越されてしまったが、多少は頭の回転が速いケイン家の祖母のほうは、分数や、複利や、八つのケーキを九人の子供に分ける問題などにけなげに取り組んだ。

「おばあさま」と、彼女がいちばん新しい難問の答えを間違えたとき、ウィリアムは優しいけれどもきっぱりした口調でいった。「ぼくに計算尺を買ってよ。そしたらもうおばあさまを困らせずにすむから」

彼女は孫の早熟ぶりに驚きながらも、ほんとに使い方を知っているのかとあやぶみながら計算尺を買い与えた。ケイン家の祖母が問題解決の楽な方法を選んだのは、まわりの人々が知るかぎりこのときが最初だった。

リチャードの問題が東のほうへ移りはじめた。ロンドン支店の支店長が勤務中に急死したため、ロンバード・ストリートへ行ってみる必要を感じたのだ。彼はアンとウィリアムにもヨーロッパへの同行をすすめた。実地教育が息子に悪い影響を与えるはずはない、ウィリアムはマンロー先生がしばしば語って聞かせた名所旧蹟《きゅうせき》を残らず訪問できると考えたからだった。一度もヨーロッパへ行ったことがないアンは、期待に胸をはずませ、三個の船旅用トランクに、旧世界にお目見えするときに着る優美で高価な新調の衣裳《いしょう》をいっぱいに詰めこんだ。ウィリアムは、衣裳に劣らず不可欠な旅行の必需品、自転車を持って行くことを許さない母親を不公平だと思った。

ケイン一家は汽車でニューヨークへ行き、サウサンプトン行きの《アキテーニア号》に乗りこんだ。アンは品物を積んだ手押車を押す移民の行商人の群れに驚きの目をみはり、無事に船に乗りこんで船室に落ちつくと、ほっと安堵《あんど》の吐息を洩《も》らした。一方ウィリアムはニューヨークの大きさに驚かされた。今の今まで自分の父親の銀行が世界一とはいわぬまでも、アメリカ一大きな建物だと思いこんでいたのである。彼は白服を着てカンカン帽をかぶった男からピンクと黄色のアイスクリームを買いたかったが、父親は取り合わなかった。いずれにしろ、リチャードは小銭を持ち歩く習慣がなかった。

ウィリアムは巨大な汽船が一目で気に入り、たちまち船長と仲よしになって、このキュナード汽船のプリマ・ドンナのあらゆる秘密をすっかり見せてもらった。いうまでもなく船長のテーブルに同席することになったリチャードとアンは、船がアメリカの岸をはなれてからいくらもたたないうちに、息子が乗組員の仕事の邪魔をしていることを船長に詫《わ》びる必要があると感じた。

「どういたしまして」と、白いひげをはやした船長は答えた。「ウィリアムとわたしはすでに親友同士ですよ。時間、速度、距離に関する彼の質問に満足に答えられればいいんですがね。毎晩一等航海士の特訓を受けて、今度こそウィリアムの先手を打ってやろうと思うんですが、結果はなんとかつぎの日一日を無事に切り抜けたいと祈っている始末ですよ」

《アキテーニア号》はソレント水道に入り、六日間の航海を終えてサウサンプトンに入港した。ウィリアムは船からおりたがらず、彼らをロンドンへ運ぶべく埠頭《ふとう》の近くで待機していた運転手つきのロールス＝ロイス・シルヴァー・ゴーストの華麗な姿を目にとめなかったら、きっと別れを惜しんで涙を流していたことだろう。リチャードは物のはずみで、旅行が終ったらこの自動車をニューヨークまで船で運んで帰ることに決めたが、これは一生に一度のおよそ彼らしからぬ決断だった。この自動車をへンリー・フォードに見せたいのだとアンに説明したが、あまり説得力はなかった。

ケイン一家は、ロンドン滞在中は、いつもシティのリチャードのオフィスへ行くのに足場のよいピカディリーのリッツに泊った。アンはリチャードが銀行で仕事をしている時間を利用して、ウィリアムをロンドン塔やバッキンガム宮殿や衛兵交替の見物に連れて行った。ウィリアムは難かしいイギリス風のアクセントを除くすべてのものを「すばらしい《グレイト》」と感じた。

「イギリス人はなぜぼくたちと同じように話さないの、ママ」と彼は質問し、その質問はむしろ逆の形で、つまりなぜアメリカ人はイギリス人のように話さないのかと問われることのほうが多いという答えを聞いて驚いた。ウィリアムのいちばんの楽しみは、バッキンガム宮殿前で警備任務につく、大きなぴかぴかの真鍮《しんちゅう》のボタンのついた赤い軍服の衛兵たちを眺めることだった。彼は衛兵たちを会話に誘いこもうとしたが、相手はウィリアムを通りこしてまっすぐ前方を凝視するだけで、まばたき一つしなかった。

「衛兵を一人アメリカへ連れて帰れない？」と、彼は母親に質問した。

「だめよ、あの人たちはここにいて国王を護《まも》らなくちゃならないもの」

「でも国王は衛兵をたくさん持っているじゃない。ぼくは一人だけでいいんだけど、それでもだめかな？」

リチャードは「特別サーヴィス」――アンの言葉――として、ある日の午後妻と子供をウェスト・エンドへ連れて行き、ロンドン演芸場で『ジャックと豆の木』というイギリスの伝統的なパントマイムを見せた。ウィリアムは劇中のジャックが好きになり、木の上に巨人が隠れているものと思いこんで、目につく木を残らず切り倒したがった。芝居のあとピカディリーのフォートナム・アンド・メイスンでお茶を飲み、アンはウィリアムのためにクリーム・パン二つとドーナツという新流行のお菓子を一個注文した。ウィリアムはそれ以後一日も欠かさずお供を連れてこのティー・ルームへ通い、彼のいう「ドーパン」を食べた。

休暇はウィリアムと彼の母親にとってあまりにも早く過ぎ去ったが、リチャードはロンバード・ストリートでの仕事がはかどったことに満足し、新しい支店長も気に入って、そろそろ帰国の日も近いと考えるようになった。ボストンから毎日のように到着する電報が、彼自身の重役室へ一刻も早く帰らねばという気持を掻きたてた。ついにこれらの電報の一通が、彼の銀行が多額の投資をしているマサチューセッツ州ローレンスの綿布工場の二万五千人の労働者がストライキに入ったことを伝えたとき、予定した出航日が三日後に迫っていることにほっとした。

ウィリアムも帰国してイギリスでのすばらしい体験のすべてをマンロー先生に報告し、二人の祖母と再会する日を楽しみにしていた。祖母たちは一般庶民に混って活気溢《あふ》れる芝居小屋へ行くといったスリリングな経験をしたことがないだろう、という確信があった。アンもまた、めったに感情を表に出さないイギリス人が、彼女の衣裳と美貌《びぼう》に絶讃を惜しまなかったおかげで、ウィリアムに劣らずこの旅行を楽しんだにもかかわらず、帰国の日が近いことを喜んでいた。出航予定の前日、ウィリアムのための特別サーヴィスとして、アンは彼をロンドン支店の新支店長の夫人が主催するイートン・スクエアでのお茶の会へ連れて行った。支店長夫人にもスチュアートという八歳になる一人息子がいて、ウィリアムは彼と一緒に遊んだ二週間のあいだに、相手をなくてはならない年上の友とみなすようになっていた。しかしこの日のお茶の会は、スチュアートの気分がすぐれず、新しい友達に同情したウィリアムが自分も病気になりそうだと母親に告げたために、あまりはずまなかった。アンとウィリアムは予定より早くリッツ・ホテルに引きあげた。彼女はおかげで大きな船旅用のトランクの荷造りを監督する時間が少しふえたので、ウィリアムがスチュアートの歓心を買うために気分が悪いふりをしているだけだと信じたものの、さほど機嫌をそこねるようなことはなかった。その夜ウィリアムをベッドに寝かしつけたとき、彼の言葉が嘘《うそ》ではなく、少し熱があることに気がついた。彼女は夕食のときにそのことをリチャードに報告した。

「たぶん帰国することになって興奮したせいだろう」と、彼は心配するようすもなかった。

「そうだといいんですけど。六日間の航海中に病気になられたら困りますわ」

「あすになれば元気になるさ」と、リチャードは妻の心配顔をよそに断言したが、翌朝アンがウィリアムを起しに行くと、全身小さな赤い斑点《はんてん》におおわれ、四十度近い高熱を発していた。ホテルの医者は麻疹《はしか》と診断し、ウィリアム自身のためだけでなくほかの船客のためにも、絶対に船の旅は避けるべきであると、控え目な態度ながら断固としていいはった。ベッドに熱い湯たんぽを入れて安静を守り、つぎの船の出航を待つ以外に手はなかった。リチャードは三週間も遅れるわけにいかなかったので、予定どおり船に乗ることに決めた。アンはしぶしぶ突然の予約変更を承知した。ウィリアムは一緒に連れて行ってくれと父親に頼みこんだ。《アキテーニア号》がサウサンプトンに戻ってくるまでの二十一日間は、子供にとっては永遠のように思えた。リチャードは首を縦に振らず、ウィリアムを看病させ、息子に自分が病気であることを納得させるために、看護婦を一人雇った。

アンは新しいロールス＝ロイスでサウサンプトンまでリチャードを送って行った。「あなたがいないとロンドンも淋《さび》しくなるわ、リチャード」彼女は別れのときがくると、夫に女々しい女と叱《しか》られる危険を冒しておずおずといった。

「そうだな、わたしだってきみのいないボストンでは淋しい思いをするだろう」と彼は答えたが、思いは早くもストライキ中の綿布工場の労働者の上に飛んでいた。

アンはこれからの三週間をどうやって過そうかと考えながら、汽車でロンドンに戻った。ウィリアムの容態《ようだい》は一晩で好転し、翌朝は斑点もいくぶん薄れたように見えた。しかし医者も看護婦もまだ寝ていなければならないといいはった。アンは余った時間を利用して家族に長い手紙を書き、駄々をこねるウィリアムをベッドに寝かせておいたが、木曜日の朝になるとウィリアムのほうが先に起きだして母親の寝室に入ってきた。もう完全にふだんの健康な状態に戻っていた。彼は母親のベッドにもぐりこんだ。冷たい手でさわると、彼女はすぐに目をさました。アンは一目ですっかり回復したとわかる息子の顔を見てほっとした。呼鈴を鳴らして二人分の朝食をベッドに運ばせた。それはウィリアムの父親がいれば決して許しそうもない贅沢《ぜいたく》だった。

すばやくドアをノックする音が聞えて、金色と赤のお仕着せを着た男が朝食の大きな銀の盆を運んできた。卵、ベーコン、トマト、トーストにマーマレード——すばらしいごちそうだった。ウィリアムは最後にちゃんとした食事をとったのがいつだったか思いだせないとでもいうように、食物に飢えたような視線を向けた。アンは何気なく朝刊に目を向けた。リチャードはロンドン滞在中《ザ・タイムズ》しか読まなかったので、ホテル側が気をきかせて彼女にも同じ新聞を届けたのだった。

「ねえ、見てよ」と、ウィリアムが内側のページの写真を見ながらいった。「パパの船の写真が出てるよ。だいさんじ《カラミティ》ってなんのことなの、ママ？」

第一面の端から端までを、《タイタニック号》の写真が占めていた。

アンはローウェル家またはキャボット家の一員としての慎みも忘れて、狂ったように泣きだし、たった一人の息子にひしとしがみついた。母と子は数分間抱き合ったままベッドの上に坐《すわ》っていたが、ウィリアムにはその理由がわからなかった。アンは二人ともこの世で最愛の人を失ったことを知った。スチュアート少年の父親のサー・ピアーズ・キャンベルが、その直後にリッツ・ホテルの一〇七号室に到着した。彼は未亡人が唯一の手持ちの黒服であるスーツを着るあいだラウンジで待った。ウィリアムもいまだに「大惨事」がなにを意味するかわからないままに服を着た。アンはサー・ピアーズにこのニュースの意味するところを息子に説明してくれと頼んだ。説明を聞き終ると、ウィリアムは「ぼくもパパと一緒に船に乗りたかったんだけど、行かせてもらえなかったんです」としかいわなかった。彼はなにがあっても父親が死ぬはずはないと信じていたので、涙ひとつこぼさなかった。パパはきっと生きのびている。

サー・ピアーズは政治家、外交官、そして現在のケイン・アンド・キャボットの支店長としての経歴を通じて、年端《としは》もゆかない子供のこれほどの自制心をかつて見たことがなかった。生れながらの気品ある落ちつきは、ごく少数の人間にしかそなわっていないものだ、と彼は後年になって述べたといわれる。リチャード・ケインにはそれがそなわっていたし、彼のたった一人の息子もそれを受け継いでいた、と。

アメリカから断続的に到着する生存者のリストが、アンによって二度三度と入念にチェックされた。どのリストもリチャード・ローウェル・ケインがいまだに海上で行方が知れず、溺死《できし》したものと推定されることを裏付けるだけだった。さらに一週間たって、さすがのウィリアムも父親の生存をほぼ諦《あきら》めた。

アンは《アキテーニア号》に乗る気になれなかったが、奇妙なことにウィリアムが船旅に固執した。彼は何時間も展望デッキに坐って、これといった特徴のない海面を眺め続けた。

「あすはきっとパパを見つけるよ」と、最初自信ありげに母親に約束したが、やがて自分でもそれを信じていないことを物語るような口調に変った。

「ウィリアム、大西洋で三週間も生きられる人なんていないわ」

「ぼくのパパでも？」

「ええ、たとえあなたのパパでもよ」

アンがボストンに帰り着くと、自分の任務を自覚した両家の祖母たちが、レッド・ハウスで彼女を待っていた。

責任はふたたび祖母たちの手にゆだねられていた。アンは彼女たちの家長的役割をおとなしく受けいれた。もはや彼女にとって、ウィリアム以外に人生の目的は残されていなかったが、そのウィリアムの運命を、今や祖母たちが支配しようと決意しているかに見えた。ウィリアムは礼儀正しいけれども非協力的だった。昼間は黙々とマンロー先生の授業を受けたが、夜になると母親の膝《ひざ》に顔を伏せて泣いた。

「あの子に必要なのは子供同士のつきあいです」と、祖母たちはてきぱきした口調で決めつけ、マンロー先生と乳母を解雇して、世間に出てほかの子供たちと接触すればもとのウィリアムに戻るかもしれないという希望のもとに、彼をセイヤー・アカデミーに送りこんだ。

リチャードは財産の大部分をウィリアムに遺《のこ》し、二十一歳の誕生日まで家族信託に据え置くよう指示していた。遺言には補足条項が一項加えられていた。すなわちリチャードは自分の息子が実力でケイン・アンド・キャボット銀行の頭取に就任することを期待する、というのがそれだった。父親の遺言でウィリアムを発奮させた部分はそこだけだった。あとはみな家督相続権によって黙っていても手に入るものばかりだったからである。アンは五十万ドルの一時金と、再婚と同時に打ち切るという条件で、手取り十万ドルの終身年金を贈られた。さらにビーコン・ヒルの家と、ノース・ショアの夏の別荘と、メイン州の家と、ケープ・コッドの小さな島が一つ、彼女が死んだらウィリアムに譲るという条件でアンに与えられた。双方の祖母たちは二十五万ドルずつと、万一リチャードが先に死んだ場合の彼女たちの責任を明確に規定した手紙を受け取った。家族信託はウィリアムの名付親たちを共同受託者として、銀行によって管理されるものと定められていた。信託財産からあがる収入は毎年堅実な企業を選んで再投資することとなっていた。

まる一年たって祖母たちの喪がようやくあけた。アンはまだ二十八歳という若さだったが、はじめて年齢相応に見えるようになった。

祖母たちはアンと違って、ウィリアムの前では悲しみを隠していたので、彼はついにたまりかねてそのことを非難した。

「おばあさまはぼくの父がいなくなっても淋しくないんですか？」と、彼はケイン家の祖母をにらみつけながらたずねた。その青い目が彼女自身の息子の思い出をよみがえらせた。

「そりゃあ淋しいですとも。でもあなたのお父さんは、わたしたちがただじっと坐って嘆き悲しんでばかりいることを望まないでしょうよ」

「でもぼくはみんなにいつまでも父のことをおぼえていてもらいたいんです――いつまでも」と、ウィリアムは今にも泣きだしそうな声でいった。

「ウィリアム、わたしは今日はじめてあなたを一人前の大人とみなして話しますよ。わたしたちはお父さんの思い出を神聖なものとしていつまでも心に刻みつけておきますから、あなたもお父さんの期待にそうことによって自分の役割をりっぱに果しなさい。あなたは今一家の主《あるじ》であり、莫大《ばくだい》な財産の相続人なのです。ですからあなたは、お父さんがあなたのために相続財産をふやそうと努力したのと同じ精神で、勉強することによってその遺産を受け継ぐにふさわしい人間になるための準備をしなければなりません」

ウィリアムは答えなかった。こうして彼はそれまで自分に欠けていた人生の動機を与えられ、祖母の助言に従って行動するようになった。泣き言をいわずに悲しみと共存することを学び、以後学業に専念して、ケイン家の祖母に感銘を与えるまでは決して満足しなかった。すべての学科ですぐれた成績をおさめたが、とくに数学ではクラスのトップになったばかりでなく、年齢よりもはるかに先まで進んでいた。彼は父親が成し遂げたことのすべてを、より高い水準に引き上げる決意に燃えていた。母親との親密度がいちだんと増し、家族以外の人間に対しては疑い深くなったので、しばしば孤立した子供、一匹狼《おおかみ》、そして不当にもスノッブとみなされた。

祖母たちはウィリアムの七歳の誕生日に、そろそろ孫に金の値打ちを教える時期がきたと判断した。そこで週一ドルの小遣いを与え、そのかわり支出の明細を記録するという義務を課した。そのためにグリーンの革装の帳簿を一冊買い与え、代金の九十五セントを第一週の一ドルの小遣いから差引いた。第二週からは毎日曜日の朝に一ドルを細かくくずして与えた。ウィリアムは五十セントを投資し、二十セントを買物に当て、十セントを自分で選んだ慈善事業に寄付し、残りの二十セントを予備にとっておいた。各四半期の期末ごとに、祖母たちは帳簿とすべての取引に関する彼の報告書を点検する約束だった。最初の三か月が過ぎたとき、ウィリアムの収支明細報告は完《かん》璧《ぺき》だった。新しく創設された全米ボーイ・スカウトに一ドル二十セントを寄付し、ためた四ドルをケイン家の祖母に頼んで、名付親の一人であるJ・P・モーガンの預金口座に預けてもらっていた。ほかに買物につかった、使途を報告する義務のない三ドル八十セントと、予備の金が一ドルあった。帳簿を点検した二人の祖母は大いに満足した。ウィリアムは疑いもなくリチャード・ケインの息子だった。

学校では、一つにはキャボット家、ローウェル家、または自分の家より裕福な家庭の子弟以外とつきあうことを警戒したために、ウィリアムにはあまり友達ができなかった。その結果選択の範囲が狭まり、彼はやや内向的な子供になった。ウィリアムが人並みの生き方をすることを望み、内心では帳簿や投資計画に反対していた母親には、そのことが心配でならなかった。アンはウィリアムが年寄りの助言者よりも同年配の友達をたくさん作り、一分の隙《すき》もないみなりをするよりは泥まみれ傷だらけになり、株券や会社便覧よりはひきがえるや亀《かめ》を集めることを望んだ。要するに世間並みの男の子であってほしかった。だがこの懸念《けねん》を祖母たちに面と向っていうだけの勇気はなく、またどのみち祖母たちは世間並みの男の子にはまるで関心がなかった。

ウィリアムは九歳の誕生日に、二度目の年次監査を受けるために祖母たちに帳簿を提出した。グリーンの革装の帳簿は二年間に五十ドル以上の貯金がたまったことを示していた。彼はB6という印のついた記入個所をとくに自慢そうに祖母たちに指摘した。それはJ・P・モーガン死去のニュースを聞くと同時に、この偉大な財政家の銀行に預けてあった金を引きだしたことを示すものだった。なぜなら彼は自分の父親の死が発表されたあとで、ケイン・アンド・キャボット銀行の株価がさがったことに気づいていたからである。J・P・モーガンの死後三か月たって、大衆が会社はどんな一個人よりも大きいことに気づく前に、彼は同額の金を預けなおした。

祖母たちはいたく感心し、ウィリアムが古い自転車を売って新車を買うことを許した。それでもまだ百ドル以上のまとまった金が残ったので、祖母たちはその金を彼にかわってニュー・ジャージー州のスタンダード・オイル・カンパニーに投資した。石油は値上がりする一方ですよ、とウィリアムはわけ知り顔でいった。彼は二十一歳の誕生日まで綿密な帳簿記入を続けた。祖母たちがそれまで生きていたら、右側の「資産」の欄に記入された最終的な数字を誇りに思ったことだろう。

7

生き残りのなかで地下牢《ちかろう》内の勝手を知り抜いているのはヴワデクただ一人だった。レオンと隠れんぼをして遊んだころ、彼は小さな石の部屋の自由のなかで何時間も楽しく過し、気が向けばいつでも城へ戻れるとわかっているからまったく心配しなかった。

地下牢は二層にわたる四つの部屋からなっていた。大小二つの部屋が地盤と同じ高さにあって、小さいほうの部屋が城の壁に接しているために、石壁の上のほうにある格子窓《こうし》からかすかな光がさしこんでいた。そこから階段を五段おりたところにさらに二つの部屋があり、そこは漆黒の闇《やみ》で空気もほとんど通わなかった。ヴワデクは男爵《だんしゃく》を上の小部屋へ連れて行った。男爵は部屋の一隅に坐ったまま身じろぎもせず、無言で宙を凝視した。それからヴワデクはフロレンティナに男爵の身のまわりの世話を命じた。

男爵と同じ部屋に残る勇気のある者はヴワデクだけだったので、ほかの召使たちは彼の権威にまったく疑問を持たなかった。こうして、わずか九歳で、彼は仲間の囚人たちの日々の仕事を監督する立場になった。そして彼は地下牢における彼らの主人となった。彼は残った二十四人の召使を、家族はできるだけ一緒にするよう配慮して、八人ずつの三つのグループに分けた。そして八時間ごとの交替制を作りあげた。最初の八時間は上の部屋で光と空気に当り、食事と運動をし、つぎの八時間は、これが最も人気があったが、城内で敵兵のために働き、最後の八時間は下の部屋のどちらかで眠るという順序だった。男爵とフロレンティナを除けば、ヴワデクがいつ眠っているのかをだれも知らなかった。彼は常に交替時間になると姿を現わして、召使たちの交替を監督したからである。食事は十二時間ごとに配られた。警備兵が山羊《やぎ》の乳の入った革袋、黒パン、キビ、それにときおりナッツなどを運んでくると、ヴワデクがそれを二十八等分して、男爵にはそれと知らせずにいつも二人分を与えた。地下牢の新しい住人たちは、監禁によって冷静さを失い、みじめな茫然《ぼうぜん》自失の状態に陥っていたために、九歳の少年に毎日の生活を支配される状態を少しもおかしいとは思わなかった。

ヴワデクは三つの班をそれぞれの部署につかせると、小部屋の男爵のところへ戻って行った。当初彼は男爵の指導を期待したが、主人の凝視はひっきりなしに地下牢をのぞくドイツ人警備兵の目に劣らず冷やかでわびしかった。男爵は自分の城で捕われの身となって以来ただの一言も口をきいていなかった。ひげはのびほうだいにのびて胸でもつれ合い、がっしりした体軀《たいく》は衰弱し、痩《や》せ細りつつあった。かつては誇り高かった容貌《ようぼう》も、今は諦めのそれに変っていた。ヴワデクは自分の保護者の大好きな声をもうほとんど思いだせず、二度とその声を聞くことはないだろうという考えに慣れてしまった。しばらくして、彼は男爵の前では沈黙を守ることによって、相手の無言の希望にそうようになった。

城のなかで平和な日々を過していたころ、ヴワデクはつぎつぎに新しい関心事にぶつかって、きのうのことなど考えている暇もなかった。それが今は、まったく変化のない生活を送っているために、一日前はおろか一時間前のことさえ思いだせなかった。絶望的な一分一分が一時間に、一時間が一日に、そして一か月にと変って、間もなく月日のたつのがわからなくなってしまった。食事の到着と、闇と光の入れかわりによって、また十二時間が経過したことがわかるだけで、光の強さと、やがてそれが嵐に場所を譲り、地下牢の壁に氷が張り、新しい太陽が顔をのぞかせたときだけその氷がとけるといった変化が、自然研究の授業からは決して学べなかったろうと思われる形で、それぞれの季節の到来を予告した。長い夜のあいだに、ヴワデクは四つの地下牢の隅々までしみこんだ死臭を、ますます強く意識するようになった。朝の太陽や、涼しいそよ風や、天の恵みともいうべき雨が、ときおりその臭いをやわらげた。

ある日絶え間なしに吹き荒れた嵐がやんだあとで、ヴワデクとフロレンティナは雨水を利用して上の部屋の石の床にできた水溜《みずたま》りで体を洗った。二人ともそのことに気がつかなかったのだが、男爵の視線が、ぼろぼろのシャツを脱いで比較的きれいな水溜りを犬のように転げまわり、白い肌が縞《しま》のように現われるまで体をこすり続けるヴ

ワデクを注視した。突然男爵が口をきいた。「お前の姿が
「ヴワデク」――その声はほとんど聞きとれないほど弱々しかった――「お前の姿が
よく見えない」と、彼はしわがれ声でいった。「こっちへきてくれ」
　ヴワデクはあまりに長い沈黙のあとで発せられた主人の声を聞いて茫然自失し、男
爵のほうに視線を向けることさえためらった。それは狂気の前ぶれに違いない、とい
う考えがすぐに浮んだ。すでに年とった召使が二人発狂していた。
「さあ、きてくれ」
　ヴワデクは恐る恐る男爵の前に立った。男爵は視力の弱った目を細めて懸命に注視
しながら、少年のほうを手探りした。ヴワデクの胸に指先を這《は》わせ、はっと息を呑《の》ん
で彼の顔をのぞきこんだ。
「ヴワデク、この乳首はいったいどういうことだ？」
「わかりません」ヴワデクは当惑しながら答えた。「生れたときからこうでした。養
母は父なる神の印だとよくいってましたが」
「愚かな女だ。これはお前自身の父親の印だよ」男爵は静かな声でいって、またしば
らく沈黙した。
　ヴワデクは筋肉一つ動かさずに男爵の前にじっと立っていた。

やがて男爵がふたたび口を開いたとき、その声は力強く、きびきびしていた。「ここへ坐《すわ》れ、ヴワデク」

ヴワデクはすぐに従った。腰をおろすときに、今は男爵の痩せ細った手首にゆるゆるになって垂れさがっている太い銀の腕輪にふたたび気がついた。壁の隙間《すきま》から洩《も》れる一条の光が、地下牢の闇のなかでロスノフスキ家の紋章のみごとな彫刻をきらりと輝かせた。

「ドイツ人がわれわれをいつまでここに閉じこめておくつもりかは知らない。わたしははじめこの戦争は数週間で終るものと思っていた。だがそれは間違いで、今や戦争が長期間にわたることもありうるものと覚悟しなければならない。そうなると、わたしの命も長くはないから、残された時間をもっと建設的に使う必要がある」

「いいえ、そんなことはありません」ヴワデクは抗議しかけたが、男爵は彼の声を聞かなかったかのように続けた。

「いいかヴワデク、お前の一生はこれから始まる。それゆえにわたしはお前の教育を続けようと思う」

男爵はその日はもうなにもいわなかった。自分の発言の意味するところをじっと考えているかのようだった。こうしてヴワデクは新しい個人教師にめぐり合い、二人とも読むもの書くものを持っていなかったので、男爵の教えを口移しに復唱させられた。教材はアダム・ミツキェヴィチとヤン・コハノフスキの偉大な詩や、ウェルギリウスの『アエネーイス』の長い一節などだった。ヴワデクはこの厳格な教室で地理と数学、それに四つの外国語、ロシア語、ドイツ語、フランス語、英語を学んだ。だがここでもいちばん幸福な時間は歴史を学ぶときだった。百年間の分割統治、ポーランド統一の希望の挫折《ざせつ》、そして一八一二年の対ロシア戦争におけるナポレオンの大敗で、ポーランド人がふたたびこうむった苦難を通じての祖国の歴史。彼はそれ以前の幸福だった時代、ヤン・カジミエシュ王がチェンストホーヴァでスウェーデン軍を撃退したあとで、ポーランドを聖母マリアに捧《ささ》げたころや、大地主で狩猟愛好家であったラジヴィウ公がワルシャワ近くの大きな城に宮廷を構えたころの、すばらしい歴史物語を学んだ。毎日の授業は決ってロスノフスキ家の歴史でしめくくられた。ヴワデクは、一七九四年にドンブロフスキ将軍のもとで戦い、一八〇九年にはナポレオンのもとで戦った男爵の名高い先祖が、この偉大な皇帝から土地と男爵位を授けられた話を、何度も繰りかえし聞かされ、しかも決して飽きることがなかった。また、男爵の祖父がワルシャワ議会の一員であったこと、男爵の父が新生ポーランドの建設に参加したことも知った。ヴワデクは男爵が小さな地下牢を教室に変えてくれたことを心から喜んだ。

地下牢の警備兵は四時間ごとに交替し、彼らと囚人の会話は「厳禁《シュトレングスト・フェアボーテン》」だった。しかしヴワデクは戦争の進展や、ヒンデンブルクとルーデンドルフの動きや、ロシアにおける革命の勃発《ぼっぱつ》や、その結果ブレスト・リトフスク条約によってロシアが戦争から離脱したことなどを、断片的に聞きかじった。

ヴワデクは囚人たちが地下牢から出られるのは死んだときだけだと信じるようになった。二年のあいだに地下牢の扉はたった九回しか開かれず、ヴワデクはこのまま絶望とのむなしい戦いを続け、無用な知識を頭に詰めこみながら、二度と自由を知ることなしに、この不潔な地下牢で朽ち果てる運命にあるのだろうかと思いはじめた。

男爵は進行する視力と聴力の低下にもかかわらず、ヴワデクの教育を続けた。ヴワデクは一日ごとにますます男爵の近くに坐らなければならなかった。

彼の姉であり、母親であり、親友でもあるフロレンティナは、より具体的に不潔な牢獄との戦いを戦っていた。ときおり警備兵が汚れた床に撒《ま》くバケツ一杯の砂か藁《わら》を差入れてくれたので、それから数日間は悪臭がややおさまった。床にこぼれたパン屑《くず》やじゃがいものかけらを狙《ねら》って鼠《ねずみ》やゴキブリが暗闇のなかを走りまわるので、そのために病気がはびこり、いちだんと床が汚れた。人間と動物の排泄物《はいせつぶつ》のすえたような腐敗臭が鼻をつき、ヴワデクはしょっちゅう気分が悪くなって吐き気を催した。彼はなによりも清潔な体に戻ることを望み、床に坐って何時間も地下牢の天井をみつめながら、湯気のたつたらいとざらざらした石鹸《せっけん》の感触を思い起した。距離にすればほんのわずかだが、はるかに遠い昔、乳母が泥だらけの膝小僧《ひざこぞう》と真っ黒な爪《つめ》にぶつぶつ文句をいいながら、レオンと彼がたった一日の遊びでつけた汚れを、それで洗い落してくれたものだった。

一九一八年の春には、ヴワデクと一緒に地下牢に幽閉された二十六人の囚人のうち、生き残りはわずか十五人しかいなかった。男爵は終始みんなから主人として扱われ、ヴワデクは自他ともに認める男爵の世話係となっていた。彼は今では二十歳になった愛するフロレンティナがかわいそうでならなかった。彼女はとっくの昔に人生に絶望し、一生地下牢で暮すものと思いこんでいた。ヴワデクは彼女の前でこそ望みを捨てたことを口には出さなかったが、わずか十二歳という若さで、彼もまた将来を信じる気持をなくしかけていた。

秋のはじめのある晩、フロレンティナが大きいほうの部屋にいるヴワデクのそばにやってきた。

「男爵があんたを呼んでるわ」

ヴワデクは急いで立ちあがり、年とった召使に食事の配分をまかせて、男爵のもとへ行った。男爵はひどく苦しんでおり、ヴワデクは——あたかも今はじめて気がついたかのように——病気が男爵の全身を蝕《むしば》んで、もはや骸骨《がいこつ》と化した顔を、緑色のしみの浮きでた皮膚がおおっているだけであることを、恐ろしいほどはっきりと見てとった。男爵が水を所望し、フロレンティナが石の格子窓の外の棒にぶらさがっている、半分ほど入った水差しから水を汲《く》んできた。水を飲み終ると、この偉大な人物はゆっくりと、かなり苦しそうに話しはじめた。

「ヴワデク、お前は多くの死を見てきたから、もう一人の死を見たところでどうということはないだろう。正直いってわたしはもはやこの世から逃れることを恐れてはいない」

「いいえ、いけません」ヴワデクは生れてはじめてこの老人に縋《すが》りつきながら叫んだ。「ぼくたちはもう少しで勝てたのです。諦《あきら》めないでください、男爵。警備兵たちもいっています、戦争はもうすぐ終るから、ぼくたちが釈放される日も近いと」

「彼らは何か月も前からそういっているではないか、ヴワデク。もう彼らのいうことは信じられないし、いずれにせよわたしは彼らが作りだす新しい世界で生きようとは思わない」彼は一息入れて少年の泣き声に聞きいった。男爵がそのとき考えていたのは、涙を溜《た》めて飲み水にするということだけだったが、やがて涙には塩分が含まれていることを思いだして苦笑した。

「わたしの執事と従僕頭を呼びなさい、ヴワデク」

ヴワデクはどんな用があるのかわからなかったが、すぐに二人を呼んできた。三年間の捕われの生活のあとでは、二人の召使は深い眠りから叩《たた》き起されて男爵《だんしゃく》の前に立った。彼らはいまだに刺繍《ししゅう》入りの制服を着ていたが、かつてそれが誇り高いロスノフスキ家の緑と金色の制服であったということは、もはやだれの目にも識別できなかった。彼らは主人が話しかけるのを無言で待った。

「二人はきたのか、ヴワデク？」

「はい。見えませんか？」ヴワデクは男爵の目が完全に見えなくなっていることに今はじめて気がついた。

「手でさわれるように、二人をもっと近づけてくれ」

ヴワデクが二人を前に進ませると、男爵は彼らの顔に手でさわって確かめた。

「そこに坐れ」と、彼は命令した。「ルドヴィク、アルフォンス、わたしの声が聞えるか？」

「はい」

「わたしの名前はロスノフスキ男爵だ」

「存じております」と、執事が真正直に答えた。

「よけいな口を出すな。わたしはもうすぐ死ぬ」

死はあまりにも日常的だったので、二人はとくに異議をさしはさまなかった。

「ここには紙も、ペンも、インクもないので、新しい遺言状を作成することはできない。そこでわたしはお前たちの前で遺言を口述し、ポーランドの古法に定められた立会人の役目をお前たちに申しつける。わたしのいっていることがわかったかね？」

「はい、わかりました」二人の男は異口同音に答えた。

「わたしの長男のレオンは死んだ」男爵は一息入れて続けた。「それゆえわたしは全領地および財産をヴワデク・コスキェヴィチという名の少年に遺贈する」

ヴワデクは自分の姓を何年も耳にしていなかったので、男爵の言葉の意味がすぐには理解できなかった。

「そしてわたしの決意の証《あかし》として」と、男爵は続けた。「わが家に代々伝わる腕輪を彼に与える」

老人は右手をゆっくり持ちあげて、銀の腕輪を手首からはずし、茫然として言葉もないヴワデクに差しだした。それから少年にひしとしがみついて、間違いなく本人であることを確かめるかのように胸に指先を這わせた。「わが子よ」といいながら、男爵は少年の手首に腕輪をはめてやった。

ヴワデクは声をあげて泣き、男爵の腕に抱かれて横たわったまま、やがて心臓の鼓動が聞えなくなり、自分を抱いた手の指が硬直しはじめるまで、夜どおしじっと身動きもしなかった。翌朝男爵の遺体はドイツ兵によって地下牢から運びだされ、ヴワデクは男爵家の墓地の礼拝堂のそばに息子のレオンと並べて遺体を埋葬することを許された。ヴワデクが素手で掘った浅い墓穴に遺体をおろすときに、男爵のぼろぼろになったシャツの前がはだけた。ヴワデクの視線は死者の胸に釘《くぎ》づけになった。男爵には乳首が一つしかなかった。

こうして十二歳になるヴワデク・コスキェヴィチは、地下の狭い石牢《いしろう》で暮しながら、六万エーカーの土地と、城を一つと、二つの別荘と、二十七の使用人用の小屋と、絵画、家具、宝石などの貴重なコレクションを相続した。その日から囚人たちは彼を正当な主人とみなすようになり、十三人の衰弱した召使からなる従者と、ただ一人の愛の対象であるフロレンティナが住む四つの地下牢が彼の帝国となった。

ふたたびいつ果てるともない単調な日常が戻り、やがて一九一八年の冬も深まった。ある穏やかに晴れあがった日に、囚人たちの耳に一斉射撃と短い戦闘の気配が聞えてきた。ヴワデクはポーランドの軍隊が救出にきたものと確信し、これでいよいよ正当な相続権を主張できると思った。ドイツ兵が地下牢の鉄の扉の前から逃げだしたとき、囚人たちは下の部屋に集まって声もなく恐ろしさに震えていた。ヴワデクだけが入口に立って、手首の腕輪をくるくる回しながら、意気揚々として解放者たちを待った。やがてドイツ兵を敗走させた軍隊が到着したが、彼らが話しているのは、ヴワデクが学校で毎日話し、ドイツ語以上に恐れなければならないことを知っていた、あの粗野なロシア語だった。ヴワデクは召使たちと一緒にいとも無造作に通路へ引きずりだされた。囚人たちはしばらく待たされたあと、お座なりな身体検査を受けただけでまた地下牢にほうりこまれた。新しい征服者たちは目の前の十二歳の少年が城の主人であることに気がついていなかった。彼らはポーランド語を話さなかった。彼らが受けていた命令は明白で、疑問の余地がなかった。ポーランドのこの地方を彼らの領土と定めたブレスト・リトフスク条約に抵抗する敵は容赦なく殺し、抵抗しないものは第二〇一収容所へ送って終身拘禁せよ。ドイツ軍はおとなしく新しい国境の後方に撤退し、ヴワデクと彼の家来たちは、目前に迫った運命も知らずに新しい生活を夢見ながら待っていた。

　地下牢でさらに二日間過したあと、ヴワデクは幽閉生活がまだまだ長いあいだ続くものと諦めた。新しい警備兵たちは彼に一言も話しかけず、三年前の生活を思いださせた。少なくとも三年間にドイツ軍の軍紀はたるんでいたが、それが元に戻って厳しくなったことに、彼は気づきはじめた。

　三日目の朝、驚いたことにヴワデクたち十五人が痩《や》せ細った垢《あか》だらけの体で全員城の前の草原に引きだされた。二人の召使が慣れない太陽の光に目をやられて倒れた。ヴワデク自身も強烈な明るさに耐えられず、手で目をおおい続けなければならなかった。囚人たちは無言で草の上に立って、兵士たちのつぎの出方を待った。警備兵は全員を裸にし、川に入って体を洗うことを命じた。ヴワデクは銀の腕輪を衣類のなかに隠して、川岸のほうへ走った。岸に着く前に脚から力が抜けてゆくのを感じた。川にとびこんだ瞬間、水の冷たさに息を呑《の》んだが、肌がぴりっと引きしまってなんともいえないよい気分だった。ほかの囚人たちも続いて川にとびこみ、三年間溜りに溜った垢を落そうとして無駄な試みを続けた。

　ヴワデクがくたくたに疲れきって川からあがったとき、何人かの兵隊が川のなかのフロレンティナを妙な目つきで見ていることに気がついた。彼らは笑いながら彼女を指さした。ほかの女たちはそれほど彼らの関心をそそらないようだった。ただの一瞬もフロレンティナから目をはなさなかった醜い大男が、川の土手を登って戻ってくる彼女の腕をつかんで地面に押し倒した。それから目をぎらぎらさせながら、すばやく着ているものを脱いで、それをきちんとたたんで草の上に置いた。ヴワデクは信じられぬものを見る思いで男の勃起《ぼっき》した巨大なペニスを眺め、フロレンティナを地面に組み敷いたその男に突進して、渾身《こんしん》の力をこめてそいつの腹に頭突きをくらわせた。男はうしろによろけたが、別の兵隊がさっと立ちあがってヴワデクをつかまえ、両手を背中にまわして押えつけた。この騒ぎがほかの兵士たちの目にとまり、ぞろぞろと見物しにやってきた。ヴワデクを押えつけた男は意地悪く腹を揺すって大笑いした。ほかの兵士たちのはやし言葉がヴワデクの苦痛を倍加させた。

「偉大なる保護者のおでましだ」

「祖国の名誉を守る気らしいぜ」

「せめて特等席で見物させてやるとするか」と、彼を押えつけた兵隊がいった。

ヴワデクにはかならずしも全部は理解できない言葉に、また新たな笑い声が加わった。彼は裸の兵隊が栄養のいい引きしまった体で、悲鳴をあげはじめたフロレンティナのほうにゆっくりと近づくのを見守った。万力のような手を振りほどこうとしてふたたび激しく抵抗したが、相手はびくともしなかった。裸の男はぶざまな格好でフロレンティナにおおいかぶさってキスをしはじめ、彼女が抵抗したり顔をそむけたりすると平手打ちをくらわせた。そしてとうとう彼女のなかに突き入った。彼女はヴワデクが一度も聞いたことがないほどすさまじい悲鳴を発した。兵隊たちは仲間同士でしゃべったり笑ったりし続け、ある者はこの修羅場を見もしなかった。

「くそいまいましい生娘だ」と、最初の兵隊がフロレンティナから体を引きはなしながらいった。

一同がどっと笑った。

「おかげで少しは手間が省けるよ」と、二人目の兵隊がいった。

ふたたび笑い声。フロレンティナにじっと顔をみつめられながら、ヴワデクは喉《のど》を鳴らして吐きはじめた。彼を押えこんだ兵隊は、少年が吐いたもので軍服や靴を汚されまいとしたほかは、ほとんど関心を示さなかった。ペニスを血だらけにした最初の兵隊が川の土手を駆けおり、奇声を発して水に跳びこんだ。

三人目の兵隊がフロレンティナを押えつけているあいだに、二人目が服を脱いだ。彼はさきほどの男よりも少し長く時間をかけて楽しみ、フロレンティナを殴ることでかなりの満足感を味わっているようだった。ついに彼が突入したとき、彼女はふたたび悲鳴を発したが、その声はさっきより弱々しかった。

「おい、ヴァルディ、もういい加減にしろよ」

その声を聞くと、男は急に体を引きはなして、川のなかの戦友のあとを追った。ヴワデクは自分を笞打《むちう》ってフロレンティナのほうを見た。彼女は全身あざだらけになって、脚のあいだから血を流していた。彼を押えつけていた男がふたたび口を開いた。

「ボリス、このがきを押えててくれ、今度はおれの番だ」

最初の男が川からあがって、ヴワデクをしっかり押えた。ふたたび暴れて逃げだそうとすると、兵隊たちはいちだんと大きな声で笑った。

「どうだい、ポーランド軍の力はせいぜいこんなもんだよ」

耐えがたい笑い声が続くなかで、また別の兵隊が服を脱いで、今では無表情に横たわっているフロレンティナに挑みかかった。その兵隊の番が終って川へおりて行くのと入れちがいに、二人目が戻ってきて服を着はじめた。

「この女、だんだんよくなってきたらしい」と、彼は陽ざしのなかに腰をおろして仲間をじっと見守りながらいった。四人目の兵隊がフロレンティナのほうに進んだ。そばに達すると、兵隊は彼女をうつぶせにして、大きな手をかぼそい体にせわしなく這《は》わせながら、無理矢理脚をいっぱいに拡《ひろ》げた。男が彼女のなかに入ったときの悲鳴は今や呻《うめ》き声に変っていた。ヴワデクは姉を犯した兵隊の数を十六人までかぞえた。最後の兵隊は終ると同時に舌打ちしていった。「おれは死体とやったらしいぜ」そして草の上で身動きもしない彼女からはなれた。

兵隊たちはふくれっ面《つら》をした男が川のほうへ歩いて行くのを見ながら、いちだんと大きな笑い声をたてた。ようやくヴワデクを押えていた男が手をはなした。彼がフロレンティナのそばに駆け寄るのを尻目《しりめ》に、兵隊たちは草の上に寝そべって、男爵の酒蔵から持ちだしたワインとヴォトカを飲み、台所から持ちだしたパンを食べていた。

ヴワデクは二人の召使の手を借りて、フロレンティナの軽い体を川岸へ運んで行き、泣きながら血と打身《うちみ》を洗ってやろうとした。だが全身あざだらけでいたるところに血がこびりつき、意識がなく、口をきくこともできなかったので、しょせんは無駄な努力だった。ヴワデクはできるだけのことをしてやってから、自分の上着で彼女の体をおおって両腕に抱きしめた。やさしく口にキスをしてやった。女の口にキスをしたのは生れてはじめての経験だった。彼女はヴワデクの腕に抱かれて横たわっていたが、もう彼を見分ける力も残っていなかった。彼の頰を伝った涙が彼女のあざだらけの体に滴《したた》り落ちるうちに、全身から力が抜けてゆくのが感じられた。彼は泣きながら死体を抱きあげて土手を登った。兵隊たちは礼拝堂のほうへ進んで行く彼を無言で見送った。男爵の墓のかたわらの草の上に死体を横たえて、素手で穴を掘りはじめた。太陽が西に傾いて、城の長い影が墓地に落ちかかるころ、ようやく墓穴を掘り終った。フロレンティナをレオンの隣りに埋葬して、二本の木の枝で作った小さな十字架を頭のほうに立てた。ヴワデクはレオンとフロレンティナのあいだに倒れてそのまま眠ってしまった。もう目がさめなくてもかまわないという捨鉢な気分だった。

8

ウィリアムは九月にセイヤー・アカデミーへ戻り、すぐに自分より年上の生徒のあいだで競争相手を捜しはじめた。なにをやるにしても他から抜きんでた存在にならなければ満足せず、同年齢の生徒たちはほとんど例外なく競争相手としては手応《てごた》えがなさすぎた。ウィリアムは間もなく自分と同じ特権階級の子弟には競争心が欠けており、より手強《てごわ》いライヴァルは自分とくらべて比較的貧しい家庭の子供のなかにいることに気づきはじめた。

一九一五年にマッチ箱のラベルの蒐集熱《しゅうしゅうねつ》がセイヤー・アカデミーに拡がった。ウィリアムはこの異常なまでの熱狂を一週間興味津々《しんしん》で見守ったが、自分では手を出さなかった。数日以内にありふれたラベルは一枚十セントで取引され、珍しいラベルは五十セントもの高値を呼ぶようになった。ウィリアムはこの状況をつぶさに検討して、コレクターではなく商人になることに決めた。

つぎの土曜日に、彼はボストン最大の煙草《たばこ》商、レヴィット・アンド・ピアースへでかけて行き、午後いっぱいかかって世界じゅうの主要なマッチ製造業者の名前とアドレスを書きだし、交戦国以外の業者には丸印をつけた。それから五ドルを投じて便箋《びんせん》と封筒と切手を買い、リストに書きだしたすべての会社の会長または社長宛《あ》てに手紙を書いた。数回書きなおしたにもかかわらず文面は簡潔そのものだった。

会長もしくは社長様、

ぼくは熱心なマッチ箱のラベルのコレクターですが、すべてのマッチを買うだけのお金がありません。ぼくのお小遣いは週一ドルですが、真剣にこの趣味と取り組んでいる証拠に三セントの郵便切手を同封します。あなたをわずらわせるのは申し訳ないと思っていますが、手紙を書く相手としてあなたの名前しか見つからなかったのです。

あなたの友、
ウィリアム・ケイン（九歳）
P・S　貴社の製品はぼくが気に入っているものの一つです。

三週間以内にウィリアムは五十五パーセントの返信を受け取り、百七十八種類のラベルを手に入れた。差出人のほぼ全員が、ウィリアムの予想に違《たが》わず三セントの返信用切手も送り返してよこした。
それから七日のあいだ、ウィリアムは学校内でラベルのマーケットを開設し、買入れに当ってはかならずそれが売り物になることを確かめてから引き取った。少年たちのある者はラベルの稀少《きしょう》価値には無関心で、見た目の美しさにしか関心がなかったので、そういう連中とは抜け目なく物々交換をおこなって珍しいラベルを手に入れ、あとでもっと目の高いコレクターに売りつけた。さらに二週間売買を続けたところで、マーケットが頂点に達したと見きわめ、休暇も近いことだから用心しなければ蒐集熱がさめてしまうと判断した。印刷代に一枚半セントかかったビラを全生徒の机の上に配って、華々しい前宣伝を繰りひろげたあとで、手持ちのラベル二百十一枚を競売にかけると発表した。競売は昼休みに学校のトイレでおこなわれ、たいていの校内ホッケー試合よりも多くの生徒を集めた。

売上総額は五十七ドル三十二セント、つまり最初の投資額に対して五十二ドル三十二セントの純利益を上げた。ウィリアムはそのうちの二十五ドルを利率二・五パーセントで銀行に預け、十一ドルでカメラを一台買い、新たな移民の洪水を援助するために活動の範囲を拡げていたＹＭＣＡに五ドルを寄付し、母親に花を買って贈り、残った数ドルを自分のポケットに入れた。マッチ箱のラベルのマーケットはその学期が終らないうちに暴落した。このときをはじめとして、ウィリアムは以後何回も市場の最高値で売り抜けることになる。祖母たちは彼を大いに自慢したことだろう。それは彼女たちの夫が一八七三年のパニックで財産を築いたやり方と似ていなくもなかった。

休暇になると、ウィリアムは投下資本に対する預金口座の二・五パーセントよりもましな利殖法はないものかと検討せずにいられなかった。それから三か月間に――ふたたびケイン家の祖母を通じて――《ウォール・ストリート・ジャーナル》が強く推奨する株に投資した。その結果つぎの学期のあいだに、マッチ箱のラベルで稼《かせ》いだ金の半分を失ってしまった。彼が《ウォール・ストリート・ジャーナル》の意見や、街角で手に入る情報に頼ったのは生涯でこの一回きりだった。

二十ドル以上の損失に腹を立てたウィリアムは、イースターの休暇のあいだにどうしてもそれを取り返さねばならないと決意した。家へ帰ると、まず母親がどのパーティや催しに自分を出席させる予定であるかを調べ、なにも予定のない日がわずか十四日しかないことを知った。新しい計画にはそれだけあればぎりぎり足りた。彼は残った《ウォール・ストリート・ジャーナル》推奨株を売って、十二ドルの現金をつかんだ。この金で板一枚と、車輪二組と、車軸と、ロープを買いこんだ。代金は少々値切った結果五ドルですんだ。それからてっぺんの平らな帽子をかぶり、小さくなった古い服を着て、鉄道の駅へでかけて行った。駅の出口に立って、疲れて腹を空《す》かしているような顔をしながら、これと目をつけた旅行者に、ボストンの主なホテルはみな駅の近くにあるから、タクシーや、わずかに生き残って営業している馬車を使う必要はない、タクシー料金の二十パーセントで自分が運搬車を使って荷物を運んでやると持ちかけた。そして歩くほうが体にもいいとつけくわえた。一日六時間の労働でおおよそ四ドルは稼げることがわかった。

新学期が始まる五日前に、株で損した分を全部回収したうえに、新たに十ドルの利益を上げていた。そこで一つ問題が生じた。タクシーの運転手たちが彼の存在に腹を立てはじめたのである。ウィリアムは手製のトロリーの材料代として一人五十セントずつ出してくれれば、まだ九歳だが引退してもよいという条件を出した。運転手たちはこの条件を呑み、彼はさらに八ドル五十セント手に入れた。さらにビーコン・ヒルへ帰る途中、二歳年上の学友にトロリーを五ドルで売りつけた。その友達は間もなく荷物運搬業はピークを過ぎたことを知った。おまけにそれから一週間は連日雨続きだった。

休暇の最後の日に、ウィリアムは利率二・五パーセントの銀行口座に金を預けた。つぎの学期のあいだはこの決断になんの不安を抱くこともなく、預金が着実にふえてゆくのを見守った。《リュシテーニア号》の沈没も、一九一七年四月のウィルソン大統領による対独宣戦布告も、ウィリアムにいかなる懸念《けねん》も抱かせなかった。アメリカは絶対に戦争に敗ける気づかいはない、と彼は母親に太鼓判を押した。この判断を裏付けるために自由公債《リバティ・ボンド》に十ドル投資した。

十一歳の誕生日に、ウィリアムの帳簿の資産欄は四百十二ドルの利益を示していた。彼は母親に万年筆を、二人の祖母には地元の宝石店で買ったブローチをプレゼントした。万年筆はパーカーで、ブローチはシュリーヴ・クランプ・アンド・ロウの裏のごみ箱を漁《あさ》って、苦心の末みつけたこの有名な宝石店の包装紙に包まれて、祖母たちの家に届けられた。少年のために公平を期するならば、祖母たちを騙《だま》そうというつもりは毛頭なく、マッチ箱のラベルの経験から、包装紙のよしあしが品物の売行きを左右することを学んでいただけのことだった。祖母たちはブローチにシュリーヴ・クランプ・アンド・ロウの品質証明がないことに気づいたにもかかわらず、得意然としてそれを身につけた。

二人の老婦人はウィリアムのあらゆる行動に目を光らせ続け、彼が十二歳になったら予定どおりニュー・ハンプシャー州コンコードにあるセント・ポールズ・スクールへ進むものと決めていた。少年は彼女たちの期待にりっぱに応えて、一番の成績で数学の奨学金を獲得し、年間約三百ドルの学費をその必要もないのに家族に節約させた。ウィリアムは奨学金をもらい、祖母たちはその金を、彼女たちの表現を借りれば、「より幸運に恵まれない子供たち」のために返却した。アンは息子が親もとをはなれて寄宿学校に入ることに反対だったが、祖母たちがそれを強く主張したし、さらに重要なことだが、リチャードも同じくそれを望んだであろうことを知っていた。彼女はウィリアムの名札を縫い、ブーツに印をつけ、衣類を点検し、最後に召使の手を借りずにそれらをスーツケースに詰めた。いよいよ出発というときに、新学期のお小遣いはいくら欲しいかとウィリアムにたずねた。

「いらないよ」と彼は答え、それ以上なにもいわなかった。

ウィリアムは母親の頰にキスをした。彼女がどれほど淋《さび》しがるかということはまるで頭になかった。生れてはじめて長ズボンをはき、髪を短く刈って、小さなスーツケースを持ちながら、運転手のロバーツのほうへと小径《こみち》を歩いて行った。ロールス＝ロイスに乗りこみ、やがて車が走りだした。彼は振りかえりもしなかった。母親はいつまでも手を振り続け、しまいには泣きだした。ウィリアムも泣きたい気分だったが、父親が生きていたら叱《しか》られるだろうと思って涙をこらえた。

ウィリアム・ケインが新しい私立予備校について最初に不思議に思ったのは、ほかの生徒たちが彼の氏素姓にまったく頓着《とんじゃく》しないことだった。尊敬のまなざしや、無言のうちに一目おくような態度はもはやそこにはなかった。ある上級生などは事もあろうに彼の名前をたずね、なお悪いことに彼が名乗ってもまったく驚いたようすがなかった。彼をなれなれしくビルと呼ぶ者さえいたが、これだけは間もなく父親もディックと呼ばれたことがないと説明してやめさせた。

ウィリアムの新しい生活領域は、木の本棚と、二つのテーブルと、二つの椅子《いす》と、二つのベッドと、すりきれてはいるが坐《すわ》り心地のよい革張りのソファが一つある小さな部屋だった。椅子とテーブルとベッドのそれぞれ一つずつは、やはり銀行家の父親を持つニューヨーク出身のマシュー・レスターという少年のものだった。

ウィリアムはすぐに学校生活に慣れた。七時三十分に起床し、顔を洗い、全校二百二十名が大食堂に集まって、卵とベーコンとオートミールの朝食をとる。朝食のあとに礼拝、五十分の授業が三科目、さらに昼食をはさんで二科目と続き、そのあとにウィリアムの大嫌いな音楽のレッスンがくる。彼はまったくの音痴だったし、どんな楽器も演奏したいとは思わなかった。秋はフットボール、冬はホッケーとスカッシュ、春はボートとテニスで、自由な時間はほとんどなかった。数学奨学生である彼は、生徒たちのあいだで「気難かし屋《グランピー》」と呼ばれている舎監のG・ラグランから、週に三回数学の個人指導を受けていた。

ウィリアムは最初の一年間ほとんどすべての学科で上位数人に入り、数学ではクラスのトップになって、奨学金にふさわしい実力の持主であることを証明した。新しい友人のマシュー・レスターだけがウィリアムの真の好敵手であり、ほぼ間違いなく彼らが同室であることがその理由だった。ウィリアムは学業のほうで実力を発揮すると同時に、財政家としても名声を確立した。最初の市場投資では大失敗をしていたが、まとまった金を稼ぐには、株式市場で値上がり益を得るしかないという信念を捨てなかった。彼は《ウォール・ストリート・ジャーナル》や会社便覧を精読し、十二歳の年に架空の株式投資計画にもとづく実験を開始した。新しく買った色の違う帳簿に架空の株の売買と損益のすべてを記録し、毎月末に自分の成績を市場の動きと比較した。主要な上場株には目もくれず、一度に数株しか買えない場外専門の株も含めて、もっぱら無名の会社の株だけを売り買いした。ウィリアムはこの投資から四つのものを期待した。高い資本回転率、高い成長率、強固な資産の裏付け、それに取引上の有望な見通しである。これらのきびしい基準をすべてみたす株はざらにはなかったが、そのかわり条件に合致した株はほぼ例外なく彼に利益をもたらした。

ウィリアムは架空の投資計画で常にダウ＝ジョーンズ平均を負かしつつあることに気がつくと同時に、もう一度自分の金を投資する機が熟したと判断した。まず百ドルの資本で始めて、絶えず自分の理論に磨きをかけた。儲《もう》けたときはあくまで押し、損したときはさっと手を引いた。ある株が二倍に値上がりすると、手持ちの半分を売って残りはとっておき、まだ持っている株をボーナスとして取引した。こうして早いうちに目をつけた株のいくつか、たとえばイーストマン・コダックやＩＢＭなどは、やがて全国的な花形株になった。また将来の流行を見越して最初のメイル・オーダー会社にも投資した。

こうして最初の一年が終るころには、学校職員の半数と一部父兄に投資の助言を与えるまでになっていた。ウィリアム・ケインはしあわせな学校生活を送っていた。

ウィリアムはセント・ポールズへ行ってしまい、身内には老齢に近づきつつある二人の母親しかいないアン・ケインの家庭生活は、不幸と孤独に包まれていた。はや三十歳を過ぎ、魅力的で若々しい美貌《びぼう》が、それにかわるものをほとんど残さずに消えてしまったことを、みじめな気分で認識した。心の空白を埋めるために、リチャードの死によって断たれた旧友たちとの交遊によりを戻しはじめた。子供のときから知っているウィリアムの名付親、ジョンとミリーのプレストン夫妻が、アンの相手にいつも男性を一人用意して、彼女を食事や観劇に招くようになった。プレストン夫妻が見立てるのはほとんど例外なく箸《はし》にも棒にもかからない男ばかりで、アンはミリーの取持ちを内心笑っていたが、一九一九年一月のある日、ウィリアムが冬の学期を前にして学校へ戻って行った直後に、また四人の夕食に招待された。ミリーは実をいうと今日のもう一人の客、ヘンリー・オズボーンとは会ったことがないのだが、たしかジョンと同じ頃にハーヴァードに在学した人だと思うと告白した。

「実は」と、ミリーは電話で白状した。「ジョンも彼がとてもハンサムな男だということ以外はあまりよく知らないのよ」

その点については、アンもミリーもジョンの意見が正しいことを認めた。ヘンリー・オズボーンはアンが到着したとき、火のそばで暖まっていたが、すぐに立ちあがってミリーの紹介に応じた。六フィートをわずかに越える、ほとんど黒といってもよいほどの目とまっすぐな黒い髪を持った、スポーツマン・タイプのすらりとした男だった。アンは今夜この精力的で若々しい男と組み合わされたことに一瞬心が浮き浮きするようなスリルをおぼえ、一方ミリーは、大学で同級生だったこの伊達男《だておとこ》にくらべれば、早くも中年のきざしを見せつつある夫で満足しなければならなかった。ヘンリー・オズボーンは片腕を三角巾《きん》で吊《つ》って、ハーヴァード・タイをそのかげにほぼすっかり隠していた。

「戦争で負傷なさったんですか？」と、アンが同情の面持で質問した。

「いや、西部戦線から帰ったつぎの週に階段から落っこちたんですよ」と、彼は笑いながら答えた。

最近のアンには珍しく、食卓の時間がなぜかわからぬままましあわせな気分のうちに過ぎて行くといった夕食だった。ヘンリー・オズボーンはアンの執拗《しつよう》な問いにいやな顔もせずに答えた。ハーヴァードを卒業したあと、生れ故郷のシカゴで、ある不動産管理会社に勤めたが、戦争が始まるとじっとしていられなくなってドイツ軍と戦うために出発した。ヨーロッパと、マルヌの戦いでアメリカの名誉を守る若き中尉《ちゅうい》として、その地で過した生活についての、彼の興味津々《しんしん》たる話の種は尽きなかった。ミリーとジョンは、リチャードの死後アンがこれほどよく笑うのを見るのははじめてだったので、ヘンリーが彼女を家まで送りたいといいだしたとき、意味ありげに目配せして微笑を浮べた。

「英雄たちにふさわしい国にお帰りになった今、どんなお仕事をなさる予定ですの？」と、ヘンリーがスポーツカーのスタッツをチャールズ・ストリートに乗り入れたとき、アンが質問した。

「まだ決めていません」と、彼は答えた。「さいわい、わずかばかりの金があるので、あわてて働きはじめる必要もないんです。このボストンで自分の不動産会社でも始めようかと思っているんですよ。ハーヴァード時代からこの町が自分の故郷のような気がしているんです」

「するとシカゴへはお帰りにならないんですの？」

「ええ、あの町にはもう用はないんです。両親とも死にましたし、わたしは一人っ子ですから、どこでも好きなところで再出発できるんです。どっちへ曲りますか？」

「最初に右に曲ってください」

「あなたはビーコン・ヒルにお住まいなんですか？」

「ええ、チェスナットを百五十ヤードほど行った右側、ルイスバーグ・スクエアの角にある赤い家がそうですわ」

ヘンリー・オズボーンは車を停めて、彼女の家の玄関まで送ってきた。そこでおやすみをいうと、彼女が礼を述べるいとまもなく帰って行った。彼女は自動車がビーコン・ヒルをゆっくり戻って行くのを見送りながら、自分がまた彼と会いたいと望んでいることに気がついた。翌朝電話がかかってきたときは、全然予想していなかったわけではないが、ひどくうれしかった。

「来週月曜日、ボストン・シンフォニー、モーツァルト、例の華々しい新人マーラー――いかがですか？」

アンは自分が月曜日を待ち焦《こ》がれていることに気がついて、いささか虚をつかれた。魅力的だと思う男性に誘われたことは、ずいぶん久しくなかったような気がした。ヘンリー・オズボーンはちょうど約束の時間に迎えにきた。二人はややぎごちない握手をかわし、彼はスコッチ・ハイボールを一杯ごちそうになった。

「ルイスバーグ・スクエアに住むのはさぞ快適でしょうね。あなたは運のよい方ですよ」

「ええ、そうなんでしょうね、あまり深く考えたことはありませんけど。わたしはコモンウェルス・アヴェニューで生れ育ったんです。どちらかといえばこの家は少し手狭なような気がしますけど」

「わたしもボストンに住みつくことになったら、ビーコン・ヒルに家を一軒買いたいものです」

「売家はめったにないんですよ」と、アンが答えた。「でもあなたは幸運に恵まれるかもしれませんわ。もう出かけたほうがよろしいんじゃありません？　わたし、コンサートに遅れて行って、他人《ひと》さまの足を踏みながら席につくのがいやなんです」

ヘンリーは時計を見た。「同感です、指揮者の登場を見逃したくはありませんからね。しかしわたし以外の人間の足はご心配なく、席は通路側ですから」

すばらしい音楽の奔流のおかげで、ヘンリーはリッツまで歩いて行く途中自然にアンの腕を取ることができた。リチャードの死後彼女の腕を取って歩いたのはウィリアムだけで、しかも彼はそのしぐさを女々しいと考え、説得されてやっと承知したのだった。この夜もまた、アンにとっては時間のたつのが速かった。それはすばらしい食事のせいなのか、それともヘンリーが一緒にいたせいなのか？　今度はヘンリーはハーヴァード時代の話で彼女を笑わせ、戦争の思い出話で泣かせた。彼のほうが自分より若く見えるにもかかわらず、人生経験が豊かなので、うれしいことに彼と一緒にいるといつも若くて未経験な人間のような気分になれた。彼女は夫の死について語り、また少し泣いた。ヘンリーはアンの手を握って、彼女が息子のことを大きな誇りと愛情をこめて語るのを聞いた。彼は自分も息子が一人欲しかったと語った。シカゴや自分の家庭生活のことはほとんど話さなかったが、アンは彼も家族が恋しいに違いないと思った。その夜ヘンリーは彼女を家まで送って行き、家にあがって一杯飲んでから、頬に軽くキスをして帰って行った。アンは寝る前にその夜の一分一分を思い返して味わった。

彼らは火曜日に芝居を観《み》に行き、水曜日にケープ・コッドのアンの別荘へ行き、木曜日は流行のラグタイムで踊り、金曜日はアンティークを漁《あさ》りにでかけ、土曜日には愛し合った。日曜日から先はめったにはなればなれになることがなかった。ミリーとジョンのプレストン夫妻は自分たちの取持ちがついに実を結んだことを知って有頂天になった。ミリーはあの二人を結びつけたのは自分だと、ボストンじゅうに触れまわった。

その年の夏の婚約発表で不意討ちをくらったのはウィリアムただ一人だった。彼はアンが充分根拠のある懸念を抱いて二人を引き合せたその日から、ヘンリーに激しい反感を抱いていた。彼らの最初の会話は、ヘンリーがウィリアムと友達になりたいという意向を示すために長々と質問を繰りかえし、それに対してウィリアムは友達になる気がないことを示すために必要最小限の言葉で答えるという形をとった。そしてウィリアムのこの気持はその後も変らなかった。アンは息子のこの態度を同情すべき余地のある嫉妬《しっと》の感情のせいにした。ウィリアムはリチャードの死後、彼女の生活の中心だったからである。そのうえウィリアムにしてみれば、いかなる男にも父親の代理はつとまらないと考えるのがしごく当然だった。アンは時間がたてばウィリアムの気持もやわらぐだろうとヘンリーを説得した。

アン・ケインはその年の十月、ちょうど金色や赤に染まった木の葉が散りはじめるころに、オールド・ノース教会でヘンリー・オズボーン夫人となった。最初の出会いから十か月あまりしかたっていなかった。ウィリアムは結婚式に出席したくないばかりに仮病を使って、学校から一歩も外に出なかった。祖母たちは出席したが、アンの再婚、とりわけ彼女よりはるかに若く見える男との再婚に不快の色を隠せなかった。

「どうせ不幸な結末になるに決ってますよ」と、ケイン家の祖母はいった。

新郎新婦は式の翌日ギリシアに向けて出発し、クリスマス休暇で帰省するウィリアムを迎えられるように、十二月の第二週に入ってようやくビーコン・ヒルのレッド・ハウスに帰ってきた。ウィリアムは家のなかがすっかり模様替えされ、父親の痕跡《こんせき》がほぼ消え去ってしまったことを知ってショックを受けた。クリスマスを過ぎても、へンリーが新しい自転車をプレゼントした——ウィリアムにいわせればそれは賄賂《わいろ》だった——にもかかわらず、継父に対する態度はいっこうにやわらぐきざしを見せなかった。ヘンリー・オズボーンはこの拒絶を苦々しい諦《あきら》めの気持とともに受けいれた。ほかの点では申し分のない新しい夫が、息子の愛情をかちえるための努力をほとんど示さないことが、アンを悲しませた。

ウィリアムは他人が入りこんだ家庭にいても気持が落ちつかず、しばしば日中長時間家を留守にした。アンが行先をたずねても、ほとんど満足な答えは得られなかった。少なくとも祖母たちの家でないことは確かだった。クリスマス休暇が終ると、ウィリアムは嬉々《きき》として学校へ戻り、ヘンリーも別れを惜しむ気持はさらさらなかった。一人アンのみが自分の生活のなかの二人の男の存在に心を悩ませた。

9

「おい、小僧、起きろ」

兵隊の一人が銃の台尻《だいじり》でヴワデクの脇腹《わきばら》をこづいていた。彼ははっとして上体を起し、姉とレオンと男爵《だんしゃく》の墓に目を向けた。やがて兵隊のほうを向いたとき、彼は一粒の涙もこぼさなかった。

「おれは生きてやる、お前たちに殺されはしないぞ」と、彼はポーランド語でいった。「ここはおれの家だ、お前たちは他人の土地にいるのだ」

兵隊はヴワデクに唾《つば》を吐きかけて、背番号のついたグレイのパジャマのようなものを着せられた召使たちが待っている芝生のほうへ、彼をぐいぐい押して行った。ヴワデクは彼らの姿を見るなり、自分の身になにが起ろうとしているかに気づいて慄然《りつぜん》とした。兵隊は彼を城の北側へ連れて行って、地面にひざまずかせた。ナイフが頭に当てられ、濃い黒髪がはらはらと地面に散った。まるで羊の毛でも刈るように、十回ほど乱暴に頭を剃《そ》ると仕事は終った。髪の毛を刈られたヴワデクは、新しい制服、グレイのルバシカとズボンを着せられた。どうにか銀の腕輪を隠し通して、城の正面にいる召使たちの群れに加わった。

芝生の上で待っているあいだに——今はもう名前がなく、番号だけの存在だった——ヴワデクはそれまで聞いたことのない物音を遠くのほうに聞いた。その恐ろしい物音のするほうに視線を向けた。巨大な鉄の門を通って、馬も牛も見えない四輪の乗物が近づいてきた。囚人たちは目を丸くしてその動く物体をみつめた。それが停止すると、兵隊が尻ごみする囚人たちを引きたててその車に乗せた。やがて馬のない馬車は向きを変え、鉄の門をくぐって今きた方向へ戻りはじめた。全員が恐ろしさで口もきけなかった。ヴワデクはトラックの荷台に坐って、ゴシック様式の小塔が見えなくなるまで自分の城をみつめ続けた。

馬なしの馬車はどういう仕掛けなのか、ひとりでにスウォーニムの方角へ進んで行った。ヴワデクは自分たちがどこへ連れて行かれるのかという気がかりさえなければ、この車がどんな仕掛けで動くのかということに関心を持っていただろう。道は学校へ通っていたころに見たおぼえがあったが、三年間の地下牢《ちかろう》生活で記憶が薄れてしまって、その道がどこに通じているのか思いだせなかった。わずか数マイル先でトラックが停車し、全員が力ずくでおろされた。そこはスウォーニムの鉄道の駅だった。ヴワデクはレオンと二人でワルシャワへ行った男爵を出迎えたとき、たった一度この駅を見たことがあるだけだった。二人が生れてはじめてプラットフォームにあがったとき、警備兵が彼らに敬礼したことを思いだした。今日はどの警備兵も敬礼などしなかった。囚人たちに山羊《やぎ》の乳とキャベツ・スープと黒パンが与えられ、ふたたびヴワデクが生き残りの十四人に食物を等分した。彼は間もなく列車がくるものと思いこんで、木のベンチに腰をおろした。その夜は星空の下で地べたに寝たが、それでも地下牢にくらべれば天国だった。彼は暖かい冬を神に感謝した。

彼らは朝になってもまだ待っていた。ヴワデクは召使たちに少し運動をさせたが、ほとんどの者がわずか数分で倒れてしまった。彼はここまで生きのびた者の名前を心に刻みはじめた。最初地下牢に入れられた二十七人のうち、ヴワデクのほかに男十一人、女二人が生き残っていた。なんのために生き残ったのか、と彼は思った。その日もまる一日到着しない列車を待ち続けた。一度列車が到着して、あの忌《いま》わしい言葉を話す新手の兵士たちをおろしたが、ヴワデクたち哀れな一行を置き去りにして出発してしまった。彼らはまた一晩プラットフォームで眠った。

ヴワデクは星空の下で目をさましたまま、どうすれば逃げだせるかと考え続けていたが、夜中に十三人のうちの一人が線路を越えて逃げようとし、反対側へ辿《たど》りつかないうちに警備兵に射殺されてしまった。ヴワデクは仲間が倒れた場所をじっとみつめるだけで、自分も同じ運命に見舞われる恐れから、その男を助けに行くこともできなかった。警備兵は逃亡を企てる者への見せしめとして、朝になっても死体を線路上に放置したままだった。

翌日だれ一人としてその事件に触れる者はなかったが、ヴワデクは男の死体からほとんど目をはなすことができなかった。死んだのは男爵の執事のルドヴィク——男爵の遺言と彼の相続財産の立会人の一人——だった。

三日目の夕方にまた列車が到着した。巨大な蒸気機関車に、床に藁《わら》を敷き、横腹にペンキで「家畜用」と書かれた無蓋《むがい》貨車が連結されていた。何輛《りょう》かはすでに人間でいっぱいだったが、彼らがどこからきたのかヴワデクには見当もつかないほど、彼自身とそっくりのひどい格好をしていた。ヴワデクたちも旅を始めるために貨車に積みこまれた。さらに数時間待ったあとで、列車は駅を出て、ヴワデクが夕日の向きから東と判断した方角に向った。

三輛おきに一人の監視兵が、有蓋貨車の屋根にあぐらをかいて坐《すわ》っていた。いつ終るとも知れない旅のあいだに、ときおり頭上から雨のように降り注ぐ銃声が、逃亡を企てることの無益さをヴワデクに教えていた。

列車がミンスクに停車したとき、はじめて黒パン、水、ナッツ、キビというまともな食事が与えられ、やがてまた旅が続けられた。ときには三日間もつぎの駅を見ることなく走り続けることもあった。多くの強制された旅人たちが飢えのために死に、走行中の列車から投棄された。列車は、しばしば西に向う列車を通過させるために二日間も停ったままだった。彼らを足止めしたこれらの列車はみな兵隊を満載しており、ヴワデクの目には軍用列車がほかのすべての列車よりも優先されていることが明らかだった。逃亡は常にヴワデクの最大の関心事だったが、三つのことがその野心の実行を妨げていた。第一はいまだかつて成功した者がいないこと、第二は線路の両側に広漠とした荒野が拡《ひろ》がっていること、第三は地下牢生活を生き抜いた者たちが今や完全に彼に依存していることだった。彼らの食事と水を配分し、全員に生きる意志を植えつけるべく努力するのがヴワデクの務めだった。

夜間はしばしば気温が零下三十度までさがり、全員が一列に体を密着させて貨車の床に横たわり、たがいに暖め合わなければならなかった。ヴワデクは『アエネーイス』を暗誦《あんしょう》して少しでも睡眠をとろうとした。全員の同意がなければ寝返りも打てなかったので、ヴワデクが列のはずれに寝て、監視兵の交替から判断して一時間たったと思われるたびに、全員一斉に寝返りを打って体の向きを変えた。その光景はさながらドミノ倒しを思わせた。ときおり体を動かさない者がいて――もう動こうにも動けないのだが――ヴワデクがそのことを知らされる。すると彼は監視兵に報告し、監視兵が四人がかりで死体を持ちあげて、走行中の列車からほうりだすのだった。彼らは死んだふりをして逃亡を企てる者を阻止するために、死人の頭に数発の銃弾をぶちこんだ。

ミンスクから二百マイルほど行ったところで、スモレンスクという小さな町に停車し、暖かいキャベツ・スープと黒パンにありついた。ヴワデクたちの車輛に監視兵と同じ言葉を話す新しい囚人の一群が加わった。彼らのリーダーもヴワデクと同年配だった。ヴワデクと生き残った十人の仲間、男九人に女一人は、たちまち新参の囚人たちに疑いの目を向け、車輛を二つに分けて、二つのグループが数日間はなればなれに過した。

ある夜、ヴワデクが目をさまして星を眺めながら体を暖めようとしているときに、スモレンスク・グループのリーダーが短いロープのきれはしを手に持って、ヴワデクの列のいちばん端の男のほうに這《は》い寄ってくるのが見えた。敵は眠っている男爵の従僕頭、アルフォンスの首にロープを巻きつけた。ヴワデクは自分が早く動きすぎれば、相手が音を聞きつけて車輛の半分を占める味方の陣営へ逃げ帰ってしまうと判断して、ポーランド・グループの列にそってゆっくりと這い進んだ。仲間が彼の動きに気がついたが、だれ一人言葉を発しなかった。列のはずれに達すると、彼は侵入者にとびかかった。その音で車輛のなかの全員がすぐに目をさました。双方のグループが車輛の両端にかたまり、アルフォンスだけがぴくりとも動かずに彼らの目の前に横たわっていた。

スモレンスク・グループのリーダーはヴワデクより背が高く、動きも敏捷《びんしょう》だったが、床の上の格闘ではそれも大した利点ではなかった。格闘は数分間続き、監視兵たちは二人の闘技士を笑いながら見守り、どっちが勝つかに賭《か》けた。血に飢えた一人の監視兵が、車輌の中央に銃剣を投げてやった。二人の少年がぴかぴかの刃物を奪い合い、スモレンスク・グループのリーダーのほうが先に手をかけた。スモレンスク・グループは、自分たちの英雄がヴワデクの脚の外側に銃剣を突き刺し、血だらけの刃を引き抜いてもう一度突きかかるのを見て、ここぞとばかり声援を送った。つぎの一突きはヴワデクの耳をかすめて、揺れ動く貨車の木の床にぐさりと突き刺さった。相手がそれを引き抜こうとするあいだに、ヴワデクは渾身《こんしん》の力をこめて股間《こかん》を蹴《け》り、相手がうしろに吹っとんだ隙《すき》に銃剣を引き抜いた。彼は銃剣の柄《つか》を握りしめて相手に馬乗りになり、口のなかに剣を突き刺した。敵は激しい苦痛の叫びを発し、その声でほかの車輌の囚人たちまで目をさました。ヴワデクは銃剣を抉《えぐ》って引き抜き、相手が動かなくなったあとも何度も繰りかえし突き刺した。激しく息を切らしながら、しばらくひざまずいて相手を見おろしていたが、やがて死体を抱えあげて貨車の外にほうりだした。死体が線路の土手に落下するどさっという音と、監視兵たちが無意味に追い射ちする銃声が聞えた。

ヴワデクは足を引きずりながら、床に横たわったまま動かないアルフォンスのほうに戻り、かたわらにひざまずいて、生命のない肉体を揺さぶった。二人目の立会人もこれで死んでしまった。こうなっては彼ヴワデクが男爵の財産の選ばれた相続人であるということを、だれが信じるだろうか？　人生の目的はまだなにか残っているのだろうか？　彼はがっくりと膝《ひざ》をつき、両手で銃剣を拾いあげて切先を自分の腹に向けた。とたんに一人の監視兵が屋根から跳びおりて、彼の手から銃剣をもぎ取った。

「おい、やめろ」と、監視兵がどなった。「収容所ではお前みたいな生きのいいやつが必要なんだ。全部の仕事をおれたちがやるわけにはいかんからな」

ヴワデクはようやく銃剣で刺された脚の痛みに気がついて、両手で顔をおおった。

彼は遺産を失い、そのかわり無一文のスモレンスク人たちのリーダーになったのだった。

貨車一輌がふたたび彼の支配下に入り、今度は二十人の囚人たちの面倒を見なければならなくなった。まず手はじめにグループをばらばらにして、ポーランド人とスモレンスク人がかならず隣り合って寝るものと定めることによって、両グループ間の争いを防いだ。

ヴワデクはかなりの時間をスモレンスク人の話す言葉の習得に注ぎこんだ。男爵から教わったオーソドックスなロシア語とはあまりに異なっていたため、最初の数日間はそれがロシア語であることに気がつかなかったのだ。やがて列車がどこに向っているかがわかったとき、この発見の重大な意味を理解した。

ヴワデクは昼間二人のスモレンスク人を同時に教師として利用し、彼らがくたびれるとすぐ新しい二人にかえて、全員がくたくたになるまで勉強を続けた。

こうして徐々に新しい部下たちと苦もなく話ができるようになった。彼らの何人かは本国送還のあとで、ドイツ軍の捕虜になった罪を問われて流刑《るけい》に処せられたロシア兵だった。ほかは白系ロシア人の農民や炭坑夫や労働者で、みんな革命に激しい敵意を燃やしていた。

列車はヴワデクがいまだかつて見たこともないほどの不毛の荒野を過ぎ、聞いたこともない町々――オムスク、ノヴォシビルスク、クラスノヤルスクといった不吉な響きの名前を持った町々を通過して、ごとごと揺れながら走り続けた。そしてついに、三か月かかって三千マイル以上走ったあとで、そこで線路がぷっつり跡絶《とだ》えるイルクーツクに到着した。

彼らは追いたてられるようにして列車からおり、食事と、フェルトの長靴、ジャケット、厚手の外套《がいとう》などを支給された。いちばん暖かそうな衣類の奪い合いが始まったが、それでも酷寒から身を護《まも》るには程遠かった。

ヴワデクを城から運び去ったのと似たり寄ったりの馬なしの馬車がやってきて、長い鎖が投げおろされた。やがて、ヴワデクがわが目を疑い、慄然とするうちに、一本の鎖の片側に二十五人ずつ計五十人の囚人が片手をつながれた。トラックは監視兵を荷台に乗せて、囚人を引きたてながらゆっくり走りだした。そうやって十二時間歩いてから二時間の休憩を与えられ、ふたたび行進を開始した。三日後には、ヴワデクは寒さと疲労のために死んでしまうと思ったが、やがて人家が跡絶えるところまでくると、行進は日中だけで夜は寝かせてもらえるようになった。収容所の囚人たちの移動炊事班が、夜明けと夜に蕪《かぶら》のスープと黒パンを支給した。ヴワデクは彼らの口から、収容所の生活がもっとひどいことを聞きだした。

最初の一週間は鎖につながれっぱなしだったが、脱走のおそれがなくなったころに、夜のあいだだけ鎖からはずされて、寒さを防ぐために雪に穴を掘って眠った。運よく森のなかで寝床を作って眠れる日もあって、贅沢《ぜいたく》というものが奇妙な形をとりはじめた。彼らは大きな湖の岸を通り、凍結した川を渡って、肌を刺す寒風と降りしきる雪に顔をさらしながら、北へ北へと歩き続けた。ヴワデクの脚の傷は間断ない鈍痛を伴い、間もなく凍傷にかかった指や耳よりも激しく痛むようになった。白一色のどこを見まわしても生き物の気配や食べられるものはなく、夜中に脱走をはかっても結果は飢えでじわじわ死んでゆくだけだと悟った。老人や病人たちが、運がよければ夜のあいだにひっそりと死んでゆくようになった。運悪く昼間行進の速度に追いつけなくなった者は、鎖から解きはなたれて、果てしない雪のなかに置き去りにされた。生き残った者はくる日もくる日も北に向って歩き続け、ついにヴワデクは時間の感覚を失ってしまい、ただ非情な鎖に引きたてられる感覚が残っているだけで、夜寝るための雪穴を掘るときは、翌朝目がさめるかどうかもわからない状態だった。目をさまさなかった連中は自分で掘った雪穴がそのまま墓にかわった。

九百マイルの長旅のあとで、生きのびた者たちは、トナカイの引く橇《そり》に乗ったロシアの草原の遊牧民、オスチャーク族に迎えられた。トラックは積荷をおろして戻って行った。囚人たちは今度は橇に鎖でつながれて引きたてられた。激しい吹雪のためにほぼ二日間にわたって行進の停止を余儀なくされたおりに、ヴワデクは自分がつながれた橇の御者であるオスチャーク族の若者と言葉をかわしてみた。彼のポーランド訛《なま》りの正統ロシア語を相手はほとんど理解しなかったが、それでもオスチャーク族が自分たちをほとんど囚人同様に冷遇している南のロシア人を憎んでいることがわかった。オスチャーク族は将来の希望を奪われた悲運の囚人たち、彼らが「不幸な人々」と呼んでいる者たちに対して冷淡ではなかった。

それから九日後、極北の初冬の夜の薄明のなか、彼らは第二〇一収容所に到着した。ヴワデクはそんな場所を見てほっとしている自分が信じられなかった。荒涼たる原野に何列も立ち並んでいる丸太小屋。小屋にも囚人と同じように番号がついていた。ヴワデクの小屋は三三号棟だった。小屋の中央に黒い小型ストーヴが一つあって、周囲の壁からは固い藁ぶとんに毛布が一枚だけの二段ベッドが張りだしていた。第一夜は囚人たちの大部分が一睡もできず、三三号棟の呻《うめ》き声や泣き声はしばしば外の狼《おおかみ》の吠《ほ》え声よりも騒々しかった。

翌朝夜明け前に、彼らは鉄のトライアングルを叩《たた》くハンマーの音で目をさました。窓の内外に厚い霜が凍りつき、ヴワデクはきっと寒さで死ぬはめになるだろうと確信した。凍《い》てつくような食堂での朝食は、腐った魚のきれはしとキャベツの葉が浮んだ生ぬるい粥《かゆ》が一杯だけで、わずか十分間で終った。新入りは魚の骨をテーブルに吐きだしたが、収容所慣れした囚人たちは骨はおろか目玉まで食べた。

朝食後に仕事の割りふりがおこなわれた。ヴワデクは樵夫《きこり》をやらされることになり、これといった特徴のないステップ地帯を七マイル歩いて森に辿りつき、そこで毎日一定量の伐木を命じられた。監視兵は彼ら六人の小グループに味もそっけもない黄色い粥とパンを与えて、どこかへ姿を消した。かりに方角を知っていたとしても、いちばん近い町まで千マイル以上もあったから、囚人たちが逃亡を企てるおそれは皆無だった。

監視兵は一日の終りに戻ってきて、囚人の伐《き》った丸太の数をかぞえた。規定の伐採量にみたないときは、翌日食糧を支給しないと、囚人たちをおどかした。だが夕方七時にやる気のない樵夫たちを連れ戻しに帰ってくるころは、すでにとっぷり日が暮れていて、その日伐った木の数を正確に知ることが不可能な場合もあった。ヴワデクは仲間に、前の日に伐った木の雪を払って、その日に伐った木と一緒に並べておくことを教えた。この手はいつも成功し、ヴワデクのグループは一度も食事にありつけないことがなかった。彼らはときおり小さな木ぎれを脚の内側に結わえつけて収容所に持ちこみ、夜石炭ストーヴにくべた。少なくともグループの一人が収容所の出入りのたびに身体検査をされ、しばしば長靴の片足または両足を脱がされて、感覚がなくなるまで雪のなかに立たされるので、用心の上にも用心を重ねる必要があった。万一なにかを隠しているのが見つかると、全員が三日間食事抜きで過さねばならなかった。

数週間たつと、ヴワデクの脚がこわばって痛みがひどくなった。彼は気温が零下四十度に下がって、戸外作業が中止になる酷寒の日を待ち望んだ。もっともその埋合せに、ふだんは一日じゅうベッドで寝ていられる日曜日に、外へ出て働かなければならなかったが。

ある夕方、ヴワデクが伐り倒した丸太を引っぱって運んでいるときに、脚の傷が容赦なく疼《うず》きはじめた。スモレンスク人に銃剣で刺された傷口が腫《は》れあがって、てかてか光っていた。その夜監視兵に傷を見せると、夜明け前に収容所の医者に診てもらうようにいわれた。ヴワデクは濡《ぬ》れた長靴に囲まれたストーヴに脚が触れんばかりに近づいて、一晩じゅう起きていたが、ストーヴの熱が弱くて、痛みは軽くならなかった。

翌朝はいつもより一時間早く起きた。労働が始まる前に医者に診てもらわないと、あくる日まで待たなければならないからだった。この激痛をあと一日我慢することはとうてい無理だった。医務室へ行って名前と番号を告げた。ピエール・デュビアンは頭の禿《は》げた、猫背の目立つ親切な老人で、ヴワデクの目には男爵《だんしゃく》よりも年寄りじみて見えた。彼は無言でヴワデクの脚を診察した。

「この傷はなおりますか、先生？」と、ヴワデクが質問した。

「きみはロシア語が話せるのか？」

「はい」

「一生足を引きずって歩くようになるだろうが、なおることはなおる。だがなんのために？　ここで丸太を運んで暮すためにか？」

「違います、先生、ぼくは脱走してポーランドへ戻るつもりです」

「大きな声を出すな、ばか者。もうきみも脱走は不可能だということに気づいたに違いない。わたしは十五年間の収容所暮しで、ただの一日として脱走を考えないことはなかった。しょせん脱走は不可能だよ。脱走して生きのびた者は一人もいないし、脱走の話をするだけでも十日間懲罰房にぶちこまれ、食事は三日に一度しか与えられないし、ストーヴは壁の氷をとかすためにしか焚《た》くことを許されない。そこから生きて出られるだけでもめっけものだ」

「ぼくは脱走してみせますよ、かならずやります」と、ヴワデクは老人の顔を凝視しながらいった。

　医者はヴワデクの目をじっとみつめて微笑を浮べた。「いいかね、もう二度と脱走のことは口に出すな。さもないときみは殺されるかもしれない。では仕事に戻って、脚の運動を忘れないように。毎朝いちばんに診せにきなさい」

　ヴワデクは森へ戻って伐採の仕事にかかったが、丸太をせいぜい数フィート引っぱるぐらいが限界で、脚の痛みがあまりに激しいものだから、腐って落ちてしまうのではないかと心配になった。翌朝ふたたび医務室へ行くと、医者は前の日より注意深く診察した。

「むしろきのうより悪化している」と、彼はいった。「きみはいくつになるかな?」

「十三歳だと思います」と、ヴワデクは答えた。「今は何年ですか?」

「一九一九年だ」

「それじゃ十三歳です。あなたはおいくつですか?」

老人は少年の質問に驚いて、彼の青い目をのぞきこんだ。

「三十八歳だ」と、彼は静かに答えた。

「まさか!」

「きみだって十五年間も収容所で暮せばわたしのように老《ふ》けこむさ」と、医者は淡々とした口調でいった。

「そもそもなんでここに入れられたんですか? どうして十五年も出してもらえないんですか?」

「わたしは医者の資格を取ってフランス大使館に勤務しはじめた直後の一九〇四年に、モスクワで逮捕された。そしてスパイ容疑でモスクワの刑務所に入れられた。革命後にこの地獄に送りこまれるまでは、その刑務所暮しをひどいものだと思ったよ。フランス人も今じゃわたしの存在さえ忘れているだろう。第二〇一収容所送りになって生きのびた人間はきわめてまれだそうだから、わたしもほかの連中と同じようにここで死ぬ運命なのだろう。だが、わたしはいつ死んでも早すぎるとは思わない」

「だめですよ、先生、諦《あきら》めてはいけません」

「諦めるなだと？　わたしは自分のための希望などとっくに捨てたよ。きみの希望の芽まで摘むつもりはないが、そんなことを人前では絶対に口に出しちゃいかん。囚人のなかには割当て外のパンひときれや毛布一枚のために密告をするやつがいる。いいかヴワデク、わたしはきみを一か月間炊事当番につけるから、毎朝わたしのところへきなさい。きみが片脚をなくさないためにはそうするしかないし、わたしだってきみの脚を切断する役目はごめんだ。ここには最新の外科手術器具など揃《そろ》っていないのだ」と、彼は大きな肉切りナイフを見ながらつけくわえた。

ヴワデクはぞっとして身を震わせた。

デュビアン医師はヴワデクの名前を紙に書いた。翌朝ヴワデクは炊事場へ行き、凍てつくような冷たい水で皿を洗い、冷蔵の必要のない食物の調理を手伝った。まる一日丸太を運んだあとでは、歓迎すべき変化で、魚スープと黒パンのおかわりにはありつけたし、暖かい屋内から外へ出なくてすむのがありがたかった。一度などなんの卵だかわからないが、コックと二人で一個の卵を分けて食べたことさえあった。ヴワデクの脚は徐々に回復したが、歴然とした跛行《はこう》が残った。医薬品と呼べるほどのものはなにもなかったので、デュビアン医師としても彼の回復を注意深く見守る以外にほとんど打つ手はなかった。日がたつにつれて医者はヴワデクを友人とみなし、彼の若者らしい将来への夢さえ信じるようになった。彼らは毎朝違う言葉で話したが、老人は母国語のフランス語で話すことを最も喜んだ。

「ヴワデク、きみはあと七日で森の作業に戻らなくてはならない。監視兵がきみの脚を調べれば、もうきみを炊事場に引きとめておけなくなる。だからよく聞いてくれ、わたしはきみのために脱走計画を考えたのだ」

「一緒に逃げましょう、先生」

「いや、きみだけだ。この年では長旅は無理だから、十五年間一日として脱走を夢に見ない日はなかったが、きみの応援にまわることにする。だれかが脱走に成功したことを知るだけでわたしには充分だし、今まで会った人間のなかで、この男なら成功するかもしれないと思えたのはきみだけなんだ」

ヴワデクは無言で床に坐《すわ》って医者の計画を聞いた。

「わたしはこの十五年間に二百ルーブルためた――なにしろロシアの囚人に残業手当はないからね」ヴワデクは収容所で最もいい古されたこの冗談を、無理に笑おうとした。「その金は、五十ルーブル紙幣で四枚だが、薬壜《くすりびん》のなかに隠してある。いよいよ出発のときがきたら、この金を服のなかに縫いこむ必要がある。それはわたしのほうでやっておくとしよう」

「どの服ですか？」

「十二年前、わたしがまだ脱走する決意に燃えていたころ、監視兵を買収して手に入れた背広とワイシャツがある。最新流行とはいかないが、きみの目的には役立つだろう」

十五年かかってこつこつためこんだ二百ルーブルと背広とワイシャツを、この医者はヴワデクのために一瞬のうちに喜んで犠牲にしようとしていた。ヴワデクは一生のあいだにこれほど崇高な無私の行為をふたたび経験することがなかった。

「つぎの木曜日がきみの唯一《ゆいいつ》のチャンスだ」と、医者は続けた。「新しい囚人が列車でイルクーツクに到着するので、監視兵は炊事トラックで働かせるためにいつも炊事場から四人の囚人を選んで連れて行く。すでに料理長に」――彼はその言葉の不自然さを笑った――「かけあって、薬少々とひきかえにきみを炊事トラックに乗せてもらうよう手を打っておいた。これはさほど難かしくなかった。せっかくイルクーツクまで行って、また収容所へ戻ってくることを希望する人間はいないからね――しかしきみはここへ戻ってくる必要はないのだ」

ヴワデクは熱心に話に聞きいった。

「駅に到着したら、囚人列車が着くまで待つ。囚人が全員プラットフォームにおりたら、線路を横切ってモスクワ行きの列車に乗りこむのだ。駅を出ると単線だから、モスクワ行きは囚人列車が到着するまで出発できない。あとはプラットフォームでひしめき合う何百人もの囚人に目を奪われて、監視兵たちがきみの不在に気づかないよう神に祈るだけだ。それから先は自分だけが頼りだぞ。見つかったらその場で射殺されるということを忘れるな。もう一つだけきみのためにしてやれることがある。十五年前ここへ連れてこられたとき、わたしは記憶を頼りにモスクワからトルコへ行く道筋の地図を描いた。今では完全に正確とはいえないかもしれんが、きみの目的には充分役立つだろう。ただしロシア人がトルコも占領していないことを確かめることだ。最近の彼らはなにを企《たくら》んでいるかわかったもんじゃないからね。ひょっとしたらフランスまで支配しているかもしれん」

医者は薬品棚に歩み寄って、茶色の薬がいっぱいに詰っているように見える大きな薬壜を取りだした。ねじ蓋《ぶた》をあけて、なかから古ぼけた一枚の羊皮紙を引きだした。黒いインクは長い年月をへて色褪《いろあ》せていた。一九〇四年十月という日付が入っていた。モスクワからオデッサへ、そしてオデッサからトルコまでの、千七百マイルの自由への道を示す地図だった。

「今週いっぱい毎朝ここへきなさい。一緒にこの計画を繰りかえしおさらいしよう。万一失敗したとしても、準備不足のためであってはならない」

ヴワデクは毎夜眠らずに窓から月を眺めながら、これこれの状況ではどのように行動するかということを頭に刻みつけ、予想されるあらゆる事態にそなえた。そして朝になると医者と計画について何度も話し合った。脱走前日の水曜日の夜、医者は地図を八つに折りたたみ、四枚の五十ルーブル紙幣と一緒に小さな包みにして、背広の袖《そで》に縫いこんだ。ヴワデクは囚人服を脱いで背広に着がえ、その上に囚人服を重ね着した。そのとき医者は、銀の腕輪に目をとめた。ヴワデクは囚人服を支給されたときからずっと、監視兵に唯一の宝物に目をつけられて盗まれるのを恐れて、いつも肘《ひじ》の上まで腕輪を押しあげておいたのだった。

「それはなにかね？」と、医者がたずねた。「みごとなものだな」

「父からの贈物です」と、ヴワデクは答えた。「お礼の印にこれを受け取っていただけませんか？」彼は腕輪を手首から抜きとって医者に渡した。

医者は銀の腕輪をしばらく眺めていたが、やがて軽く頭を下げた。「それはいかん。これを持つ資格のある人間は一人しかいない。きみのお父上はりっぱな人物だったに違いない」

医者は腕輪をヴワデクの手首にはめなおし、心のこもった握手をかわした。

「幸運を祈るぞ、ヴワデク。きみとはもう二度と会いたくないものだ」

彼らは抱擁をかわし、やがてヴワデクは、それが収容所における最後の夜となることを祈りながら、自分のベッドに戻った。その夜は囚人服の下に着こんだ背広を監視兵に見つかるのが心配で一睡もできなかった。起床の合図が鳴り響くころにはすでに起きだしていて、炊事場へ行くのが遅くならないように注意した。炊事場の古参の囚人が、トラックに乗る炊事班を呼びにきた監視兵の前にヴワデクを押しだした。炊事班は総勢四人からなり、ヴワデクだけがとび抜けて若かった。

「なぜこいつを連れて行くんだ？」と、監視兵がヴワデクを指さした。「こいつは収容所入りしてからまだ一年もたってないぞ」

ヴワデクの心臓が止り、全身が冷たくなった。医者の計画は失敗に終ろうとしていた。つぎの新しい囚人が収容所に送られてくるのは、少なくとも三か月は先だった。

そのころ彼は炊事場勤務を解かれているだろう。

「こいつは料理の腕がいいんですよ」と、古参の囚人がいった。「男爵の城でコックの修業を積んだんでさあ。あんたがたの食事はこいつに作らせるのがいちばんですよ」

「そうか」と、監視兵はいった。食欲が疑惑に打ち勝ったのだ。「よし、急げ」

四人はトラックに駆け寄り、やがて一行は出発した。今度の旅も遅々としてはかどらず、楽ではなかったが、少なくとも前回と違って自分の足で歩かずにすんだし、季節が夏なので、我慢できないほど寒くもなかった。ヴワデクは勤勉に立ち働いて食事を作り、目立つことを恐れて、旅の途中コック長のスタニスラフ以外の人間とはほとんど口をきかなかった。

十六日近くかかって、一行はようやくイルクーツクに到着した。モスクワ行きの列車はすでにプラットフォームに入っていた。それは数時間前から停車しており、新しい囚人を運んでくる列車が到着するまでは発車できないのだった。ヴワデクは炊事班のほかの三人と一緒にプラットフォームのわきに坐って待った。三人はこの経験に慣れっこになっていて、周囲のようすにまったく関心を示さず、いかなる目的も持たなかったが、残る一人はすべての動きに気を配り、プラットフォームの反対側の列車を注意深く観察した。あいた入口が数か所あり、ヴワデクはいよいよというときに乗りこむ乗車口をすばやく決めた。

「脱走する気かね？」と、だしぬけにスタニスラフがいった。

ヴワデクは汗をかきはじめたが、黙って答えなかった。

スタニスラフはじっと彼をみつめた。「そうなんだろう？」

依然としてヴワデクは黙っていた。

老コックは十三歳の少年を注視した。それからうなずいて賛意を示した。しっぽがあれば振りそうな気配だった。

「幸運を祈るよ。少なくとも二日間はお前がいないことをやつらに気づかれないようにしてやるから安心しろ」

スタニスラフが彼の腕に手を触れたとき、ヴワデクはゆっくり近づいてくる囚人列車を遠くに認めた。彼は期待感で身を固くし、早鐘のような心臓の鼓動を聞きながら、すべての監視兵の動きを目で追った。駅に入ってきた列車が停止するのを待ち、過去しか持たない何百人という名なしの囚人たちが、疲れきった表情でぞろぞろとプラットフォームにおりてくるのを見守った。駅はごったがえす囚人の群れで埋まり、監視兵たちがそっちに気を取られている間に、ヴワデクは列車の下をくぐり抜けて反対側の列車に跳び乗った。車輛《しゃりょう》のはずれにある便所に入りこむとき、だれ一人彼に注目する者はいなかった。便所に鍵《かぎ》をかけて、待ち、祈った。今にもだれかがドアをノックするのではないかと、はらはらしどおしだった。一生とも思える長い時間がたったあとで、ようやく列車が動きだして駅を出た。実際はその間はわずか十七分にすぎなかった。

「ついにやったぞ、ついにやったぞ」と、彼は声にだしていった。小窓から外をのぞくと、しだいに小さくなって遠ざかる駅や、第二〇一収容所への旅を前にして鎖につながれる新しい囚人の群れや、笑いながら彼らに手枷《てかせ》をはめる監視兵たちの姿が見えた。そのうちの何人が生きて収容所まで辿《たど》りつけるだろうか？　何人が狼《おおかみ》の餌食《えじき》になる運命なのか？　監視兵はどれぐらいたったら彼がいなくなったことに気がつくだろうか？

ヴワデクはなおも数分間便所のなかに坐っていた。恐ろしくて外へ出る気にはなれず、つぎはどうすればよいかわからなかった。突然激しくドアを叩《たた》く音がした。ヴワデクの頭はめまぐるしく回転した。監視兵、集札係、それとも兵隊か？　さまざまな光景がたて続けに心に浮んだが、あとから浮んでくる光景ほどぞっとするような眺めだった。はじめて実際に便所を使う必要が生じた。ノックの音は執拗《しつよう》に続いた。

「早くしろ」と、男の声が粗野なロシア語で叫んだ。

ヴワデクには選択の余地がほとんどなかった。相手が兵隊なら逃げ道はない。小窓は小人でさえ通り抜けられそうもなかった。兵隊でないとすれば、いつまでも閉じこもっているほうがかえって目立ちやすい。彼は囚人服を脱いでできるだけ小さく丸め、窓の外に投げ捨てた。それから坊主《ぼうず》頭を隠すために背広のポケットからソフト帽を取りだしてかぶり、ドアをあけた。目を吊《つ》りあげた一人の男がとびこんできて、ヴワデクが出て行かないうちにズボンを下げはじめた。

通路へ出たとたんに、ヴワデクは流行遅れの背広を着た自分がほかの人間から孤立し、オレンジの山の上に置かれた一個のりんごのように目立つ存在であることを感じた。そこですぐにほかの便所を捜しに行った。空いている便所を見つけると、なかに入って鍵をかけ、大急ぎで背広の縫目をほどいて、四枚の五十ルーブル紙幣のうち一枚を取りだした。残る三枚は元へ戻して通路に出た。いちばん混んでいそうな車輛を捜して、隅のほうに隠れた。数人の男たちが客車の真ん中ほどで、時間つぶしに数ルーブルの金を賭《か》けて投銭ゲームをやっていた。ヴワデクは城でこのゲームをやるたびにレオンを負かしていたので、ゲームに仲間入りしたかったが、勝って人目を引くのがこわかった。ゲームは長時間続き、そのうちヴワデクはこのゲームのこつを思いだした。二百ルーブルで運試しをしたい誘惑がほとんど抑えがたいほどになった。

ばくち仲間の一人で、かなりの金を巻きあげられた男が、がっくりした顔でゲームからおりて、悪態をつきながらヴワデクの隣りに坐った。

「あんたはついてなかったんだよ」と、ヴワデクが話しかけた。自分の声がどんなふうに聞えるか試してみたかったのだ。

「運じゃないさ」と、男は答えた。「いつもならあの百姓どもに負けやしないんだが、あいにく今日は元手が底をついてしまったんだよ」

「その外套《がいとう》を売る気はないか?」と、ヴワデクがたずねた。

男はその車輛のなかで、上等の、着古した厚い熊皮《くまがわ》の外套を着ている数少ない乗客の一人だった。彼は少年の顔を穴のあくほどみつめた。

「そんな背広を着ているようじゃ、外套を買う金は持っちゃいないだろうな、坊主」

ヴワデクは男の口ぶりから、金さえ持っていれば外套を売る気があると判断した。

「七十ルーブルは欲しいところだ」

「四十で買うよ」

「六十だ」

「五十」と、ヴワデクがいった。

「だめだ。六十以下じゃ手放す気はない。買ったときは百ルーブル以上もしたんだぜ」

「それは昔の話じゃないか」ヴワデクは相手の言い値に足りない分を袖裏から取りだそうかどうかと考えながらいった。結局そんなことをしたらよけい人目を引くだけだと判断してやめにした。つぎの機会を待つしかないだろう。だが、金がないと思われたくなかったので、外套の襟《えり》にさわってみて、さもばかにしたようにいった。「あんたは高い買物をしたんだよ。五十ルーブル、それ以上はびた一文払う気はない」そして席を立ちかけた。

「ちょっと待った」と、男がいった。「五十で譲ってやるよ」

ヴワデクはポケットから五十ルーブル紙幣を取りだし、男は外套を脱いで汚れた赤い紙幣と交換した。外套はヴワデクの体には大きすぎて、ほとんど裾《すそ》を引きずるほどだったが、それこそまさに目立ちやすい背広を隠すにはお誂《あつら》え向きだった。ふたたびゲームに戻った男が、またしても負けはじめるのをしばらく見物した。彼は新しい個人教師から二つのことを学んでいた。相手よりすぐれた知識または技術のおかげで勝てる可能性がないかぎり、ばくちには絶対に手を出さないこと、行きつくところまで行ったら取引の場からすぐにはなれること、という教えがそれだった。

ヴワデクは新しく手に入れた古着の外套を着て、いくぶん安心しながら、その車輛をあとにした。そしてやや自信を取り戻して、列車の編成を調べはじめた。車輛は二つの等級に分れているらしかった。乗客が立ったり木の板に坐ったりしている一般車と、布張りの座席のある特別車である。どの車輛も満員だったが、一輛だけ婦人客が一人しか乗っていない特別車があった。その婦人はヴワデクの見るところ中年で、ほかの乗客にくらべて服装もややスマートなら肉付きもよかった。濃紺の服を着て頭にスカーフをかぶっていた。彼女は突っ立ったまま自分をみつめているヴワデクにほほえみかけた。その笑顔に力づけられて、ヴワデクはなかに入りこんだ。

「坐ってもいいですか？」

「どうぞ」婦人は用心深く彼を観察しながら答えた。

ヴワデクはそれ以上なにも話さずに、婦人と客車の内部を観察した。肌は浅黒く、くたびれて皺《しわ》におおわれ、やや太り気味だった――ロシア料理を食べつけると、少々太るのは避けられない。短い黒髪と茶色の目が、若いころはさぞかし美人だったろうと思わせた。網棚には二つの大きな布製の鞄《かばん》がのせられ、座席のかたわらには小さなトランクが置いてあった。危険な立場にあるにもかかわらず、ヴワデクは急に激しい疲労感に襲われた。このまま眠ってしまおうかどうかと迷っていると、婦人が話しかけてきた。

「どちらまで？」

ヴワデクは不意討ちをくらって大急ぎで考えをまとめようとした。「モスクワです」と、固唾《かたず》を呑《の》んで答えた。

「わたしもですわ」と、彼女がいった。

ヴワデクはほかにだれもいない客車に入りこんだことと、モスクワ行きを教えてしまったことを、早くも後悔しはじめていた。だれとも話をするな、と医者は警告していたではないか。いいか、決して他人に気を許すな。

意外なことに、婦人はそれ以上なにも質問しなかった。一度なくした自信を取り戻しはじめた矢先に、集札係がやってきた。ヴワデクは零下二十度の気温のなかで汗をかきはじめた。集札係は婦人の切符を受け取って二つに引き裂き、それを彼女に返してからヴワデクのほうを向いた。

「切符を、同志」と、彼は低い単調な声で無愛想にいった。

ヴワデクはどう答えていいかわからず、外套のポケットをごそごそかきまわしはじめた。

「この子はわたしの息子です」と、婦人がきっぱりした口調でいった。

集札係は婦人のほうを振りかえり、もう一度ヴワデクに視線を戻してから、彼女に一礼して、それ以上なにもいわずに客車から出て行った。

ヴワデクは茫然《ぼうぜん》として彼女をみつめた。「ありがとうございます」と、小声で礼をいった。ほかにどういえばよいかわからなかった。

「あなたが囚人列車の下をくぐり抜けるのを見てたのよ」と、彼女は静かにいった。ヴワデクは気分が悪くなった。「でも密告したりはしません。わたしの若いとこが一人、恐ろしい収容所に入れられていて、わたしたちもみんないつかは収容所送りになるんじゃないかと恐れているの。その外套の下になにを着ているの？」

ヴワデクは客車から逃げだすのと外套のボタンをはずすのと、どっちがより安全かを秤《はかり》にかけてみた。客車からとびだしたところで逃げ場はなかった。彼は覚悟を決めて外套のボタンをはずした。

「思ったよりましな格好ね」と、彼女はいった。「囚人服はどうしたの？」

「窓から捨てました」

「モスクワへ着くまで見つからなければいいけど」

ヴワデクは黙っていた。

「モスクワで泊るところはあるの？」

彼はふたたび他人に気を許すなという医者の忠告を思いだしたが、今はこの婦人を信用しないわけにいかなかった。

「当てはありません」

「だったら住むところが見つかるまでうちに泊りなさい。わたしの夫は」と、彼女は説明した。「モスクワで駅長をしていて、この車輌は政府役人の専用車なの。もう一度さっきのような過《あやま》ちをしでかせば、あなたはイルクーツクへ戻る列車に乗せられることになるわ」

ヴワデクはごくんと唾《つば》を飲みこんだ。「ここから出たほうがいいでしょうか?」

「いいえ、さっき集札係に顔を見られたから、ここにいるほうがいいわ。さしあたりわたしと一緒にいれば安全よ。身分証明書は持っているの?」

「いや。それはどんなものですか?」

「革命後すべてのロシア国民は自分が何者で、どこに住み、どこで働いているかを示す証明書を持ち歩くことを義務づけられているのよ。さもないとそれを提示するまで刑務所に入れられることになるけど、刑務所に入れられたら証明書など出せるわけがないから、結局一生刑務所で暮すことになるわ」彼女は当然のようにつけくわえた。

「モスクワへ着いたらわたしのそばからはなれちゃだめよ。それから絶対に口をきかないようにね」

「あなたはとても親切な方ですね」と、ヴワデクは半信半疑でいった。

「皇帝が死んだ以上、わたしたちはだれ一人安全じゃないわ。わたしはいい夫が見つかって運がよかったけど、ロシアの国民は、政府の役人も含めて、いつ逮捕されて収容所へ送られるかとみな戦々兢々《きょうきょう》として生きているのよ。あなたの名前は?」

「ヴワデクです」

「それじゃ、ひと眠りしなさい、ヴワデク。とても疲れているようだわ。この先道中は長いし、あなたはまだ安全じゃないのよ」

ヴワデクは眠った。

目をさますと、数時間たって窓の外は暗くなっていた。保護者の顔をみつめると、彼女はにっこりほほえんだ。ヴワデクもほほえみを返して、彼女が自分の正体を官憲に密告する心配のない人であることを祈った——それともすでに密告したあとだろうか? 彼女が荷物の一つから出してくれた食物を、ヴワデクは無言で食べた。つぎの駅に到着すると、ほとんどの乗客がプラットフォームにおりた。一部はそのまま下車したが、大部分は駅で軽く腹ごしらえしたり、思いっきり手足を伸ばしたりしてから、また車内に戻った。

中年の婦人が立ちあがってヴワデクのほうを見た。「ついてきなさい」

彼は腰をあげて、彼女のあとからプラットフォームにおりた。いよいよ収容所からの脱走者として突きだされるのか？　彼女が片手を差しだしたので、ヴワデクは母親のお供をする十三歳の子供ならだれでもそうするように、その手を取った。彼女は婦人専用と書かれた便所のほうへ歩いて行った。ヴワデクは躊躇《ちゅうちょ》した。彼女は強硬にいいはり、なかに入ると着ているものを脱ぐようにいった。ヴワデクが男爵《だんしゃく》の死後、人の言葉を疑わずに従ったのはこのときがはじめてだった。彼が裸になるあいだに、彼女がたった一つしかない蛇口をひねると、茶色に濁った冷たい水がちょろちょろ流れでた。彼女は顔をしかめたが、ヴワデクにとってはそれでも収容所の水よりはるかにましだった。婦人は濡《ぬ》らした布きれで彼の傷を洗い、全身の垢《あか》を洗い落そうとしたが、ちょっとやそっとでは汚れは落ちなかった。脚の傷を見たときには思わずたじろいだ。いくらやさしく扱おうとしても、手を触れるたびに全身を貫く激痛を、ヴワデクは泣き言ひとついわずに耐えた。

「うちへ帰ったらちゃんと手当してあげますからね」と、彼女はいった。「今はこれで我慢してちょうだい」

やがて彼女は銀の腕輪に目をとめて、刻まれた文字を仔細《しさい》に眺め、警戒するような目つきでヴワデクを見た。「これはあなたのものなの？　だれから盗んだの？」

ヴワデクはむっとして答えた。「盗んだんじゃありません。父が死ぬ前にくれたんです」

彼女はふたたび彼の顔をみつめたが、さきほどとは違った目つきだった。不安、それとも尊敬のまなざし？　彼女はうなずいていった。「気をつけるのよ、ヴワデク、こういう高価なもののために人殺しまでする人間がうようよしているから」

彼はうなずいてすばやく服を着た。二人は車内に戻った。一時間程度の遅れは珍しいことではなく、やがて列車がゆっくり走りだしたとき、ヴワデクは足の下で鳴り響く車輪の音を心強く感じた。列車は十二日半かかってモスクワに到着した。新顔の集札係が現われるたびに、彼らは最初のときと同じ手順を繰りかえし、ヴワデクは下手な演技で無邪気な子供を装《よそお》った。婦人のほうは母親の役をみごとに演じた。集札係がみな中年の婦人にうやうやしく頭を下げるのを見て、ロシアでは駅長は相当な権力者に違いないと、ヴワデクは思った。

モスクワまでの二千マイルの旅が終るころ、ヴワデクはこの婦人を心から信頼し、彼女の家を見るのを楽しみにするようになっていた。列車は昼すぎ間もなく終着駅に入って停止した。ヴワデクはあらゆることを経験してきたが、全ロシアの首都はいうまでもなく、大都市と名のつくものを見るのだけははじめてだった。ふたたび未知なるものに対する不安を感じて恐れおののいた。おびただしい数の人間があらゆる方角に急いでいた。中年の婦人は彼の不安を読み取ったようだった。

「わたしについてきなさい。話したり帽子を脱いだりしちゃだめよ」

ヴワデクは彼女の荷物を網棚からおろし、黒いいがぐり頭をおおう帽子を耳まで深々と下げおろしてから、彼女に従ってプラットフォームにおり立った。検問所の手前に群がった乗客の群れが、小さな出口を通り抜ける順番を待っていた。一人一人がそこで身分証明書を提示しなければならないために、人の流れが滞っていた。検問所に近づくにつれて、ヴワデクの心臓の鼓動が軍鼓の響きのように激しくなったが、いよいよ彼らの番になると、不安は一瞬のうちに終った。監視兵は婦人の証明書にちらと目をくれただけだった。

「どうぞ」と彼はいって、敬礼した。それからヴワデクに目を向けた。

「わたしの息子です」と、彼女が説明した。

「わかりました、同志」彼はふたたび敬礼をした。

ヴワデクはモスクワにいた。

ヴワデクは新しい旅の道連れを全面的に信用していたにもかかわらず、最初彼女のそばから逃げだしたい衝動に駆られた。だが百五十ルーブルでは生きていけそうもないと判断して、しばらくおとなしくしていることに決めた。逃げようと思えばこの先いつでも逃げだせるだろう。一台の馬車が駅で待っていて、彼女と新しい息子を家まで運んで行った。家へ帰り着くと駅長は不在だったので、婦人はすぐにヴワデクのための予備のベッドを用意しにかかった。それから大きなブリキのたらいにストーヴで暖めたお湯を注いで、ヴワデクを入浴させた。ヴワデクにとって、川に入って体を洗ったことを別にすれば、この入浴は四年ぶりかそれ以上だった。彼女は新たにお湯を注ぎ足して、なつかしい石鹸《せっけん》を使わせ、体じゅうでそこだけは生傷の見当らない彼の背中をこすってやった。体が乾くと、腕と脚に軟膏《なんこう》を塗り、とくにひどい傷には繃帯《ほうたい》を巻いてやった。彼女は彼の一つしかない乳首をしげしげとみつめた。彼は急いで服を着て、彼女のいる台所へやってきた。すでに熱いスープと豆料理ができていた。ヴワデクはこのすばらしいごちそうをがつがつ貪《むさぼ》り食った。二人とも無言だった。食事が終ると、彼女がベッドに入ってひと眠りするほうがいいとすすめた。

「主人があなたと顔を合わせる前に、あなたがここにいるわけを説明しておきたいの」と、彼女はいった。「うちの人がいいといったら、あなた、わたしたちと一緒に暮す気はあるかしら？」

ヴワデクは感謝をこめてうなずいた。

「ではおやすみなさい」と、彼女がいった。

ヴワデクはいわれたとおりにして、彼女の夫が一緒に住むことを許可してくれるよう祈った。ゆっくり服を脱いでベッドにもぐりこんだ。体もシーツも清潔すぎたし、ふとんはあまりに柔らかすぎた。ついに枕《まくら》を床に投げだしてしまったが、溜《たま》りに溜った疲労のせいで、柔らかすぎるベッドにもかかわらず、いつの間にか眠ってしまった。

数時間後に台所から聞えてくる話し声で目をさました。どれぐらい眠ったかわからなかった。こっそりベッドから抜けだして戸口に歩み寄り、そっとドアをあけて階下の台所の話し声に聞き耳を立てるころ、外はすでに真《ま》っ暗闇《くらやみ》だった。

「お前はばかな女だよ」という罵《のの》り声《し》が聞えた。「つかまったらどんなことになっていたかわからんのか？　お前のほうが収容所へ送りこまれていたところだぞ」

「でもあの子はまるで追いつめられた獣みたいだったわ、ピョートル」

「だからってわれわれを追いつめられた獣にすることに決めたのか？」と、男の声がいった。「その子はだれかに姿を見られたのか？」

「いいえ、その点は心配ないと思うわ」

「せめてもの救いだ。だれかに見つかる前にここから追いださなくちゃいかん、それ以外にわれわれが助かる道はない」

「でも、あの子はどこへ行けばいいの、ピョートル？　彼はひとりぼっちなのよ」ヴワデクの庇護者《ひごしゃ》は哀願した。「それに、前々から男の子が一人欲しかったのよ」

「お前がなにを欲しかろうと、その子がどこへ行こうと、わたしの知ったことか。われわれに責任はない、一刻も早く追いださなくちゃ」

「でもピョートル、あの子は貴族で、父親は男爵だと思うわ。彼がはめている銀の腕輪には……」

「だったらなお厄介なことになる。われわれの新しい指導者たちが発した布告をお前も知っているだろう。皇帝も、貴族も、いかなる特権も認めない。われわれは収容所へ送られるどころか、即座に銃殺だよ」

「わたしたち、前から息子が欲しかったじゃない、ピョートル。一生に一度だけ、この危険に目をつむるわけにいかないの？」

「お前はいいかもしれんが、わたしはいやだね。今すぐ出て行ってもらう」

ヴワデクは夫婦のやりとりをそれ以上聞く必要がなかった。恩人を助ける方法はただ一つ、こっそり抜けだして夜の闇のなかに姿をくらますことだと判断して、手早く服を身にまとい、寝乱れたベッドを眺めながら、つぎにベッドに寝られるのが四年も先でないことを祈った。窓の掛金をはずしかけたとき、部屋のドアがさっとあいて駅長が入ってきた。駅長はヴワデクよりも背が低く、太鼓腹で、ほとんど禿《は》げあがった頭を残りの長い白髪でおおった小男だった。縁なし眼鏡をかけており、そのために目の下に赤い小さな半円形の影ができていた。手には灯油ランプを提げて、ヴワデクをにらみつけながら立っていた。ヴワデクも負けじとにらみ返した。

「下へおりろ」と、彼は命令した。

ヴワデクは駅長に従ってしぶしぶ台所へおりた。彼の妻がテーブルの前に坐《すわ》って泣いていた。

「いいか、よく聞くんだ、小僧」と、彼がいった。

「彼の名前はヴワデクよ」と、駅長夫人がいった。

「よく聞くんだ、小僧」と、駅長は繰りかえした。「お前は疫病神《やくびょうがみ》だ、この家から出て、できるだけ遠くへ行ってしまえ。そのかわりわたしはお前を助けてやる」

助けてやる？　ヴワデクは石のような無表情で相手をみつめた。

「お前に汽車の切符をやる。どこへ行きたい？」

「オデッサだ」と、ヴワデクは答えたが、その町がどこにあるのかも、切符代がいくらかかるのかも知らなかった。知っているのは、オデッサが医者の地図の上では自由の一歩手前の町だということだけだった。

「オデッサ、犯罪の温床か——脱走した囚人にふさわしい行先だ」駅長は嘲笑《ちょうしょう》した。

「あの町じゃお前の同類がうようよいるから、ひどい目にあうだけだろう」

「だったらこの子をうちに置いてやって、ピョートル。わたしが面倒を見るわ……」

「いかん。そうするぐらいならむしろ切符代を払ってやる」

「でも当局の目をどうやってごまかすの？」

「オデッサまでの労働通行証を発行しなきゃならんだろう」彼はヴワデクのほうを振り向いた。「いったん列車に乗せたあとで、モスクワでふたたびお前の姿を見かけるか噂《うわさ》を聞くかしたら、見つけしだい逮捕させて最寄《もよ》りの刑務所にぶちこんでやる。そうすればいちばん最初の列車で逃げだしてきた収容所へ送り返されることになるだろう。その前に銃殺にされなければの話だが」

彼は台所のマントルピースの上の時計を見あげた。十一時五分だった。それから妻のほうを向いた。「十二時に出るオデッサ行きがある。わたしがこいつを駅まで連れて行くことにしよう。モスクワから立ち去るのをこの目で確かめたいからだ。荷物はあるのか、小僧？」

ヴワデクがないと答えかけたとき、彼女がさえぎった。「あるわ。わたしが取ってきます」

　ヴワデクと駅長はたがいに蔑《さげす》みの目で相手をにらみつけながら立っていた。駅長夫人は長いあいだ戻ってこなかった。彼女がいないあいだに大時計が一度鳴った。二人とも相変らず無言のままで、駅長はただの一瞬もヴワデクから目をはなさなかった。やがて駅長夫人が紐《ひも》をかけた茶色の紙包みを持って戻ってきた。ヴワデクはそれを見て抗議しかけたが、見合せた彼女の目に不安の色を見てとると、「ありがとう」の一言しかいえなかった。

「これをお食べ」彼女は自分の冷えたスープ皿を彼のほうへ押しやった。

　彼はいわれたとおりにし、縮んだ胃袋が今は溢《あふ》れそうだったにもかかわらず、彼女を困らせたくなかったので、大急ぎでスープを飲んだ。

「けだものめ」と、駅長がいった。

　ヴワデクは憎しみの目で彼をにらみつけた。こんな男に一生縛られていなければならない夫人が気の毒だった。

「さあ、でかけるぞ」と、駅長がいった。「乗り遅れたらおたがいに困る、そうだろう？」

　ヴワデクは駅長に従って台所から出た。夫人のそばを通り抜けるときに一瞬ためらい、彼女の手にさわると、確かな反応があった。言葉は一言も発せられなかった。どんな言葉も今の気持を充分にいい表わすことはできなかっただろう。駅長と逃亡者は暗がりを選んでモスクワの市街をこそこそと歩き、やがて駅に到着した。駅長はオデッサまでの片道切符を買い、その赤い切符をヴワデクに渡した。

「通行証は?」と、ヴワデクが挑戦的にたずねた。

駅長は内ポケットから公文書らしきものを取りだし、急いで署名をして、人目をはばかりながらヴワデクに渡した。そのあいだ危険はないかと周囲を見まわし続けた。ヴワデクは過去四年間にそういう目を何度見たか知れなかった。それは臆病者《おくびょうもの》の目だった。

「もう二度とお前の顔を見たくないし、噂も聞きたくない」と、彼は威張りくさっていった。

ヴワデクは過去四年間にその手の声を何度も聞かされていた。なにかいい返そうとして顔をあげると、駅長はすでに夜の闇のなかに姿を消していた。彼は急ぎ足で通り過ぎて行く人々の目を見た。同じ目つき、同じ恐怖心。自由な人間は一人もいないのだろうか? ヴワデクは茶色の紙包みをしっかり抱えなおし、帽子を点検して、検問所のほうへ歩きだした。今度は到着したときより自信にみちた態度で、監視兵に通行証を見せた。相手はなにもいわずに彼を通した。やがて列車に乗りこんだ。短いモスクワ滞在で、おそらく二度とふたたびこの町を訪れることはないだろうが、あの婦人、駅長夫人の同志——考えてみれば彼女の名前さえ知らなかった——の親切は一生忘れられないだろう。

ヴワデクは一般車輛《しゃりょう》の立席で旅をすることにした。オデッサはイルクーツクよりはモスクワから近そうだった。医者の地図では親指の長さほどで、実際の距離は八百五十マイルだった。その略図を眺めているあいだに、車内でおこなわれている投銭ゲームにまた目を引きつけられた。彼は羊皮紙を折りたたんで、安全な袖の裏地のなかにしまいこみ、ゲームを注意深く観察しはじめた。一人の男が不利な形勢になってもずっと勝ち続けていることに気がついた。ヴワデクはその男を注意深く観察して、インチキをやっていることを見抜いた。

今度は車輛の反対へまわって、正面から見てもインチキが見抜けるかどうかを確かめようとしたが、正面からではそれがわからなかった。そこで前に出て、賭博師《とばくし》たちの車座のなかに自分の席を作った。ぺてん師が二度たて続けに負けるたびに、ヴワデクは彼に一ルーブル賭《か》け、勝つまで賭金を倍々にふやしていった。ぺてん師は内心得意だったのか、あるいはヴワデクのつきを見て見ぬふりをするほうが賢明だと考えたのか、一度も彼のほうに視線を向けなかった。つぎの駅に着いたとき、ヴワデクは十四ルーブル勝っていたので、そのうちの二ルーブルでりんごを一個と暖かいスープを買った。オデッサへ着くまでは充分にもつだけの金を稼いでいたし、この安全確実な新システムでやればまだ稼げると有頂天になって、名も知らぬ賭博師に心中ひそかに感謝しながら、ふたたびゲームに参加するつもりで列車のほうへ戻ってきた。片足をステップにかけたとき、車輛の隅に激しく突きとばされた。片手をうしろ手にぎゅうぎゅう捻《ね》じあげられ、顔を壁に強く押しつけられた。鼻から血が噴きだし、ナイフの切先が耳朶《みみたぶ》に触れるのを感じた。

「聞えるか、小僧？」

「はい」ヴワデクはびっくり仰天しながら答えた。

「またおれの箱に戻ってきたら、この耳をそぎ落してやる。そうすりゃもうおれのいうことが聞けなくなるぞ」

「はい」

ナイフの切先が耳のうしろの皮膚を破り、首筋にたらたらと血が流れた。

「ようくおぼえとけよ、小僧」

だしぬけに脇腹《わきばら》をいやというほど膝《ひざ》で蹴《け》あげられた。ヴワデクは床にくずおれた。男の手がポケットのなかを探り、稼いだばかりの金を取りあげた。

「こいつはおれの金だ」と、男が捨て台詞《ぜりふ》を投げつけた。

ヴワデクの鼻と耳のうしろから血が流れていた。勇気を奮い起して通路の床から目をあげると、すでに賭博師の姿は消えていた。立ちあがろうとしたが、体が脳の指令に従おうとしないので、仕方なく数分間床に坐りこんだままじっとしていた。ようやく立ちあがれるようになると、賭博師のいる車輛からできるだけ遠くはなれるために、列車の反対側のはずれまでゆっくり歩いて行った。足の欠陥がグロテスクなほど誇張された歩き方だった。客の大半が女子供ばかりの車輛に身をひそめて、ぐっすり眠った。

つぎの駅に着いてもヴワデクは汽車からおりなかった。紙包みを開いてなかをあらためた。茶色の紙に包まれた宝物の中身は、りんご、パン、ナッツ、二枚のシャツ、それにズボンが一着と靴が一足だった。なんというすばらしい女性だろう。それなのにあんな男が夫とは。

彼は食事をし、眠り、そして夢を見た。やがて五日と六晩たって、ついに列車は終着駅オデッサに到着した。検問所でふたたびチェックを受けたが、監視兵はヴワデクにほとんど目もくれなかった。今度はモスクワのときと違って書類は揃《そろ》っていたが、そのかわり彼はひとりぼっちだった。依然として袖の裏に百五十ルーブルの金を持っており、無駄に費《つか》う気はなかった。

その日はまる一日市内を歩きまわって地理を頭に入れようとしたが、はじめて見る風景、広大な邸宅や、飾り窓のある商店や、路上で色あざやかな小間物を売る行商人や、ガス燈《とう》や、棒につながれた猿といったものに絶えず目を奪われ続けた。ヴワデクは港に辿《たど》りつくまで歩き続け、立ちどまってその先に拡《ひろ》がる海を眺めた。今や彼の目の前にそれが——男爵《だんしゃく》が大洋と呼んだものが現実にあった。彼は果てしない紺碧《こんぺき》の拡がりに憧《あこが》れのまなざしを向けた。その方角に自由とロシアからの脱出があった。この町もたっぷり戦火に見舞われたらしく、焼け落ちた家や残骸《ざんがい》が、穏やかな、花の香りを含んだ潮風のなかに歴然と跡をとどめていた。ヴワデクはこの町が今もなお戦争のさなかにあるのだろうかと考えた。人にたずねるわけにはいかなかった。高い建物のかげに陽が沈むころ、一夜を明かす場所を捜しはじめた。横町に入って歩き続けた。熊《くま》の毛皮の外套《がいとう》を引きずり、茶色の紙包みを小脇に抱えて歩く姿は、さぞかし異様に見えたことだろう。鉄道の引込線に、一輛だけぽつんと停っている客車を見つけるまでは、どこも安全とは思えなかった。彼は用心深く車内のようすを探った。暗闇と静寂があるだけで、人っ子一人いなかった。紙包みを車内に投げこんでから、疲れた体を引きあげ、片隅へ這《は》って行って横になった。頭が床についた瞬間、黒い影が跳びかかってきて馬乗りになり、すばやく両手で首をしめた。息をつくのがやっとだった。

「だれだ？」と、暗闇のなかで、同じ年ごろと思われる少年の声がいった。

「ヴワデク・コスキェヴィチだ」

「どこからきた？」

「モスクワからだ」スウォーニムという地名が口まで出かかった。

「ここはおれのねぐらだ。断わりなしには寝かさないぞ、モスクワ野郎」

「すまなかった。知らなかったんだよ」

「金を持ってるか？」相手の親指がヴワデクの喉《のど》をしめつけた。

「少しなら持ってる」

「いくらだ？」

「七ルーブル」

「こっちへよこせ」

ヴワデクが外套のポケットを探ると、相手もポケットに片手を突っこんできたので、喉のほうがお留守になった。

その一瞬の隙《すき》に、ヴワデクはありったけの力をこめて相手の股間《こかん》を膝で蹴りあげた。襲撃者は睾丸《こうがん》をおさえながら苦痛の叫びを発してうしろにふっとんだ。ヴワデクがすかさずとびかかって、相手が想像だにしない場所を殴りつけた。一瞬のうちに風向きが変った。相手はヴワデクの敵ではなかった。廃車のねぐらは城の地下牢《ちかろう》やロシアの強制労働収容所にくらべれば、まさに五つ星級の贅沢《ぜいたく》だった。

ヴワデクは相手が抵抗力を失って床に張りついたときに、やっと手を休めた。少年はヴワデクに哀願した。

「向うはしへ行ってじっとしてろ」と、ヴワデクがいった。「少しでも動いたら殺すぞ」

「わかった、わかったよ」少年は這うようにして逃げて行った。

ヴワデクは少年が車輛の向うはしにぶつかる音を聞いた。しばらく坐ったままじっと耳をすましていたが――動く気配はなかった――やがてふたたび床に頭をつけると、たちまち熟睡した。

目をさますと、すでに車輛の板の隙間から明るい陽ざしがさしこんでいた。彼はゆっくり体の向きを変えて、前夜の敵をはじめてじっくり観察した。相手は胎児のように体をまるめて、まだ車輛の向うはしで眠っていた。

「こっちへこい」と、ヴワデクは命令した。

少年はゆっくり目をさました。

「こっちへこい」と、ヴワデクはやや大きな声で繰りかえした。

少年はすぐに命令に従った。ヴワデクははじめて相手をまともに見た。二人は同じ年ごろだったが、相手のほうが優に一フィートは背が高く、童顔で、薄汚れた金髪だった。石鹸《せっけん》と水の話が侮辱と受け取られかねないひどい風体だった。

「まずいちばんに」と、ヴワデクがいった。「ここではどうすれば食物が手に入る？」

「ついてこいよ」と少年が答えて、客車から跳びおりた。ヴワデクも足を引きずりながら少年のあとを追い、丘を登って、朝市が立ちはじめた町のほうへ歩いて行った。男爵と一緒のすばらしい食事以来、これほど豊富な栄養たっぷりの食物にお目にかかるのははじめてだった。果物、野菜、それに大好物のナッツまで、屋台の列に山のように並んでいた。少年はヴワデクが目の前の光景に圧倒されているのを見てとった。

「いいか、やり方を教えるよ」と、少年ははじめて自信にみちた声でいった。「おれはこれから角の屋台へ行って、オレンジを一個盗んで逃げる。そしたらあんたが大声で『泥棒をつかまえろ！』と叫ぶ。屋台のおやじがおれを追っかけているあいだに、あんたがオレンジをポケットいっぱいに詰めこむんだ。ただし欲張るなよ、一食分だけにしておけ。それからここへ戻ってくる。わかったかい？」

「ああ、わかった」

「じゃ、あんたの腕試しとゆくか、モスクワっ子」少年は彼のほうを見ながら挑戦的にいい、その場をはなれた。ヴワデクは少年が肩で風を切りながら、最初の屋台の列の角へ歩いて行き、オレンジの山から一個つまみあげて屋台のおやじに二言三言話しかけ、それからゆっくり走りだすのを、感嘆の目で見守った。彼はヴワデクのほうをちらと振り向いた。ヴワデクは「泥棒をつかまえろ！」と叫ぶのを忘れて見とれていたのだ。だが屋台のおやじが目ざとく見つけて、少年を追いはじめた。人々の目がヴワデクの共犯者に注がれている隙に、彼はすばやく屋台に近づいてオレンジを三個とりんごにじゃがいもを一個ずつ掠《かす》めとり、外套の大きなポケットに突っこんだ。屋台のおやじにつかまる寸前に、共犯者は盗んだオレンジをぽいとおやじに投げ返した。屋台おやじは立ちどまってオレンジを受けとめ、少年に向って悪態をつき、拳《こぶし》を振りまわし、やがて仲間の商人たちに大声でこぼしながら屋台のほうへ戻って行った。

ヴワデクが体を揺すって笑いながらその光景を眺めていると、だれかの手がずしりと肩にかかった。彼はつかまったと思って愕然《がくぜん》としながら振り向いた。

「収穫はあったかい、モスクワっ子よ、それとも突っ立って見物していただけかい？」

　ヴワデクはほっとして笑いだし、オレンジ三個にりんごとじゃがいもを一個ずつ取りだした。相手も笑いだした。

「きみの名前は？」と、ヴワデクがきいた。

「ステパンだ」

「もう一度やろうよ、ステパン」

「待てよ、モスクワっ子。あんまり利口ぶった口をきくな。おれの計画をもう一度やる気なら、市場の反対側へ行って、少なくとも一時間は待たなくちゃだめだ。あんたの相棒はプロだが、たまにはつかまることもないわけじゃないんだぜ」

　二人の少年は市場の反対側のほうへ無言で歩いて行った。ステパンのようにまともに歩けるなら、ヴワデクはオレンジ三個、りんごとじゃがいも一個、それに百五十ルーブルをはたいても惜しくないと思った。彼らは朝市の買物客のなかにまぎれこみ、やがてステパンがもうそろそろいいだろうと判断したときに、さっきと同じことを繰りかえした。彼らはその成果に満足して客車に引きあげ、オレンジ六個、りんご五個、じゃがいも三個、梨一個、数種類のナッツ、それに特別なごちそうのメロン一個からなる戦利品を心ゆくまで味わった。それまでステパンはメロンが入るほど大きなポケットのある服を着たことがなかった。ヴワデクの外套のポケットにはそれが楽々と入った。

「悪くない」と、ヴワデクがじゃがいもにかぶりつきながらいった。

「皮も食うのか？」と、ステパンがあきれ顔でたずねた。

「おれは皮も贅沢品のうちに入るようなところにいたんだよ」と、ヴワデクが答えた。

ステパンは尊敬の目で彼を見た。

「つぎはどうやって金を手に入れるかだ」と、ヴワデクがいった。

「あんたは一日でなにもかも手に入れようっていうんだな。力仕事さえいやじゃなかったら、波止場人足をやるのがいっとう確実だよ」

「そこへ案内してくれ」

果物を半分だけ食べて、残りを客車の隅の藁《わら》の下に隠したあとで、ステパンはヴワデクを案内して階段をおり、港へ連れて行って停泊中の船を見せた。ヴワデクは自分の目が信じられなかった。男爵から大洋を横断して外国へ貨物を運ぶ大型船の話を聞いてはいたが、今目の前に見る船は想像を絶するほど大きく、しかも目路《めじ》のかぎり長い列を作って並んでいた。

ステパンの声が彼の思いを中断した。「ほら、あそこにいちばん大きな船が見えるだろう。タラップの下にある籠《かご》を一つ持って、それに穀物を入れ、タラップをのぼって穀物を船艙《せんそう》にあけてくるだけでいい。四往復で一ルーブルの稼ぎになる。ただ、注意しろよ、モスクワっ子、人足の監督のやつがすぐに回数をごまかして金を横取りしようとするからな」

ステパンとヴワデクは午後いっぱい穀物を運んでタラップをのぼりおりした。二人の稼ぎは合わせて二十六ルーブルになった。盗んだナッツと、これは金を出して買ったパンと玉葱《たまねぎ》の夕食をすませたあと、彼らはみち足りた気分で客車のなかで眠った。

翌朝もヴワデクのほうが先に目をさました。ステパンが目ざめたとき、彼は一枚の地図を眺めていた。

「そいつはなんだい？」

「ロシアから脱出するための地図だよ」

「ここにいておれと組めば暮していけるのに、なんだってまたロシアから出ようなんて気を起すんだ？　おれたちはいい相棒になれるぜ」

「いや、おれはトルコへ行かなきゃならない。トルコへ行ってはじめて自由な人間になれるんだ。お前も一緒にこいよ、ステパン」

「おれはオデッサからはなれる気はないよ。ここはおれの生れ故郷だし、鉄道がおれの家だ。人間もおれが生れたときから知ってる連中ばかりだ。ここが天国というわけじゃないが、あんたのいうトルコというところだって、ここよりひどいかもしれないぜ。だけどあんたがどうしても行きたいっていうんなら脱出に手を貸してやってもいい。おれはどの船がどこからきたか調べる方法を知ってるからな」

「トルコ行きの船はどうすればわかる？」

「簡単だよ。波止場のはずれにいる一本歯のジョーから情報をもらうのさ。やつに一ルーブル払わなきゃならないけどね」

「きっとそのなかにはお前の取り分も含まれているんだろう」

「二人で山分けさ。あんたもなかなか察しがいいじゃないか、モスクワっ子」そういって彼は客車から跳びおりた。

ヴワデクは車輛《しゃりょう》と車輛のあいだを身軽に走って行くステパンを追いながら、相手の身のこなしがいかにも敏捷《びんしょう》なのにひきかえ、足を引きずりながら走る自分をふたたび強く意識した。波止場のはずれに着くと、ステパンは彼を埃《ほこり》だらけの本や古ぼけた時刻表でいっぱいの小部屋へ連れて行った。ヴワデクの目には人っ子一人いないように見えたが、やがて本の山の向うから声が聞えた。「なんの用だ、いたずら小僧？　お前なんかとつきあっている暇はないぞ」

「おれの相棒が情報を欲しがってるんだよ、ジョー。トルコ行きのつぎの豪華客船はいつ出港するんだい？」

「金が先だ」本の山の向うから顔をのぞかせた老人がいった。陽焼けした皺《しわ》だらけの顔に船員帽をかぶっていた。老人の黒い目がヴワデクを見つけた。

「昔はれっきとした船乗りだったんだよ」と、ステパンがジョーにも聞えるような声で耳打ちした。

「生意気いうな、小僧。金はどこだ？」

「友達が財布を持ってるよ。見せてやれ、ヴワデク」

ヴワデクはコインを一枚取りだした。ジョーは一本だけ残った歯でコインを嚙《か》んでから、足を引きずって本棚に近づき、緑色の大きな出航予定表を引っぱりだした。そこらじゅうに埃が舞った。老人は咳《せ》きこみながら汚れたページをめくり、短い、ずんぐりした、ロープですりへった指先を、船名の長い列に這《は》わせた。

「来週木曜日に《レナスカ号》が石炭を積みに入港する。出航はたぶん土曜日だろう。積込みが早く終れば、停泊料金を倹約するために金曜の夜に出航するかもしれんな。停泊は第十七バースだ」

「ありがとよ、一本歯」と、ステパンがいった。「これからも金持の知合いを連れてくるからな」

一本歯のジョーは、波止場から駆けだして行くステパンとヴワデクに拳を振りあげて罵声を浴びせた。

それから三日間、二人の少年は食物を盗み、穀物を船に積みこみ、そして眠った。つぎの木曜日にトルコ船が入港するまでに、ステパンはもう一息でヴワデクを説き伏せてオデッサにとどまる決心をさせるところまで漕《こ》ぎつけていた。しかしヴワデクのロシア人恐怖はステパンと一緒の新しい生活の魅力よりも強かった。

彼らは波止場の近くに立って、着いたばかりの船が第十七バースに入るのを見守った。

「どうやってあの船にもぐりこむかな?」と、ヴワデクがいった。

「簡単だよ」と、ステパンが答えた。「あすの朝一緒に人足の群れに加わる。おれがあんたのすぐうしろにいて、船艙が石炭でほぼいっぱいになったころ、あんたが船艙に跳びこんで隠れる。おれがあんたの籠を持って船からおりるって寸法さ」

「そしておれの手間賃もちゃっかりせしめようってわけだな」

「当り前よ。これだけ知恵のまわる頭をただで使えるかい。それに、それが自由企業のうま味じゃないか」

彼らは翌朝いちばんに人足の群れに加わり、くたくたになるまで石炭を運んでタラップをのぼりおりしたが、それでもまだ足りなかった。日暮れになっても船艙はまだ半分も埋まっていなかった。真っ黒に汚れた二人はその夜熟睡した。あくる朝ふたたび仕事にかかり、正午ごろ、船艙がほぼいっぱいになったとき、ステパンがヴワデクの足首を蹴《け》とばした。

「このつぎだぞ、モスクワっ子」

タラップをのぼりきると、ヴワデクが石炭を投げこみ、籠をデッキに投げだして船艙の縁ごしに石炭の上に跳びおり、一方ステパンは彼の籠を拾って、口笛を吹きながらタラップの反対側へおりて行った。

「あばよ、相棒」と、彼はいった。「罰当《ばちあた》りなトルコ人に騙《だま》されるなよ」

ヴワデクは船艙の片隅に身を寄せて、上から降ってくる石炭を見守った。あたり一面にもうもうと粉が舞って、鼻や口や肺や目のなかまで侵入した。乗組員に見つかるのを恐れて必死の思いで咳を我慢した。船艙の空気に耐えられなくなって、ステパンのところへ戻り、なにかほかの方法を考えようかと思いはじめたとき、船艙の蓋《ふた》が頭上でするすると閉った。彼は思いっきり激しく咳きこんだ。

数分後になにかに踝《くるぶし》をかじられるような感じがした。それがなんであるかに気がついて慄然《りつぜん》とした。足もとを見おろして、それがどこからきたのかを確かめようとした。石炭のかけらを投げてそいつを追い払う間もなく、新手があとからあとから襲いかかってきた。大胆なやつは脚のほうまでよじのぼってきた。彼らはどこからともなく姿を現わした。全身真っ黒で、大きな図体《ずうたい》をして、飢えていた。鼠《ねずみ》の目が赤いことをヴワデクが知ったのはこのときがはじめてだった。彼は石炭の山のてっぺんまでよじのぼってハッチを開いた。陽光がぱっとさしこみ、鼠どもは石炭のトンネルのなかに逃げこんで姿を消した。彼は船艙から外へ這いだしかけたが、船はすでに埠頭《ふとう》をはるかにはなれていた。ぞっとしながらふたたび船艙に戻った。船が港へ戻ってヴワデクを当局に引き渡すことになれば、第二〇一収容所と白系ロシア人たちのもとへの片道旅行となることは知れている。それよりはむしろ黒い鼠どもとの同居を選ぶことにした。ハッチを閉めたとたんにまた鼠どもが襲ってきた。ぞっとする生き物に向って石炭の塊を投げつけると同時に、新手が別の方向から姿を現わした。ヴワデクは数分おきにハッチを開けて光を入れなくてはならなかった。光はこの黒い齧歯類《げっしるい》を脅かして追い払う唯一《ゆいいつ》の味方のように思えたからである。

二日三晩というもの、ヴワデクはいっときも安眠できずに鼠との勝目のない戦いを続けた。ようやく船がコンスタンチノープル港に入り、甲板員が船艙のハッチを開けたとき、ヴワデクの頭から膝までは石炭の粉で真っ黒に汚れ、膝《ひざ》から足の爪先《つまさき》までは赤く血で染まっていた。甲板員は彼を引きずりだした。ヴワデクは立ちあがろうとしたが、ぼろきれのように甲板にくずおれた。

意識を取り戻したとき――そこがどこであるかも、どれだけ時間がたったかもわからなかった――ヴワデクは小さな部屋でベッドに横たわり、長い白衣をまとった三人の男が、彼の知らない言葉で話しながら念入りな診察をおこなっていた。この地球上にはいったいいくつの言葉があるのだろうか？　依然として黒と赤に染まったままの自分の姿を見て、ベッドの上に起きあがろうとしたが、三人の白衣の男のなかでいちばん年かさの、瘦《や》せた皺《しわ》だらけの顔に山羊《やぎ》ひげをはやした人物が、彼を押しとどめた。その男は耳なれない言葉でヴワデクに話しかけた。ヴワデクは首を振った。つぎに男はロシア語で話した。ヴワデクは今度も首を振った――ロシア語を解することがわかれば、たちまちあの国へ送り返されてしまうだろう。医者が試みたつぎの言葉はドイツ語で、ヴワデクはドイツ語なら質問者よりも自分のほうがはるかに上手なことを知った。

「ドイツ語は話せるかね？」

「はい」

「するときみはロシア人じゃないんだな?」

「違います」

「ロシアでなにをしていたんだね?」

「逃げようとしていました」

「なるほど」医者は同僚たちのほうを向いて、自分の国の言葉で今のやりとりを報告しているようだった。やがて彼らは部屋から出て行った。

つぎに看護婦が入ってきて、彼が苦痛の叫びをあげるのもほとんど意に介さず、体をごしごし洗い、両脚に褐色の軟膏《なんこう》をたっぷり塗ってから、また眠らせてくれた。二度目に目をさましたときは病室にだれもいなかった。彼は真っ白な天井を見あげながら、これからどうしようかと考えた。

まだそこがどこの国かもわからないままに、窓の敷居によじのぼって外を眺めた。長い白衣を身にまとった肌の浅黒い人々が目につくほかは、オデッサのそれと大して変らない市場風景が目に入った。彼らはまた小さな植木鉢を逆さにしたような、色あざやかな帽子をかぶり、足にはサンダルをはいていた。女は全身黒ずくめで、顔までおおい隠し、目だけをのぞかせていた。ヴワデクは日々の食物を売り買いする市場の不思議な競争を見守った。少なくともそれだけはどこの国でも変りがないようだった。

市場風景を数分間眺めたあとで、建物の壁にそって地面までのびている赤い鉄梯子《てつばしご》に気がついた。それはスウォーニムの彼の城の非常階段と似ていなくもなかった。彼の城。今となってはだれが信じるだろうか？　彼は窓の敷居からおりて、用心深くドアのほうへ歩いて行き、ドアをあけて廊下をのぞいた。男や女が廊下を行き交っていたが、だれ一人彼に注意を向ける者はいなかった。そっとドアを閉め、部屋の隅にある衣裳《いしょう》だんすから自分の荷物を見つけだして、手早く着替えをした。衣類は石炭の粉で黒く汚れたままで、さっぱりした肌にざらついて気持が悪かった。窓は難なく開いた。鉄梯子にしっかりつかまり、窓から乗り移って、自由に向っておりはじめた。最初に彼を襲ったのは熱気だった。重い外套《がいとう》が今では邪魔だった。

地面に足がつくと同時に駆けだそうとしたが、脚がすっかり弱っているのと傷の痛みとで、ゆっくり歩くのがやっとだった。足を引きずらずに歩けたらどんなにうれしいことか。彼は市場の人ごみにまぎれこむまで病院を振り向かなかった。

ヴワデクは屋台の食欲をそそる食物をみつめ、オレンジとナッツを買う決心をした。背広の裏地のなかに手を入れた。確か右袖に隠してあったはずだ。ところが金は見当らず、そのうえ腕輪まで消えていた。白衣の男たちが彼の全財産を盗んだのだ。盗まれた家宝を取り戻すために病院へ戻ることを考えたが、その前にまず食物を手に入れることだと思いなおした。ポケットに小銭ぐらいはあるだろう。大きな外套のポケットを探ると、すぐに三枚の紙幣とばら銭が見つかった。医者がくれた地図と腕輪も一緒に入っていた。ヴワデクはその発見に狂喜した。腕輪を手首にはめて、肘《ひじ》の上まで押しあげた。

ヴワデクは目についたなかでいちばん大きなオレンジと、一つかみのナッツを選んだ。屋台のおやじがなにかいったが彼には理解できなかった。言葉の壁を乗りこえるいちばん簡単な方法は、五十ルーブル紙幣を一枚渡すことだと考えた。屋台のおやじはそれを見て笑いだし、両手を高々とあげた。

「アラー」と彼は叫び、ヴワデクからオレンジとナッツを取り返して、人差指であっちへ行けというしぐさを示した。ヴワデクはがっかりしながら屋台をはなれた。言葉が違えば金も違うらしい、と彼は思った。ロシアでは彼は貧乏人だったが、ここでは一文無しだった。こうなったらオレンジを盗むしか手がない。つかまったらオレンジを投げ返すまでだ。ヴワデクはステパンのやり方を真似《まね》て、市場の反対側のほうへ歩いて行ったが、ステパンの颯爽《さっそう》たる歩き方までは真似ができず、自信もなかった。いちばんはずれの屋台に目をつけて、だれにも見られていないのを確かめてから、オレンジを一個盗んで逃げだした。と、突然あたりが騒々しくなった。町じゅうの人間の半分が追いかけてくるかのようだった。

一人の大男が不自由な足で逃げるヴワデクに跳びかかって、地面に投げ倒した。六、七人の男たちが体のあらゆる部分につかみかかり、屋台へ引き戻される彼のまわりに大きな人垣ができた。一人の警官が待っていた。警官はメモを取り、屋台のおやじと大きな声で叫びかわした。なにかいうたびに両者の声が大きくなっていった。やがて警官はヴワデクのほうを向いて叫んだが、彼は一言も理解できなかった。警官は肩をすくめ、ヴワデクの耳をつかんで連行した。野次馬が彼を罵《ののし》り続けた。なかには唾《つば》を吐きかける者までいた。警察に着くと、ヴワデクはすでに殺し屋や泥棒やその他もろもろの犯罪者が二、三十人もいる、地下の小さな獄房に入れられた。ヴワデクはその連中と一言も口をきかず、彼らも話しかけようとはしなかった。彼は壁にもたれてうずくまり、無言で不安に耐えた。少なくとも一昼夜は食物も明りもなしにほうっておかれた。排泄物《はいせつぶつ》の悪臭のために胃が空っぽになるまで吐いた。スウォーニムの地下牢《ちかろう》のほうがまだしも広く、平和に思える日がこようとは、夢にも思わなかった。

翌朝ヴワデクは二人の看守に地下から引きだされ、数人の囚人と一緒に廊下に並ばされた。囚人全員が一本の腰縄につながれ、長い列を作って獄房から通りに引きだされた。外にはまた大群衆が集まっており、騒々しい歓迎の声から、ヴワデクは群衆がしばらく前から囚人たちの出現を待っていたことを知った。群衆は叫び、手を叩《たた》き、罵声《ばせい》を浴びせながら、広場までぞろぞろと囚人たちのあとをつけてきた。彼らがなにを期待しているのか、ヴワデクは考えるのも恐ろしかった。囚人の列は広場で止った。先頭の囚人が縄をとかれて、広場の中央に引きだされた。そこにはすでに何百人もの人垣ができて、声をかぎりに叫んでいた。

ヴワデクは目の前の光景が信じられなかった。最初の囚人が広場の中央へ引きだされると同時に、看守に殴られてがっくり膝《ひざ》をつき、待ちかまえていた大男によって木のブロックに片手を縛りつけられた。大男は大きな剣を頭上に振りかざし、囚人の手首めがけてすさまじい勢いで振りおろした。だが狙《ねら》いがそれて、剣は五本の指の先端を切り落としただけだった。囚人が苦痛のあまり絶叫するなかで、ふたたび剣が振りあげられた。今度は手首をとらえたが、またしても狙いは正確さを欠き、手首が腕につながったままだらりと垂れさがって、傷口から噴きだした血が砂を赤く染めた。三太刀目でようやく手首が地面に転がった。群衆が満足して歓声をあげた。囚人はやっと釈放され、意識を失ってぼろきれのように地面にうずくまった。無表情な看守が彼を引きずって行って、人垣のはずれにほうりだした。囚人の妻らしい女が泣きながら汚れた布で止血帯を作り、大急ぎで血だらけの腕を縛った。二人目の囚人は四太刀目が振りおろされる前にショックのために死んだ。大男の処刑者は相手が死んでいるのもかまわず仕事を続けた。彼は手首を切り落すことで金をもらっているのだった。

ヴワデクはぞっとしてあたりを見まわした。すでに胃袋が空っぽでなければおそらく吐いていただろう。助けを求めて、あるいは逃げる手段を捜して、四方八方に視線を走らせた。イスラム法のもとでは、逃げようとする者は罰として片足を切断されるということを、彼に教えてくれた者はいなかった。群衆の顔を見まわすうちに、黒っぽい背広を着たヨーロッパ人らしい服装の男が一人目にとまった。その男はヴワデクから二十ヤードほどはなれた場所に立って、明らかに嫌悪《けんお》の目でこの見世物を眺めていた。しかし彼はヴワデクのほうに一度も視線を向けなかったし、剣が振りおろされるたびに群衆が発する歓声にかき消されて、助けを求めるヴワデクの声も耳に入らないようだった。彼はフランス人、ドイツ人、イギリス人、それともポーランド人だろうか？　ヴワデクには見当もつかなかったが、なんらかの理由でこの残酷な見世物の立会人としてそこにいるらしかった。ヴワデクは男をじっとみつめながら、自分のほうに視線を向けてくれと念じた。しかし彼は見向きもしなかった。ヴワデクは自由な片手を振って合図したが、やはりヨーロッパ人の注意を惹《ひ》きつけることはできなかった。看守がヴワデクの前の囚人を縄からほどいて、木のブロックのほうへ引きずって行った。剣が振りあげられ、群衆がどっとはやしたてたとき、黒っぽい背広を着た男がうんざりしたように顔をそむけたので、ヴワデクはまた夢中で手を振った。

男はヴワデクを注視し、それからヴワデクが気づかなかった連れの男に話しかけた。看守はヴワデクのすぐ前の囚人にてこずっていた。ようやく囚人の手が革紐《かわひも》で固定され、剣が振りあげられて一撃のもとに手首を切断した。群衆は失望したようだった。ヴワデクはふたたびヨーロッパ人たちのほうに視線を向けた。今は二人とも彼のほうを見ていた。彼はこっちへきてくれと心のなかで念じたが、二人はじっとみつめているだけだった。

看守が近づいてきて、ヴワデクの五十ルーブルの外套を地面に投げ捨て、シャツの片袖《そで》をまくりあげた。ヴワデクは無益な抵抗を試みながら広場の中央に引きずりだされた。しょせん看守の敵ではなかった。ブロックの前に辿《たど》りつくと、膝の裏を蹴《け》られて地面に倒れた。右の手首が革紐で固定され、いよいよ処刑人の頭上に剣が振りあげられると、あとは目をつむるよりほかになす術《すべ》もなかった。恐ろしい一撃を今か今かと待つうちに、男爵《だんしゃく》の銀の腕輪が肘からブロックに固定された手首まで滑り落ちて、突然群衆のどよめきがぴたりと静まった。先祖伝来の宝物が日光にきらりと輝いた瞬間、一種不気味な静寂が群衆をおおった。処刑人は刑の執行を中断して剣を置き、銀の腕輪をしげしげと眺めた。ヴワデクが目をあけた。彼はヴワデクの手首から腕輪を引き抜こうとしたが、革紐が邪魔になって抜けなかった。制服の警官が一人すばやく進みでて、処刑人のそばに近づいた。彼もまた腕輪とそこに刻まれた文字を眺めてから、もう一人の男のほうに駆け戻った。その男は上司らしく、ゆったりした足どりでヴワデクに近づいてきた。剣は地面に置かれたままで、しびれを切らした野次馬が罵声を浴びせはじめた。二人目の警官も腕輪を引き抜こうとしたが果せず、かといって革紐をほどく気はなさそうだった。彼はヴワデクに向ってなにか叫んだが、ヴワデクはなんのことかわからなかったのでポーランド語で答えた。「おれはあんたの言葉が話せないんだ」

警官は驚いたような顔をして、「アラー」と叫びながら両手を高々と差しあげた。それは「聖なる神よ」といった意味に違いない、とヴワデクは思った。警官はこわれた風車のように四方八方に腕をのばしながら、群衆のなかの西欧風の服装をした二人連れのほうへゆっくり歩いて行った。ヴワデクは神に祈った。このような場合は、アラーであれアヴェ・マリアであれ、だれしもどんな神にでも祈らずにはいられないだろう。ヨーロッパ人は依然としてヴワデクをじっとみつめていたので、彼は必死になってうなずいた。黒っぽい背広を着た男たちの一人が、ブロックのほうに戻ってくるトルコ人の警官と一緒に歩きだした。男はヴワデクのそばに膝をついて銀の腕輪を仔《し》細《さい》に眺めてから、彼を念入りに観察した。ヴワデクは待った。彼は五か国語を話せたので、相手がそのうちの一つを話すことを祈った。ヨーロッパ人が警官のほうを向いて、この国の言葉で話しかけるのを聞いたとき、ヴワデクの心は奈落の底に沈んだ。群衆は野次をとばし、ブロックに腐った果物を投げつけていた。警官がうなずいて同意を示し、紳士がヴワデクの顔をじっとみつめた。

「英語は話せるかね？」

ヴワデクは安堵《あんど》の溜息《ためいき》を洩らした。「はい、なんとか話せます。ぼくはポーランド国民です」

「その銀の腕輪はどこで手に入れたのだ？」

「これは父の持物です。父はポーランドでドイツ軍のために牢で死にました。ぼくはつかまってロシアの収容所へ送られました。そこから脱走して、船でここまできました。何日もなにも食べていません。屋台商人がぼくのルーブルではオレンジを売っててくれないし、とても腹がへっていたので一個盗みました」

イギリス人はゆっくり立ちあがり、警官に向って断固たる口調で話しかけた。警官は処刑人に向ってなにかいい、処刑人は不服そうな顔をしたが、警官がやや語気を強めて命令を繰りかえすと、しぶしぶひざまずいて革紐をほどいた。ヴワデクはほっとすると同時に吐いた。

「一緒にきたまえ」と、イギリス人がいった。「早く、連中の気が変らないうちに」

まだ茫然《ぼうぜん》自失のうちに、ヴワデクは外套を拾いあげてあとに続いた。野次馬は不平を鳴らし、嘲笑《ちょうしょう》を浴びせ、彼の背中にいろんな物を投げつけた。処刑人はすばやくつぎの囚人の手をブロックに固定したが、最初の一撃をしくじって親指を切り落しただけだった。群衆はそれを見て満足したようだった。

イギリス人は興奮する群衆の輪から抜けだして広場の外に出た。そこで連れと落ち合った。

「いったい何事かね、エドワード?」

「この少年はポーランド人で、ロシアから逃げてきたといっている。わたしは係の警官に、彼はイギリス人だから、われわれが責任を持つといって引き取った。これから大使館へ連れて行って、彼の話がほんとかどうか確かめてみよう」

ヴワデクは市場を抜けて「七王通り《しちおう》」へと急ぐ二人に遅れないように、あいだにはさまれて小走りに走った。処刑人が剣を振りおろすたびに群衆が満足してはやしたてる声が、依然としてかすかに聞えていた。

二人のイギリス人は砂利を敷きつめた庭を横切って、大きな灰色の建物に近づき、ヴワデクについてこいと手招きした。ドアには「イギリス大使館」というありがたい文字が見えた。ヴワデクは館内に一歩足を踏み入れたところで、ようやくもう危険はないと感じた。二人から一歩さがって、両側の壁に見慣れない服装をした軍人や船乗りの絵がいっぱいかかっている長い廊下を歩いて行った。いちばん奥にはブルーの海軍の軍服を着て、胸に勲章をたくさんぶらさげた老人のみごとな肖像画がかかっていた。老人の美しいひげがヴワデクに男爵を思いださせた。どこからともなく兵隊が一人現われて敬礼した。

「この子を連れて行って風呂《ふろ》に入れてやってくれ、スミザーズ伍長《ごちょう》。それから調理場で食事をさせてやってくれたまえ。食事がすんで、歩きまわる豚小屋より少しはましな匂《にお》いになったら、わたしの部屋へ連れてきてくれ」

「かしこまりました」と伍長は答えて、また敬礼した。

「一緒にくるんだ、坊主《ぼうず》」伍長は先に立って歩きだした。ヴワデクはおとなしくついて行ったが、小走りに走らなければ相手の速度に追いつかなかった。彼は大使館の地下へ連れて行かれ、小部屋に入れられた。そこには窓が一か所だけあった。伍長は服を脱ぐようにいってから、自分だけ部屋から出て行った。数分後に戻ってくると、ヴワデクはまだ服を着たままでベッドの端に腰かけ、上《うわ》の空で手首の腕輪をくるくる回していた。

「早くしろ。安静療法中じゃないんだぞ」

「すみません《ソーリー・サー》」

「サーはよせ。わたしはスミザーズ伍長だ。伍長と呼んでくれ」

「ぼくはヴワデク・コスキェヴィチです。ヴワデクと呼んでください」

「わたしをからかうのはよせ。お前が軍隊入りを志願しなくたって、イギリス陸軍にはすでにおかしなやつがいっぱいいるんだ」

ヴワデクには相手の言葉の意味がわからなかった。彼は手早く服を脱いだ。

「駆足でついてこい」

ふたたび熱いお湯と石鹸《せっけん》を使ってのすばらしい入浴。ヴワデクは例のロシア婦人の保護者と、彼女の夫さえいなければ自分が息子になっていたかもしれないことを思いだした。奇妙な、しかし清潔でよい匂いのする新しい衣類一式が与えられた。これはだれの息子のものだろうか？　伍長がドアのところに戻ってきた。

スミザーズ伍長はヴワデクを調理場へ連れて行き、太った赤ら顔の料理女に彼をあずけた。ポーランドを出てから一度もお目にかかったことがないほど心のこもった優しい顔だった。ヴワデクは城の乳母を思いだした。もしも第二〇一収容所に入れられて、二、三週間もたったら、彼女の胴まわりはどれほど細くなっていることだろう、と考えずにいられなかった。

「こんにちは」と、彼女はこぼれんばかりの笑みを浮べていった。「あなたの名前は？」

ヴワデクは名乗った。

「さて、あなたにはすてきなイギリス料理が口に合いそうね――あのまずいトルコ料理じゃありがたくないでしょう。まず暖かいスープにビーフがいいわ。これからプレンダーガーストさんの前に出るんじゃ、なにかおなかにたまるものを食べておかなくっちゃね。でも、あの方は見かけほどこわい人じゃないのよ。イギリス人だけど心は正しい方だから」

「するとあなたはイギリス人じゃないんですか？」と、ヴワデクが意外そうにたずねた。

「まさか、わたしはスコットランド人よ。スコットランド人とイギリス人のあいだには途方もない違いがあるわ。わたしたちはドイツ人に負けないくらいイギリス人が嫌いなのよ」と、彼女は笑いながらいった。それから肉と野菜がどっさり入った、湯気の立つスープの皿をヴワデクの前に置いた。彼は料理の匂いと味がこんなにも食欲をそそることをすっかり忘れていた。このつぎはまたしばらく食べられないのではないかという恐れから、ゆっくり味わって食べた。

伍長が戻ってきた。「どうだ、満腹したかね？」

「はい。どうもありがとう、伍長さん」

伍長は胡散《うさん》くさそうな目でヴワデクを見たが、少年の顔に生意気そうなところはなかった。「よろしい、じゃ行くぞ。プレンダーガーストさんの閲兵に遅刻するわけにはいかんからな」

伍長は調理場のドアの外に消えた。ヴワデクは料理女の顔をじっとみつめた。会ったばかりの人にさよならをいわなければならないのはいつでもいやなものだが、ましてや相手がこんなに優しい人の場合はなおさらだった。

「行きなさい、なにが自分のためになるかわかっていたら」

「どうもありがとう、おばさん」と、ヴワデクがいった。「こんなおいしい料理は食べた記憶がありません」

料理女はまた微笑を浮べた。ヴワデクは伍長の歩調に追いつくために、また足を引きずりながら小走りに走らねばならなかった。伍長がドアの前でだしぬけに立ちどまったので、ヴワデクはあやうくドアに衝突しそうになった。

「前に気をつけるんだぞ、坊主」

伍長はドアを短くノックした。

「どうぞ」という声が聞えた。

伍長がドアを開けて敬礼した。「おっしゃるとおりポーランド人の少年を風呂に入れ、食事をとらせました」

「ありがとう、伍長。グラントさんにわたしの部屋へくるようにいってくれないか」

エドワード・プレンダーガーストは机から顔をあげた。ヴワデクに無言で椅子《いす》をすすめてから、また書類に視線を戻した。ヴワデクは腰をおろして彼を見、続いて壁の肖像画を見た。ここにも将軍たちや提督たち、それから今度はカーキ色の陸軍の軍服をまとった例のひげの老紳士の肖像があった。数分後に市場で顔を見たおぼえがあるもう一人のイギリス人が入ってきた。

「呼びたてすまんな、ハリー。まあかけたまえ」

プレンダーガースト氏はヴワデクのほうを向いた。「さて、きみの話を最初から聞くとしようか。誇張をまじえずに、真実だけを話すのだ。わかったかね?」

「はい」

ヴワデクはポーランドにおける日々から話しはじめた。適当な英語の単語を思いだすまでにしばらく時間がかかった。二人のイギリス人の顔に浮んだ表情からして、はじめはヴワデクの話を疑っていることが明らかだった。ときおり話をさえぎって質問をはさみ、ヴワデクの答えを聞いてたがいにうなずき合った。一時間かかってヴワデクの身の上話はトルコ駐在イギリス副領事の部屋まで辿りついた。

「どうだろう、ハリー」と、副領事がいった。「事情を聞いたところでは、コスキェヴィチ少年の身柄は疑いもなくポーランド代表部の管轄《かんかつ》だから、ただちに連絡をとって彼を引き渡すべきだと思うんだが」

「同感だね」ハリーと呼ばれた男は答えた。「いいかね、きみは今日市場であやういところを助かった。盗みの罰として片手を切り落すことを定めたシャー、つまりイスラムの古い宗教法は、理論上は何年も前に公式に廃止された。それどころか今日のトルコ帝国の刑法では、このような刑罰は犯罪ですらある。だが現実には、野蛮人どもがいまだにこの刑罰を実行しているのだ」彼は肩をすくめて見せた。

「どうしてぼくの手は切り落されなかったんですか？」と、ヴワデクは自分の手首を握りながら質問した。

「わたしが、イスラム教徒の手を切るのは勝手だが、イギリス人の手を切り落すことは許さないといったからだ」と、エドワード・プレンダーガーストが答えた。

「神に感謝します」と、ヴワデクがかすかな声でいった。

「ほんとはエドワード・プレンダーガーストに感謝すべきだよ」と彼はいい、はじめて微笑を浮べた。そして言葉を続けた。「きみは今夜ここに泊ってもいいが、あすになったらポーランド代表部へ連れて行く。コンスタンチノープルにはポーランド大使館がないが」と、彼はかすかな軽蔑《けいべつ》の口調でいった。「わたしと対等の地位にある人物は、外国人にしてはなかなかいい男だ」彼がボタンを押すと、すぐに伍長が現われた。

「お呼びでしょうか？」

「伍長、コスキェヴィチ少年を部屋へ連れて行って、明朝食事がすんだら九時ちょうどにわたしの部屋へ連れてきてくれたまえ」

「かしこまりました。一緒にきなさい、駆足で」

ヴワデクは伍長に導かれて副領事の部屋を出た。二人のイギリス人に片手を――そしておそらくは命を救ってもらった礼を述べる暇もなかった。まるで賓客を遇するかのように、清潔な小型ベッドの毛布がきちんと折り返された、清潔な小部屋に戻ると、彼は服を脱ぎ、枕《まくら》を床に投げだして、小窓から朝日の光がさしこむまでぐっすり眠った。

「さあ、起きて顔を洗え。さっぱりしろ」

それは伍長の声だった。軍服には一糸の乱れもなく、ぴしっと折り目が通っていて、一晩じゅう起きていたかのようだった。一瞬ヴワデクは、眠りからさめながら、第二〇一収容所にいるような錯覚にとらわれた。ベッドの端を叩《たた》く伍長のステッキの音が、長いあいだ聞き慣れた音に似ていたからである。彼はベッドから転がりでて衣類に手をのばした。

「まず体を洗え。服を着るのはそれからだ。お前のひどい臭いで朝っぱらからプレンダーガーストさんを辟易《へきえき》させたくはないだろう？」

ヴワデクはどこを洗えばよいかわからないほど、自分が清潔だと感じた。伍長は目を丸くして彼をみつめていた。

「その脚はどうした？」

「なんでもありません」ヴワデクはうしろ向きになって伍長の視線を避けた。

「よろしい。三分たったら戻ってくる。いいか、三分だぞ。そのあいだに身支度をしておけ」

ヴワデクは急いで手と顔を洗い、服を着た。長い熊皮《くまがわ》の外套にくるまってベッドの端で待っていると、伍長が戻ってきて、プレンダーガースト氏の部屋へ連れて行った。副領事は上機嫌で彼を迎えた。最初の顔合せのときよりは目に見えて優しい態度だった。

「おはよう、コスキェヴィチ」

「おはようございます」

「朝食はおいしかったかね？」

「まだ食べていません」

「どうしてだ？」副領事は伍長のほうを見ながら詰問した。

「寝すごしたためです。こちらにうかがうのが遅くなりそうだったものですから」

「朝食抜きというわけにもいくまい。伍長、ヘンダースン夫人に頼んで、りんごかなにかを至急用意してもらってくれんかね？」

「かしこまりました」

ヴワデクと副領事は廊下をゆっくり歩いて大使館の玄関へ行き、砂利を敷いた庭を横切って、待機していた自動車に近づいた。そのオースチンはトルコ国内に数少ないエンジン駆動の乗用車の一台で、ヴワデクが乗用車に乗るのは生れてはじめてだった。イギリス大使館を去るのは名残り惜しかった。過去数年間に身の安全を感じた場所はそこだけだった。これから死ぬまでのあいだに、二晩と同じベッドに寝られることはないのだろうか？　伍長《ごちょう》が階段を駆けおりて、運転席に乗りこんだ。そしてヴワデクにりんごを一個と、焼きあがったばかりのほかほかのパンを手渡した。

「車内にパン屑《くず》をこぼさないようにしろ。それから料理女がお前によろしくといってたぞ」

灼《や》けつくような、混雑する通りを縫ってのドライヴは、歩くような速度でのろのろと進められた。トルコ人はらくだより速いものはないと信じているので、小型オースチンのために道をあけるということをしなかったからである。窓を全部開けはなしても、ヴワデクはむんむんする熱気で汗を流していたが、プレンダーガースト氏は涼しい顔で端然たる態度を崩さなかった。ヴワデクは前日の事件の目撃者が自分を見つけて、ふたたび群衆を煽動《せんどう》して騒ぎだすのではないかという不安から、自動車のバックシートに小さくなっていた。黒塗りの小型オースチンが「ポーランド領事館」と書かれた小さな老朽建築の前で停ったとき、彼はわくわくするような興奮と失望の入りまじった複雑な気分に襲われた。

三人は自動車からおりた。

「りんごの芯《しん》はどうした？」と、伍長がたずねた。

「食べました」

伍長は笑いながらドアをノックした。髪が黒く、顎《あご》の張った、愛想のよい小男がドアを開けた。彼はワイシャツ姿で、明らかにトルコの強烈な陽ざしで真っ黒に陽焼けしていた。男はポーランド語で話しかけた。ヴワデクが収容所を脱走してからはじめて聞くポーランド語だった。彼はすかさずポーランド語で答え、自分がそこにいるわけを説明した。彼の同胞はイギリス副領事のほうを向いた。

「こちらへどうぞ、プレンダーガーストさん」と、彼は完璧《かんぺき》な英語で話しかけた。「この少年をじきじきにお連れいただいてまことに恐縮です」

型どおりの外交辞令が交わされたあとで、プレンダーガーストと伍長が領事館を辞し去った。ヴワデクは二人をみつめながら、「ありがとう」よりもう少し心のこもった英語の言いまわしを捜した。

プレンダーガーストがコッカー・スパニエルかなにかのようにヴワデクの頭を撫《な》でた。伍長はドアを閉めるときにヴワデクにウィンクした。「達者でな。神さまもお前の苦労をご存じだろう」

ポーランド領事はパーヴェル・ザレスキと名乗った。ヴワデクはふたたび身の上話を求められたが、今度はポーランド語なので英語で話すよりも楽だった。パーヴェル・ザレスキは悲しそうに首を振りながら、しまいまで無言で聞いていた。

「かわいそうに」と、彼は重々しくいった。「きみはその若さで人並み以上に祖国の苦難を背負ってきた。さて、これからどうするつもりかね?」

「ぼくはポーランドへ帰って自分の城を取り戻さなくてはなりません」

「ポーランド?」と、パーヴェル・ザレスキがいった。「そんな国がどこにある? きみがかつて住んでいた国は今紛争の真っただなかで、ポーランド人とロシア人のあいだでいまなお激しい戦闘が続いている。ピウスーツキ将軍が祖国の領土保全のために全力をあげているところだ。しかしわれわれのだれにとっても楽観は許されない。ポーランドには今や残されたものはほんのわずかしかないのだ。だから、きみはイギリスかアメリカへ行って新しい生活を始めるのがいちばんいい」

「でもイギリスへもアメリカへも行きたくありません。ぼくはポーランド人です」

「きみはいつまでもポーランド人だよ、ヴワデク。きみがどこで暮すことにしようと、だれもきみから祖国を奪うことはできない。だがきみは人生についてもっと現実的にならなくてはいけない——きみの人生はまだ始まってもいないのだ」

ヴワデクは絶望のあまりうなだれた。もう祖国へは帰れないと聞くために、それだけのために、あれほどの苦労を耐え忍んできたというのか？　彼はじっと涙をこらえた。

パーヴェル・ザレスキは少年の肩を抱いた。「きみが脱走に成功し、大虐殺《だいぎやくさつ》を免れた幸運な人々の一人であることを決して忘れるな。将来にどんな生活が待っていたかは、きみの友人のデュビアン医師の運命を考えれば明らかだろう」

ヴワデクは一言も答えなかった。

「もう過去のことはすべて忘れて、将来のことだけを考えるのだ、ヴワデク。一生のうちにはふたたびポーランドが立ちあがるのを見られる日もあるだろう。少なくともわたしはそれを切望している」

ヴワデクは依然として無言だった。

「とにかく、今すぐ決める必要はない」と、領事は親切につけくわえた。「きみが自分の将来の方向を決めるまで、好きなだけここにいていいんだよ」

10

将来のことがアンの悩みの種だった。結婚当初の数か月は幸福で、気がかりといえばウィリアムがヘンリーをますます嫌いになってゆくことと、新しい夫がなかなか仕事を始めるようすがないことだけだった。ヘンリーはその点に関してやや気難かしく、まだ戦争後の気持の整理がつかず、これから一生続くかもしれない仕事を性急に決めたくないのだとアンに弁明した。彼女はそれを額面どおりに受けいれる気になれず、結局そのことが夫婦の最初のいさかいの原因になった。

「あんなにやりたがっていた不動産業をなぜ始めないのかわからないわ、ヘンリー」

「今は無理なんだよ。なにしろ時期が悪い。不動産市場の先行きは暗いんだ」

「あなたは一年近くも同じことをいってるわ。あなたの目から見て先行きが明るくなることなんてないんじゃないの？」

「いや、そのうちきっと好転する。実をいうと、事業を始めるに当ってもう少し資本が要るのだ。きみのお金を少し貸してもらえたら、明日からでも始められるんだが」

「それは無理よ、ヘンリー。リチャードの遺言の条件を知ってるでしょう。わたしたちの結婚と同時に手当がストップされて、今わたしには元金しか残されていないのよ」

「その一部でも貸してもらえれば助かるんだがね。それにきみの大切な息子が家族信託に二千万ドル以上も持っていることを忘れるなよ」

「ウィリアムの信託のことをよく知っているようね」と、アンが疑い深い口調でいった。

「そんないい方はよせよ、アン。わたしにきみの夫になるチャンスを与えてくれ。自分の家に住みながら居候《いそうろう》みたいな気分で暮すのはいやだよ」

「あなたのお金はいったいどうなったの、ヘンリー？　事業を始める資金ぐらいは持っているはずだったんじゃないの？」

「わたしがリチャードに太刀打ちできるような金持じゃないことはきみも最初から知っていたはずだよ、アン。それに金は問題じゃないと、いつかきみもいったじゃないか。かりにあなたが一文無しでも、あなたと結婚したいわ、ヘンリー」と、彼はアンの声色でからかった。

アンは泣きだし、ヘンリーは彼女を慰めようとした。彼女はその夜ヘンリーの腕に抱かれて過し、金の問題について話し合った。そして自分が妻としての資格に欠け、金を出し惜しみしている、とみずからに思いこませた。わたしはおそらく必要以上にたくさんのお金を持っている。わたしが進んで一生をゆだねた男に、そのうちの一部を信用貸ししてやってもいいのではないかしら？

その考えにもとづいて、彼女はボストンに不動産会社を設立する資金として、ヘンリーに十万ドル貸すことを承知した。ヘンリーは一か月以内に市内の繁華街にスマートな新しいオフィスを見つけ、社員を雇って仕事に取りかかった。間もなくボストン市のすべての政治家や不動産業者とつきあうようになった。彼らは農地ブームの話をしてヘンリーを喜ばせた。アンはその連中との交際をあまり好まなかったが、ヘンリーはいかにも楽しそうで、仕事も順調にいっているようだった。

十四歳になったウィリアムは、セント・ポールズの三年生で、総合成績ではクラスの六番だが、数学では一番だった。また、弁論部でも頭角を現わしていた。週に一度母親に手紙を書いて勉強の進みぐあいを報告したが、ヘンリー・オズボーンの存在を認めようとはせず、いつもミセス・リチャード・ケインと宛名《あてな》を書いた。アンはそのことを夫に話すべきかどうかと迷い、ヘンリーに封筒を見せないために、月曜日ごとにウィリアムの手紙を自分で郵便受けから取りだした。いずれウィリアムもヘンリーになつくだろうという希望は捨てていなかったが、ある週の手紙のなかで、ウィリアムが夏休みを親友のマシュー・レスターの家で過す許可を求めてきたとき、その希望に現実性がないことが明らかになった。この話はアンにとって手痛い打撃だったが、彼女は安易な道を選んでウィリアムの計画を承認した。ヘンリーもその計画には賛成のようだった。

ウィリアムはヘンリー・オズボーンを心底から嫌っており、具体的にどうするという当てもないままにその憎しみを養い育てていた。ヘンリーが一度も学校を訪問しないことがせめてもの救いだった。母親がこの男と一緒にいるところを、同級生には絶対に見られたくなかった。ボストンでは彼と一緒に暮さなければならないことだけでも、充分すぎるほどの災難だった。

母親の結婚後はじめて、ウィリアムは休暇が待ちきれなかった。

レスター家の運転手つきのパッカードは、音もなくウィリアムとマシューをヴァーモントのサマー・キャンプへ運んで行った。途中マシューが、セント・ポールズを卒業するときがきたらどうするつもりかと、ウィリアムにさりげなく質問した。

「首席、生徒会長、ハーヴァードのハミルトン記念数学奨学金、この三つがぼくの卒業時の目標だよ」と、ウィリアムは躊躇《ちゅうちょ》なく答えた。

「なぜその三つが揃《そろ》わなきゃならないんだ?」と、マシューが無邪気にたずねた。

「おやじがその全部を達成したからさ」

「きみがお父さんを負かしたら、うちのおやじにきみを紹介するよ」

ウィリアムは微笑を浮べた。

二人の少年はヴァーモントでの四週間を貪欲《どんよく》に楽しみ、チェスからアメリカン・フットボールまであらゆるゲームをして遊んだ。一か月たつと、休暇の残りをレスター家の人々と一緒に過すためにニューヨークへ旅をした。マシューをサーづけで呼ぶ執事と、彼をでぶ《ファッティ》と呼ぶそばかすだらけの十二歳の少女が、彼らを玄関まで出迎えた。ウィリアムはふきだした。彼の親友はひどく痩《や》せていて、太っているのはその女の子のほうだったからである。少女はにっこり笑って、歯列矯正器のかげにほぼすっかり隠れた歯をのぞかせた。

「スーザンがぼくの妹だといっても信じないだろう?」と、マシューがうんざりした顔でいった。

「うん、たぶんね」ウィリアムはスーザンにほほえみかけながら答えた。「彼女のほうがきみよりはるかにきれいだもの」

彼女はその一言でウィリアムが好きになった。

ウィリアムは初対面のときからマシューの父親に好意を持った。彼はあらゆる点でウィリアム自身の父親を思いださせた。そこでチャールズ・レスターに、彼が頭取をしている大きな銀行を見学させてくれと頼みこんだ。チャールズ・レスターはこの頼みを慎重に考慮した。それまでいかなる子供もブロード・ストリート十七番地の整然たる建物への立入りを許可されたことはなく、彼自身の息子といえども例外ではなかった。だが彼は銀行家の常で妥協し、ある日曜の午後に銀行内を案内してまわった。

ウィリアムは金庫室、外国為替取引室、重役室、頭取室などのさまざまな部屋を見て、それらの魅力のとりこになった。ケイン・アンド・キャボットとくらべると、レスター銀行のほうがかなり大きく、ウィリアムは毎年営業報告書を一部送ってくる彼自身の少額の個人投資口座から判断して、ケイン・アンド・キャボットよりもはるかに大きな資本基盤を持っていることを知っていた。レスター家へ帰る自動車のなかで、ウィリアムは無言で考えにふけっていた。

「どうだ、ウィリアム、わたしの銀行の見学は楽しかったかね？」と、チャールズ・レスターが上機嫌で質問した。

「ええ、とても楽しかったです」ウィリアムはちょっと間をおいてからつけくわえた。「ぼくは将来あなたの銀行の頭取になってみせますよ、レスターさん」

チャールズ・レスターは笑いだし、外で食事をしたときに、ウィリアム・ケイン少年がレスター銀行にどのような反応を示したかという話で同席者を笑わせた。ただ一人ウィリアムだけは、冗談のつもりでそんなことをいったのではなかった。

ヘンリーがまた金をせびりにきたとき、アンはショックを受けた。

「絶対に安全確実だよ」と、彼は保証した。「アラン・ロイドにきいてごらん。彼は銀行の頭取としてきみの最大の利益しか念頭にないはずだ」

「でも二十五万ドルも？」

「またとないチャンスなんだよ。二年以内に倍になって戻ってくる有利な投資と考えてくれ」

前回よりも長い時間すったもんだしたあとで、アンはふたたび折れて彼の頼みを聞きいれ、日々の生活はまた無風状態に戻った。銀行に問い合せた結果、彼女の投資総額は十五万ドルに減っていることがわかったが、ヘンリーは申し分のない人々を相手に申し分のない取引をしているようすだった。彼女はこの問題をケイン・アンド・キャボットのアラン・ロイドに相談することも考えてみたが、結局思いなおしてやめた。それは彼女が世間から相応の敬意を払ってもらいたいと望んでいる夫に対して不信の念を示すことになるだろうし、ヘンリーにしてもアランがこの融資を承認するという自信があったからこそこの話を持ちだしたのだろう。

アンはまた、もう一人子供をうむ望みがあるかどうかを探るために、ふたたびマッケンジー医師のもとへ通いはじめたが、彼は依然としてその考えに反対だった。最初の流産の原因となった高血圧を考えると、アンドルー・マッケンジーにはアンの三十五歳という年齢が、ふたたび母となることを考えるのにふさわしい年齢とは思えなかったのである。アンはこのことをウィリアムの祖母たちにも相談してみたが、二人ともすぐれた医師の意見に全面的に賛成だった。どちらもヘンリーがあまり好きではなく、ましてや自分たちが死んでからオズボーン姓の子供がケイン家の財産を要求するような事態は考えたくもなかった。アンは結局ウィリアムが自分のたった一人の子供であるという事実を、諦《あきら》めとともに受けいれるようになった。ヘンリーはこのことをアンの裏切りと称して腹を立て、もしもリチャードが生きていたら、もう一人子供を作ろうとしたに違いないと厭味《いやみ》をいった。アンは二人の夫のあまりにも大きなへだたりに驚き、両者をともに愛した自分の気持が不可解だった。彼女はヘンリーをなだめすかし、事業が順調に運んで彼の関心がそちらのほうに向くことを願った。事実ヘンリーは夜遅くまで会社で働いていた。

十月のある月曜日、彼らが二度目の結婚記念日を祝った週末明けに、ヘンリーがほかの女たちと一緒にボストンのあちこちに出没しているという匿名《とくめい》の「友人」からの手紙が、アンのもとに舞いこみはじめた。差出人は相手の女性たちのうち一人の名前を伏せたままだった。最初アンは一読すると同時にこれらの手紙を焼き捨て、内心気にはかけていたが、ヘンリーにはそのことを話さず、今後このような手紙が舞いこまないようにと祈るだけにした。ヘンリーが最後の十五万ドルを貸してくれといいだしたときも、まだその話を持ちだす気にはなれなかった。

「今すぐそれだけないと、取引がこわれてしまうんだよ、アン」

「でもそれがわたしの全財産なのよ、ヘンリー。あなたにそのお金をあげたら、わたしは無一文になってしまうわ」

「この家だけでも二十万ドル以上の値打ちがあるに違いない。明日それを抵当に入れればいいじゃないか」

「この家はウィリアムのものよ」

「ウィリアム、ウィリアム、ウィリアム。いつもウィリアムがわたしの成功の邪魔をする」と叫んで、ヘンリーは足音荒く部屋からとびだして行った。

彼は真夜中過ぎに後悔しながら帰宅し、彼女に金を出してもらうより破産するほうがましだ、少なくともそうすればおたがいを失わなくてすむからと語った。アンはその言葉を聞いて心を慰められ、そのあと彼と愛し合った。翌朝十五万ドルの小切手を切り、ヘンリーの計画が成功するまで自分は文無しの身なのだという現実を忘れようと努めた。ヘンリーが遺産の残額とちょうど同じ金額を無心したのは、はたして偶然の一致なのだろうかという疑念が頭からはなれなかった。

その翌月アンは生理がなかった。

マッケンジー医師は不安を顔に出すまいとした。祖母たちはあからさまに眉《まゆ》をひそめた。一方ヘンリーは大喜びし、自分の一生でこんなすばらしいことはほかになかったとアンにいい、リチャードが死ぬ前に計画していた新しい産科病棟を建設することまで承知した。

母親からの手紙でこのニュースを知ったウィリアムは、一晩じゅうじっと考えこんでしまい、なにを考えているのかをマシューにさえ話す気になれなかった。つぎの週の土曜日に、舎監の気難かし屋ラグラン《グランピー》から特別許可をもらってボストン行きの列車に乗り、到着と同時に預金口座から百ドル引きだした。その足でジェファースン・ストリートのコーエン・コーエン・アンド・ヤブロンズ法律事務所へ行った。黒いあごひげの、痩せた長身のシニア・パートナー、トーマス・コーエン氏は、部屋に案内されてきたウィリアムの顔を見て少なからず驚いた。

「十六歳の依頼人ははじめてですよ」と、コーエン氏は切りだした。「まことに珍しい体験になりそうですな」――彼はちょっとためらってからつけくわえた――「ケインさん」ケインさんという呼び名はスムースに口から出なかった。「ましてやあなたのお父上はかならずしも、そのう、われわれユダヤ教徒に共感をお持ちではありませんでしたからな」

「ぼくの父は」と、ウィリアムが答えた。「ヘブライ民族の偉業を大いに尊敬していたし、とりわけあなたの会社が競争相手の利益を代弁するときに、心から敬意を表していました。父が何度かあなたの名前を口にするのを聞いたことがあります。だからこそ、コーエンさん、ぼくがあなたを選んだのであって、あなたがぼくを選んだわけではありません。これで安心していただけるでしょう」

　コーエン氏はウィリアムがわずか十六歳の少年であるという事実を、急いで念頭から追い払った。「まことにごもっともです。リチャード・ケインのご子息とあれば例外として扱ってもいいでしょう。で、どんなご用件ですかな?」

「ぼくの三つの質問に答えていただきたいのです、コーエンさん。第一に、ぼくの母親であるヘンリー・オズボーン夫人が、男女を問わず子供をうんだ場合、その子供にはケイン家の家族信託に対する法律上の請求権があるでしょうか？　第二に、ヘンリー・オズボーン氏がぼくの母と結婚したことにより、ぼくは彼に対してなんらかの法的義務を負うことになるのでしょうか？　第三に、ぼくは何歳になったらヘンリー・オズボーン氏にボストンのルイスバーグ・スクエアの家からの立退きを要求できるでしょうか？」

トーマス・コーエンの鵞《が》ペンは、すでにインクのしみだらけになった机板に、小さな青い点を散らしながら、猛烈な勢いで目の前の紙の上を走った。

ウィリアムが机の上に百ドルを置いた。弁護士は不意をつかれたが、紙幣を手に取ってかぞえた。

「この金を大事に費《つか》ってください、コーエンさん。ぼくがハーヴァードを卒業したらいい弁護士が必要になるでしょう」

「もうハーヴァードに合格したんですか、ケインさん？　それはおめでとう。わたしも息子をハーヴァードに入れたいと思っているんですよ」

「いや、まだですが、二年後にはきっと合格します。一週間後にまたボストンへ帰ってあなたに会いにきますよ。ぼくが生きているあいだに、この問題についてあなた以外のだれかから話を聞くようなことがあったら、われわれの関係はおしまいだと考えてくださって結構です。では失礼」

トーマス・コーエンが挨拶《あいさつ》を返す間もなく、ウィリアムはドアを閉めて出て行った。

ウィリアムは七日後にコーエン・コーエン・アンド・ヤブロンズのオフィスを再訪した。

「やあ、ケインさん。またお会いできてうれしいですな。コーヒーはいかがです？」

「いや、結構です」

「コカコーラを買いにやらせますか？」

ウィリアムは無表情だった。

「では仕事にとりかかりましょう」コーエン氏はいささか当惑しながらいった。「あなたの純粋に学究的とはいえない質問に答えるために、われわれは信頼のおける私立探偵事務所の助けを借りて少しばかり調べてまわりました。その結果あなたの質問にすべて答えられるという確信を得ました。あなたはオズボーン氏と母上のあいだに子供が生れた場合、その子にケイン家の財産、とりわけ父上によってあなたに遺《のこ》された信託に対する請求権はあるかどうかと質問された。一言でいえば答えはノーです。ただしもちろんオズボーン夫人は、父上から遺贈された五十万ドルの一部または全部を自分の望む人間に遺すことができます」

コーエン氏は顔をあげた。

「しかし、参考までに申しあげますが、母上は過去十八か月間にケイン・アンド・キャボットの個人口座から五十万ドル全額を引きだしており、その金がどう費われたかまでは突きとめられませんでした。ほかの銀行に預けたということも考えられます」

ウィリアムはショックを受けたらしく、トーマス・コーエンの前ではじめて自制心を失ったようすを見せた。

「母がそんなことをする理由は考えられません」と、ウィリアムがいった。「金が渡ったと思われる相手は一人しかいません」

弁護士はその先を聞きたくて黙っていたが、ウィリアムが落着きを取り戻してそれ以上なにもいわなかったので、報告を続けた。

「第二の質問に対する答えですが、あなたはヘンリー・オズボーン氏に対していかなる個人的あるいは法的義務も負いません。父上の遺言の条項によれば、母上がアラン・ロイド氏およびあなたの現存する名付親ジョン・プレストン夫人とともに、あなたが二十一歳に達するまで遺産の受託者に指定されております」

トーマス・コーエンはふたたび顔をあげた。ウィリアムは完全に無表情だった。その場合は話を続けてもよいということを、コーエンはすでに学んでいた。

「そして第三に、ケインさん、オズボーン氏が母上の夫であり、母上と一緒に住んでいるかぎり、あなたは彼をビーコン・ヒルから立退かせることはできません。あの家は母上の死亡と同時に当然の権利によってあなたの所有物となります。そのときに彼がまだ生きていれば、あなたははじめて彼に立退きを要求することができます。これであなたの質問のすべてに答えたことになると思いますが」

「ありがとう、コーエンさん。この件におけるあなたの有能さと慎重さに感謝します。で、料金はいくらでしょうか？」

「百ドルでは充分とはいえませんが、ケインさん、われわれはあなたの将来性を買って……」

「ぼくはだれにも借りを作りたくないんです。だからぼくを今回かぎりの依頼人として扱ってください。そのうえで改めてうかがいますが、料金はいくらですか？」

コーエン氏はしばらく考えてから答えた。「そういうことなら二百二十ドル請求します」

ウィリアムは内ポケットから二十ドル紙幣を六枚取りだしてコーエンに渡した。今度は弁護士も金をかぞえなかった。

「お力添えを感謝します、コーエンさん。またお会いする日もきっとあるでしょう。では、失礼」

「失礼します、ケインさん。高名な父上にはお目にかかる機会がありませんでしたが、仕事を通じてあなたと知合いになれた今は、父上と知り合っていたらと残念でなりません」

ウィリアムは微笑を浮べ、うちとけた口調でいった。「どうもありがとう」

アンは生れてくる赤ん坊のための準備で忙しかった。体が疲れやすく、長時間の睡眠が必要だった。ヘンリーに仕事のほうはどうかと質問するたびに、彼はいつももっともらしい答えを用意していて、万事順調にいっていると彼女を安心させたが、くわしいことは説明しなかった。

やがてある朝、また例の匿名の手紙が舞いこみはじめた。今度は前のときよりも具体的で、相手の女性の名前や、ヘンリーと女性たちの出入りする場所までくわしく書かれていた。アンは名前や場所が記憶に残る前にそれらを焼き捨てた。自分がヘンリーの子供を宿しているあいだに、彼が不貞を働いているとは思いたくなかった。だれかが嫉妬《しっと》に駆られて、ヘンリーを陥れるために嘘《うそ》をついているとしか思えなかった。

手紙はその後も続き、ときおり新しい女性の名前も登場した。アンは相変らずすぐに焼き捨てたが、いつしかそれらの手紙が彼女の心を蝕《むしば》むようになっていた。この問題をだれかに相談したかったが、適当な相談相手を思いつかなかった。祖母たちはそんな話を聞いたら愕然《がくぜん》とするだろうし、それでなくてもすでにヘンリーを嫌っていた。銀行のアラン・ロイドは一度も結婚したことがないので、この種の問題は理解できないだろうし、ウィリアムではあまりに若すぎた。結局相談相手にふさわしい人間は見当らなかった。アンはジークムント・フロイトの講演を聞いたあとで、精神分析医の診察を受けることも考えてみたが、ローウェル家の人間ともあろうものが家庭内の問題を赤の他人に相談するわけにはいかなかった。

この問題はついにアンが予想だにしなかったような形で危機を迎えた。ある月曜日の朝、彼女は三通の手紙を受け取った。一通はウィリアムからミセス・リチャード・ケイン、、、に宛《あ》てた手紙で、もう一度マシュー・レスターと一緒にニューヨークで夏休みを過したいという内容だった。二通目はヘンリーがこともあろうにミリー・プレストンと火遊びをしているという匿名の手紙で、三通目は会って話したいことがあるので電話をくれという、銀行の頭取のアラン・ロイドからの手紙だった。アンは胸をしめつけられるような不快感にさいなまれながら、ぐったりと腰をおろし、おのれに鞭打《むちう》って三通の手紙を読みかえした。ウィリアムの手紙のよそよそしさが彼女を傷つけた。彼が自分よりもマシュー・レスターと一緒に休暇を過すことを望んでいるということを認めたくはなかった。母と子のあいだは、彼女がヘンリーと結婚して以来疎遠《そえん》になる一方だった。ヘンリーが彼女の親友と火遊びをしているという匿名の手紙は、とうてい無視できなかった。そもそもヘンリーに彼女を紹介したのはミリーであり、ミリーはウィリアムの名付親でもあることを、アンは思いださずにいられなかった。アラン・ロイドの手紙はなぜかほかの二通以上に彼女を不安にさせた。それまでに彼から手紙をもらったのは、リチャードが死んだときだけだった。それ以来の二度目の手紙は、おそらく悪いニュースに違いなかった。

彼女は銀行に電話した。交換手がすぐに電話をつないだ。

「アラン、わたしになにか用があるの？」

「そうなんだ。近いうち会って話したいことがある。いつがいいかね？」

「悪い話なの?」

「そういうわけでもないが、電話ではちょっと話しにくい。とにかく心配はしなくていいよ。ひょっとして昼食の時間はあいていないかね?」

「あいてるわ、アラン」

「それじゃ、一時にリッツで会おう。あなたと会えるのを楽しみにしているよ、アン」

一時といえば、あとわずか三時間しかなかった。彼女の心はアランからウィリアムへ、そしてヘンリーへと移り、ミリー・プレストンの上にとどまった。そんなことがありうるだろうか? アンはゆっくり風呂《ふろ》に入って新しいドレスを着ることにした。それも効果はなかった。気分的にも、見た目にも、むくんだような感じがした。かつては優美でほっそりしていた踝《くるぶし》とふくらはぎのあたりが、斑点《はんてん》が浮いて太くなりはじめていた。子供が生れるまでにどれほど容姿の衰えが目立つだろうかと考えると、いささか気が重かった。彼女は鏡に映った自分の姿を見て溜息《ためいき》をつき、できるだけ念入りに外見を取りつくろった。

「とてもきれいだよ、アン。わたしがいい年をした独身男でなかったら、恥も外聞もなくあなたを口説くところだ」と、銀髪の銀行家がいった。彼はフランスの将軍のようにアンの両頰にキスをした。

彼はアンをテーブルに案内した。ケイン・アンド・キャボットの頭取は、銀行で昼食をとらないときはかならずリッツのコーナー・テーブルに坐《すわ》るというのが、一種の不文律になっていた。リチャードもそうしたし、今はアラン・ロイドがそうする番だった。アンがだれかと一緒にこのテーブルに坐るのは今日がはじめてだった。給仕たちはムクドリのように軽やかに動きまわり、食卓の会話を邪魔することなくはなれたり近寄ったりするタイミングを熟知しているように見えた。

「赤ちゃんはいつ生れるのかね、アン？」

「まだ三か月も先だわ」

「べつに問題はないんだろうね。たしかわたしの記憶では……」

「そうなの、お医者さんたちは週に一度わたしを診察して、血圧のことで難かしい顔をするけど、わたしはさほど心配してないわ」

「それはよかった」彼は叔父が姪にするように彼女の手を優しく撫《な》でた。「ちょっと疲れているように見えるが、過労じゃないといいがね」

アラン・ロイドは軽く手をあげた。給仕が音もなく近づいてきて、二人の注文を聞いた。

「実は、あなたの助言が欲しいんだよ、アン」

アンはアラン・ロイドの外交的手腕を痛いほどよく知っていた。助言を求めるために彼女と食事をしているはずはなかった。逆に彼のほうで助言を与える——しかも親切心から——ためにここへきたことは、疑問の余地がなかった。

「ヘンリーの不動産事業がどんなふうか知っているかね？」

「いいえ、知らないわ」と、アンが答えた。「ヘンリーの仕事には口を出さないことにしているの。リチャードのときもそうだったでしょう？　どうしてなの？　なにか心配なことでもあるの？」

「いやいや、銀行の人間が知るかぎりでは、なにもない。逆にわれわれはヘンリーが市の新しい病院建設に名乗りをあげていることを知っている。彼が銀行に五十万ドルの融資を申し込んできたので、ちょっときいてみただけだよ」

アンは二の句がつげなかった。

「びっくりしたようだね」と、彼はいった。「ところでわれわれはあなたの資本が二万ドルそこそこしか残っておらず、個人口座にいたっては一万七千ドルの貸越しになっていることを知っている」

アンは茫然《ぼうぜん》としてスープのスプーンを置いた。まさか貸越しになっているとは夢にも思わなかったのだ。アランは彼女の心痛を察した。

「食事をしながらあなたと話し合おうと思ったのはそのことじゃないんだよ、アン」と、彼は急いでつけくわえた。「銀行はあなたの一生のあいだその口座から生じる損失ぐらいなんとも思わない。ウィリアムの信託の利息だけで年間百万ドル以上にはなるから、あなたの口座の貸越しなんか問題ではないのだ。ヘンリーが申し込んでいる五十万ドルの融資だって、ウィリアムの法定後見人であるあなたの保証があれば話は簡単だ」

「ウィリアムの信託資金に関して、わたしになにかしら権限があるとは知らなかったわ」

「元金に関してはなんの権限もないが、この信託からあがる利息をウィリアムの利益になると思われる計画に投資することは、法律上認められていて、ウィリアムが二十一歳になるまでその権限はあなた自身と、名付親であるわたしと、ミリー・プレストンの三人にあるのだ。わたしはウィリアムの信託の責任者として、あなたの承認を得たうえでその五十万ドルを出資することができる。ミリーからはすでに喜んで承認するという連絡があったから、あなたが承認すれば賛成は二票になり、したがってわたしの意見は無効になるわけだ」

「ミリー・プレストンはもう承認したの、アラン？」

「そうだ。彼女から聞いていないのかね？」

アンはすぐには答えなかった。「あなたの意見はどうなの？」と、彼女は質問した。

「なにしろわたしはヘンリーの会社の収支計算に目を通していない。彼は十八か月前に会社を設立したばかりだし、うちの銀行とは取引がないのでね。だから今年度の支出が収入をいくら上まわっているか、一九二三年度にはどれほどの利益が見込まれるか、といった点がわたしにはわからないのだよ」

「その十八か月間にわたしがヘンリーに五十万ドル融通してやったことを、あなたは知ってるんでしょう？」

「口座から多額の現金が引きだされたときは、常に出納主任からわたしに報告がくることになっている。あなたがその金をなにに費《つか》ったのかは知らなかったが、それはわたしが口出しすべきことじゃない。あの金はリチャードがあなたに遺した金だから、どう費おうとあなたの自由だ。

「しかし、家族信託の利息となると問題は別だ。もしもあなたが五十万ドルを引きだしてヘンリーの会社に投資することに決めたとすれば、銀行はヘンリーの帳簿を調べなければならない。その金もまたウィリアムの利益のための投資とみなされるからだ。リチャードは受託者に融資をおこなう権限は与えなかった。ウィリアムの利益になる投資の権限を与えただけだ。わたしはすでにこのことをヘンリーに説明した。われわれがこの投資を実行するとしたら、受託者としては五十万ドルと引きかえにヘンリーの会社の何パーセントを所有するのが妥当かということを決定しなければならない。もちろんウィリアムは、常にわれわれが信託の収入をどのように運用しているかを知っている。彼もまた受託者たちと同じように、銀行から四半期ごとの投資計画明細書をもらいたいといってきたが、われわれにはその申入れを断わる理由がなかった。この五十万ドルの投資については彼なりの考えがあるに違いないし、かりに伏せておいても、彼がつぎの四半期報告書を見ればわかってしまうことは間違いない。

「これはあなたにとっても興味のあることかもしれないが、ウィリアムは十六歳の誕生日以降われわれがおこなったすべての投資について、わたしに自分の意見を書き送ってきている。はじめのうちはわたしもそれに対して、慈悲深い後見人の一時的な関心以上のものを払わなかった。だが最近は彼の意見にかなりの敬意を払わざるをえなくなっている。やがてウィリアムがケイン・アンド・キャボットの取締役会に加わるようになったとき、この銀行は彼にとってあまりにも器が小さすぎるということになるかもしれんよ」

「わたしはウィリアムの信託について一度も意見を求められたことがないわ」と、アンが淋《さび》しそうにいった。

「しかし、あなたは四半期ごとの初日に銀行から送られてくる報告書に目を通しているし、われわれがウィリアムにかわっておこなう投資に、受託者としての権限で疑問を呈することもできるんだよ」

アラン・ロイドはポケットから一枚の紙を取りだし、ソムリエがニュイ・サン・ジョルジュを注ぎ終るまで沈黙を守った。そしてソムリエがテーブルをはなれるとまた続けた。

「ウィリアムは二十一歳の誕生日まで銀行に年利四・五パーセントで二千百万ドル投資している。われわれは彼にかわってその利息を四半期ごとに株式再投資に回している。これまで有限会社《プライヴエート・カンパニー》に投資したことは一度もない。あなたは驚くかもしれないがね、アン、われわれは現在この再投資を半々に分けておこなっているんだよ。つまり五十パーセントは銀行の助言に従って、残りの五十パーセントはウィリアムの意見で投資されている。目下のところ銀行のほうがわずかに彼をリードしている。ウィリアムが一年間で十パーセント以上の差をつけて自分を負かしたらロールス＝ロイスを一台やると約束したものだから、財務部長のトニー・シモンズは今のところ大喜びだ」

「でもウィリアムは賭《かけ》に負けたら、ロールス＝ロイスを買うお金をどうやってひねりだすのかしら——二十一歳になるまで信託資金に手をつけることはできないんでしょう？」

「どうするつもりかはわたしにもわからんよ、アン。ただこれだけは確かだ、彼はプライドが高いから、われわれに助けを求めるようなことはしないだろうし、約束を守れないようならはじめから賭などしないだろう。もしかして最近彼の有名な帳簿を見てはいないかね？」

「祖母たちからもらった帳簿のこと？」

アラン・ロイドがうなずいた。

「いいえ、彼が学校へ行ってからは見てないわ。まだ持っているかどうかも知らないのよ」

「持ってるとも」と、銀行家はいった。「わたしはその帳簿の資産欄の金額が現在いくらになっているかを知るためなら、一か月分の給料を投げだしても惜しくはないね。彼がその金をうちの銀行ではなく、ニューヨークのレスター銀行に預けていることはあなたも知っているだろう。あの銀行は一万ドル以下の個人預金は受けつけない。そしてたとえリチャード・ケインの息子といえども特別扱いはしないはずだよ」

「リチャード・ケインの息子でも、ね」

「失礼、つい口が滑ってしまったよ、アン」

「いいのよ、あの子は疑いもなくリチャード・ケインの息子だわ。あなたは知ってるかしら、彼は十二歳の誕生日からあと、わたしにただの一セントもお小遣いをねだったことがないのよ」彼女はちょっと間をおいてから続けた。「警告しておきますけどね、アラン、彼は信託資金のうちから五十万ドルをヘンリーの会社に投資すべきだという話には、いい顔をしないと思うわ」

「彼とヘンリーはうまくいってないのかね？」と、アランが眉《まゆ》をひそめてたずねた。

「残念ながらそうなの」

「それは困ったね。ウィリアムがこの計画に反対だとすると、融資の件はますます難かしくなる。彼が二十一歳になるまで信託に関してはなんの権限もないとはいえ、われわれが独自の情報源を通じて知ったところによれば、彼は自分の法的立場を知るために弁護士のところへ相談に行っているのだ」

「まさか」と、アンがいった。「冗談でしょう」

「いや、まじめな話だよ。しかしあなたはなにも心配しなくていい。正直いってわれわれ銀行の人間はみんな大いに感心し、調査の依頼者がウィリアムだとわかってからは、ふつうなら秘密にしておくような情報も出してやった。彼は明らかになにかの理由でわれわれに直接接触したくなかったのだ」

「いったいなんてことでしょう」と、アンがいった。「あの子は三十歳になったらどんな人間になっているかしら？」

「それは彼が幸運にも、あなたのような美しい女性に恋をするかどうかということしだいだね。リチャードはその点で恵まれていた」

「お世辞がおじょうずだこと、アラン。五十万ドルの問題は、わたしがヘンリーと話し合うまでそっとしておいてもらえないかしら？」

「もちろんいいとも。わたしはあなたの助言を聞きにきたといったはずだよ」アランはコーヒーを注文して、アンの手をそっと握った。「体を大切にしてくれよ、アン。数千ドルの金よりあなたのほうがはるかに大事だからね」

　昼食から家へ帰ったアンは、すぐに朝受け取ったほかの二通の手紙のことを考えはじめた。息子についてアラン・ロイドから話を聞いた今、一つだけ確かなことがあった。いさぎよく諦《あきら》めて、ウィリアムが友達のマシュー・レスターと一緒に休暇を過すのを許すほうが賢明だということである。

ヘンリーとミリーの関係は、さほど簡単には解決策が浮ばない問題だった。彼女はリチャード愛用の海老茶色《えびちゃいろ》のレザー・チェアに腰をおろし、張出し窓から紅白のバラの美しい花壇を眺めたが、花は目に入らず、考え事で頭がいっぱいだった。アンはいつも決心するまでに時間がかかったが、いったん決心するとあとはめったに後戻りしなかった。

その夜ヘンリーはいつもより早く帰宅したので、なぜだろうと不思議に思わずにいられなかった。間もなくその理由がわかった。

「今日アラン・ロイドと昼食をしたそうだね」と、彼は部屋に入るなりいった。

「だれに聞いたの、ヘンリー？」

「わたしはいたるところにスパイを放っているのさ」と、彼は笑いながら答えた。

「そうなの、アランが昼食に招待してくれたわ。ウィリアムの信託資金から五十万ドルをあなたの会社に投資する件をどう思うかときかれたわ」

「で、きみはどう答えたんだい？」ヘンリーは答えを知りたくてうずうずしているのを気取られないように、さりげない口調できいた。

「その前にまずあなたと話し合いたいと答えたわ。でもどうして銀行にその話を持ちこんだことをわたしに話してくれなかったの、ヘンリー？　さきにアランの口からその話を聞かされるなんて、自分がばかに見えて仕方がなかったわ」

「きみがわたしの事業に関心を持っているとは思わなかったし、きみとアラン・ロイドとミリー・プレストンが受託者で、それぞれウィリアムの投資収入に関して一票ずつ持っていることも、まったくの偶然から知ったんだよ」

「わたしでさえそういう事情を知らなかったのに、あなたはどうして知ったの？」

「きみはこまかい活字を読まない人なんだね。実をいうと、わたしもつい最近まで知らなかったんだよ。たまたまミリー・プレストンから信託に関する具体的な事実を聞いたんだ。彼女もウィリアムの名付親として受託者の一人に名を連ねているらしい。実に意外だったよ。そうとわかったからには、この立場をわれわれに有利なように利用できないものかね？　ミリー・プレストンはきみが同意するならわたしを支持してくれるといっているんだ」

ミリーの名前を聞いただけで、アンは落ちつかない気分になった。

「わたしはウィリアムのお金に手をつけるべきじゃないと思うわ」と、彼女はいった。

「もともとあの信託は自分とはなんの関係もないお金だと考えてきたのよ。わたしとしてはよけいなことをせずに、これまでと同じように利息を銀行に再投資させておくほうが安心だわ」

「わたしが市の病院建設契約というのうまい話を見つけたというのに、銀行の投資計画で満足する手はないと思うよ。ウィリアムだってわたしの会社に投資するほうがはるかに儲《もう》かるんだ。アランもきっと賛成してくれたろう？」

「彼がどう考えているかは知らないわ。相変らず慎重で、本心を明かさなかったから。もっともこの契約はとても有望だし、あなたにも契約を取れるチャンスは充分にあるとはいってたけど」

「そのとおりなんだよ」

「でも彼は結論を出す前にあなたの会社の帳簿に目を通したいそうよ。それからわたしの五十万ドルがどうなったのかと不思議がっていたわ」

「もうすぐきみにもわかるが、われわれの五十万ドルはりっぱな働きをしているよ。明朝アランに帳簿を届けて、彼自身の目でよく調べてもらうとしよう。きっと満足してくれるさ」

「そうであってほしいわ、ヘンリー、わたしたち二人のために」と、アンがいった。

「彼がどう考えるか答えを待ちましょう。わたしは常にアランに全幅の信頼を寄せてきたわ」

「しかしわたしを信頼してはくれなかった」と、ヘンリーがいった。

「違うわ、ヘンリー、そんなつもりじゃ……」

「なに、ちょっとからかっただけさ。妻が夫を信頼するのは当然のことだ」

アンはリチャードの前では見せたことのない涙がこぼれそうになるのを感じた。ヘンリーの前では涙をこらえようという努力さえしなかった。

「ほんとに信じられるといいけど。わたしは今までお金の心配なんかしなくてもよかったし、今はとても大変なときなのよ。おなかに赤ちゃんがいるとひどく疲れるし、憂鬱《ゆううつ》な気分になってしまうの」

ヘンリーががらりと態度を変えて、心配そうな表情を浮べた。「わかってるよ、アン。きみにはビジネスの問題で頭を悩ましてもらいたくない。そっちのほうはわたしにまかせておけばいいんだ。どうだろう、まだ時間は早いがベッドに入って休んだら？　夕食をベッドまで運んであげよう。そうすればわたしも会社へ戻って、明日の朝アランに見せる書類を取ってこられる」

アンはそうすることにしたが、ヘンリーがでかけてしまうと、疲れていたにもかかわらず眠ろうとはせずに、ベッドの上に坐《すわ》ってシンクレア・ルイスを読みはじめた。

ヘンリーが会社に着くのはおよそ十五分後だと知っていたので、たっぷり二十分待ってから彼の番号を呼びだした。電話のベルは一分近く鳴り続けた。

二十分後にもう一度かけてみたが、やはりだれも出なかった。それからさらに二十分おきに何度かかけたが応答はなかった。信託についてのヘンリーの言葉が、彼女の頭のなかにはげしくこだましはじめた。

真夜中過ぎにやっと帰宅したヘンリーは、アンがまだベッドのなかで起きているのを見て心配そうな顔をした。彼女はずっとシンクレア・ルイスを読み続けていた。

「待っていてくれなくてもよかったのに」

そういって彼女に優しくキスをした。アンは香水の匂《にお》いを嗅《か》ぎつけたような気がした――それとも過度に疑い深くなっているのだろうか？

「アランに見せる書類がすぐに全部は見つからなかったので、思ったより会社で手間どった。ばかな秘書が見出しを間違えて綴《と》じこんでしまったんだよ」

「真夜中にひとりぼっちで会社にいるのは淋しかったでしょうね」と、アンがいった。

「仕事だからそれほどでもないさ」ヘンリーはベッドに入りこんでアンの背中に体を寄せながらいった。「少なくとも取柄が一つある。電話でひっきりなしに邪魔される心配がないから、昼間より仕事がはかどるんだ」

彼は数分後に寝入った。アンは目ざめたまま横たわり、午後から思いついたある計画を実行する決意を固めた。

翌朝ヘンリーが朝食を済ませて仕事にでかけると――どこへ仕事にでかけているのかアンにはわからなかったが――彼女は《ボストン・グローブ》を拡《ひろ》げて三行広告欄に視線を走らせた。やがて電話を取りあげて訪問の約束をしてから、正午数分前にボストンの南部まででかけて行った。そのあたりの建物のあまりのみすぼらしさにショックを受けた。ボストン市の南部地区を訪ねるのは生れてはじめてで、特別な事情がなければこのような場所が存在することさえ知らないままに一生を終えていただろう。マッチの軸や煙草《たばこ》の吸殻やがらくたの散らばった木の階段をのぼって行くと、曇りガラスの窓に黒い大きな文字で「グレン・リカードー」、「私立探偵（マサチューセッツ州登録）」と二行に分けて書いたドアに行き当った。アンはそっとドアをノックした。

「どうぞ、あいてますよ」と、なかから太いしわがれ声が答えた。

アンは部屋のなかに入りこんだ。机の上に脚をのばして坐っていた男が、若い女のヌードを載せた雑誌らしきものから顔をあげた。アンの姿を認めたとたんに、吸いさしの葉巻があやうく口から落っこちそうになった。ミンクのコートを着た女が彼の事務所に入ってきたのは開闢《かいびゃく》以来のことだったのである。

「こんにちは」彼はすばやく立ちあがっていった。「わたしの名前はグレン・リカードーです」彼は机の上に身を乗りだして、毛むくじゃらの、ニコチンで黄色く染まった手をアンのほうに差しだした。彼女は手袋をはめていることに感謝しながらその手を握った。「予約でしたか?」とリカードーがたずねたが、ほんとうは予約であろうとなかろうとそんなことはかまわなかった。ミンクのコートを着た客の依頼ならいつでも大歓迎だった。

「ええ」

「とすると、オズボーン夫人ですね。コートをいただきましょうか」

「このままでいいんです」と、アンは答えた。見まわしたところ床の上しかコートを置く場所はなさそうだった。

「もちろん、もちろん」

アンは椅子《いす》に腰をおろして新しい葉巻に火をつけるリカードーをひそかに観察した。ライト・グリーンの背広も、まだら模様のネクタイも、ポマードでべったり撫《な》でつけた髪も、すべて気に入らなかった。即座に逃げださなかったのは、ほかの探偵事務所もどうせ似たり寄ったりだろうと思ったからだった。

「さて、用件をうかがいましょうか」リカードーはすでに短くなった鉛筆を、切れ味の鈍いナイフで削りながらいった。「捜し物は犬、宝石、それともご主人ですかな?」

「最初に断わっておきますけど、秘密は絶対に守ってくださいね、リカードーさん」

「もちろん、もちろん。いうまでもないことですよ」と、リカードーはなくなりかけた鉛筆から目をはなさずに答えた。

「それでも念には念を入れておきたいのです」

「もちろん、もちろん」

アンはこの男がもう一度「もちろん」を繰りかえしたら、自分はたまらずに叫び声をあげるかもしれないと思った。深呼吸をしていった。「夫がわたしの親友と浮気をしているという匿名《とくめい》の手紙が何通も届いたのです。それで、手紙の差出人はだれかということと、その内容が事実かどうかを調べていただきたいのです」

アンは内心の不安をはじめて口に出したことで、いい知れぬ安堵《あんど》をおぼえた。リカードーはそのような不安を聞かされるのがはじめてではないらしく、いたって平静な顔で彼女を見た。黒い長髪を片手で掻《か》きあげるのを見て、アンは爪《つめ》も髪の毛と同じ色をしていることにはじめて気がついた。

「わかりました。ご主人のほうは簡単でしょう。難かしいのは差出人を突きとめることですな。手紙はとってあるでしょうね、もちろん？」

「最後の手紙だけとってあります」

グレン・リカードーは溜息《ためいき》をついて、うんざりしたようにテーブルの上に片手を差しだした。アンはしぶしぶバッグから手紙を取りだしたが、渡す前に一瞬ためらった。

「お気持はわかりますがね、オズボーン夫人、わたしも片手をうしろに縛られたままじゃ仕事ができないんですよ」

「もちろんですわ、リカードーさん。すみません」

アンは自分の口から「もちろん」という言葉がとびだしたことが信じられなかった。

リカードーは手紙を二、三度読みかえしてからいった。「手紙はみなこの手の用箋《ようせん》にタイプされて、同じ封筒で送られてきたんですね？」

「ええ、そうだったと思います。わたしの記憶では」

「じゃ、つぎの手紙が届いたら、かならず……」

「また手紙がくると思います？」と、アンが途中でさえぎった。

「もちろんです。だからかならずその手紙をとっておいてください。ではご主人のことをうかがいましょう。写真をお持ちですか？」

「ええ」彼女はまたしても躊躇《ちゅうちょ》した。

「顔を見ておぼえるだけですよ。別人を追いかけさせて、わたしに時間を無駄にさせたくはないでしょう？」

アンはふたたびバッグの口をあけて、縁の丸くなった、中尉《ちゅうい》の軍服を着たヘンリーの写真をリカードーに手渡した。

「なかなかの美男子ですな、オズボーン氏は」と、探偵がいった。「この写真はいつごろのものですか？」

「五年ほど前のだと思います。彼が軍隊にいたころはまだ知り合っていません」

リカードーはそれから数分間かけて、アンからヘンリーの毎日の行動を聞きだした。

彼女は自分がヘンリーの習慣や過去についてあまりにも知らなすぎることに驚いた。

「あまり手がかりはありませんが、とにかくできるだけやってみますよ、オズボーン夫人。さて、わたしの料金は一日十ドル、プラス経費です。週に一度報告書を書きます。では二週間分の料金を前払いでお願いします」ふたたび片手が机の上に差しだされたが、今度はさっきよりも威勢がよかった。

アンはもう一度バッグの口をあけて、手の切れるような百ドル紙幣を二枚取りだし、リカードーに渡した。彼は百ドル紙幣に印刷されているアメリカ人がだれだか知らないとでもいうように、それをしげしげと眺めた。ベンジャミン・フランクリンがリカードーを冷やかに見返した。リカードーは明らかにここしばらくフランクリンと顔を合わせていないらしかった。彼は汚れた五ドル札でアンに六十ドル返した。

「あなたは日曜日もお仕事をなさるのね、リカードーさん」と、アンが頭のなかで計算して笑いながらいった。

「もちろんです」と、彼が答えた。「来週の今日、同じ時間でいいですか、オズボーン夫人？」

「もちろん結構ですわ」とアンは答えて、机の向うの男と握手をしなくてもすむように急いで外へ出た。

ウィリアムはケイン・アンド・キャボットの四半期の投資報告書を読んで、ヘンリー・オズボーンが五十万ドルの個人投資を要請していることを知ったとき――自分の目が信じられなかったので、ヘンリー・オズボーンという名前をもう一度声に出して読みあげた――一日じゅう腹の虫がおさまらなかった。セント・ポールズに入学してからの四年間で、数学の試験ではじめて二番に落ちた。一番になったマシュー・レスターが、体のぐあいでも悪いのかと彼に質問した。

その夜ウィリアムはアラン・ロイドの自宅に電話をかけた。ケイン・アンド・キャボットの頭取は、アンから息子とヘンリーの不仲を聞いたあとなので、ウィリアムの電話をさして意外に思わなかった。

「やあ、ウィリアム、元気にやってるか？　学校生活はどんなぐあいかね？」

「こちらはすべてうまくいってます、どうもありがとう。電話したのは学校のことじゃないんです」

「そうだと思ったよ」彼はそっけなくいった。「で、用件はなにかね？」

「明日の午後お会いしたいんですが」

「日曜日にかね、ウィリアム？」

「ええ、ぼくは日曜しか学校から出られないので、いつでもどこへでも行きます」ウィリアムは自分のほうで譲歩しているのだといった口調だった。「ただしぼくがあなたと会うことを、母には絶対に知らせないでください」

「しかし、ウィリアム……」

ウィリアムは語気を強めた。「改めていうまでもないと思いますが、ぼくの継父の個人的事業に信託資金を投資する件は、違法ではないにしても、道義上許されない行為であることは疑う余地がないと思います」

アラン・ロイドはしばらく沈黙し、電話で少年をなだめるべきかどうかと思案した。なにしろ相手はまだ子供だった。いっそウィリアムをたしなめようかとも考えたが、その機はすでに逸してしまったようだった。

「よかろう、ウィリアム。ハント・クラブで落ち合って一緒に昼飯でも食おう。一時でどうかね？」

「その時間にうかがいます」電話が切れた。

少なくとも対決の場はわたしのホーム・グラウンドだ。そう考えて、アラン・ロイドはひとまずほっとしながら受話器を置き、同時にこのいまいましい機械を発明したベルという男を呪《のろ》った。

アランがハント・クラブを選んだのは、あまりに秘密めいた会談になるのも考えものだからだった。クラブハウスに到着したウィリアムの最初の質問は、食後ゴルフをワン・ラウンドやれるかどうかということだった。

「喜んでお相手するよ」と答えて、アランは三時のスタートを予約した。

食事のあいだ意外にもウィリアムはヘンリー・オズボーンの申入れをまったく話題にしなかった。それどころか、ハーディング大統領の関税改革に関する考えと、チャールズ・G・ドーズの大統領財政顧問としての無能ぶりについて、したり顔で語った。

アランは、ウィリアムが一晩寝たらヘンリー・オズボーンの融資申込みについて話し合う気がなくなったのに、そのことを認めたくないので、約束どおり会いにきたのではないかと思いはじめた。きみがその問題をうやむやにするつもりなら、わたしとしてもべつに異存はないよ、とアランは思った。この分では午後からのんびりゴルフを楽しめそうだ。楽しい昼食でワイン一本をほぼ空にしたあとで――ウィリアムはグラス一杯しか飲まなかった――彼らはクラブハウスで着替えをして一番ティーに向った。

「あなたのハンディキャップはいまも九ですか？」と、ウィリアムがきいた。

「そんなところだ。なぜかね？」

「一ホール十ドルでいいですか？」

アラン・ロイドはウィリアムがゴルフをよくすることを思いだして一瞬ためらった。

「ああ、いいとも」

アランが四であがり、ウィリアムが五打を要した一番ホールでは、なにも話が出なかった。アランは二番と三番を気持よく連取し、自分のプレイにすっかり満足して、ややリラックスしはじめた。四番ホールに達すると、彼らはクラブハウスから半マイル以上はなれていた。ウィリアムはアランがクラブを振りあげるのを待った。

「ぼくの信託資金からヘンリー・オズボーンと関係のある会社または個人に五十万ドル貸すことは、絶対にやめてください」

アランはティー・ショットを大きく曲げてラフに打ちこんだ。唯一《ゆいいつ》の利点は、すばらしいドライヴを放ったウィリアムのそばからはなれて、ウィリアムとボールの両方にどう対処《アドレス》するかを考える時間ができたことだった。アランがそれから三打を費やしたあとで、彼らはやっとグリーン上で顔を合わせた。アランはそのホールをギヴ・アップした。

「ウィリアム、きみはわたしが受託者の一人として三票中の一票しか持っていないことも、きみは二十一歳になるまでこの金を動かすことができないから、投資に関する決定に対して発言権がないことも知っているはずだ。だいたいわれわれはこの問題について話し合うべきではないのだよ」

「もちろん法的な意味はよく知っていますが、残る二人の受託者がともにヘンリー・オズボーンと寝ているとなると……」

アラン・ロイドはショックを受けたようだった。

「ボストンじゅうで、ミリー・プレストンとぼくの継父が浮気をしていることをあなただけが知らない、なんていっても通りませんよ」

アラン・ロイドは沈黙したままだった。

ウィリアムが続けた。「ぼくはあなたの一票を確保したいんです。それからあなたがぼくの母を説得して、この融資を断念させるために全力をあげるという保証が欲しいんです。たとえそのためにミリー・プレストンに関する真実を母に話さなければならないとしても」

アランはつぎのティーでさらにひどいショットをした。ウィリアムのティー・ショットはフェアウェイの真ん中だった。アランは第二打を、そんなものがそこにあることさえ気がつかなかったブッシュに打ちこみ、四十三年ぶりで罰当《ばちあた》りな言葉を口に出した。四十三年前にも彼はひどい負け方をしたのだった。

「その頼みは少しばかり虫がよすぎるんじゃないかね？」と、五番グリーンでウィリアムに追いついたアランがいった。

「あなたの支持が得られない場合に、ぼくがしようと思っていることとは、くらべものになりませんよ」

「きみのお父さんは脅迫を認めなかっただろうと思うがね、ウィリアム」と、アランはウィリアムが十四フィートのパットを一発で沈めるのを見ながらいった。

「ぼくの父が絶対に認めなかっただろうと思われるのはオズボーンだけですよ」と、

ウィリアムが反論した。アラン・ロイドは四フィートを沈めるのにツー・パットを要した。

「いずれにせよ父が信託証書に一項を設けて、信託によって投資される金は私事であり、融資を受ける者に背後にケイン一族がいることを知らせてはならないと定めていることは、あなたもご存じのはずです。これは父が銀行家として生涯守りとおしたルールでした。そうすれば銀行の投資と家族信託の投資のあいだに利害の衝突が生じるおそれがないからです」

「しかし、きみのお母さんは明らかに、家族の一員のためならそのルールを破るのもやむをえないと考えているようだ」

「ヘンリー・オズボーンは家族の一員ではないし、ぼくも信託を管理するときは、父がそうしたように、あくまでこのルールを厳守するつもりです」

「きみは将来そのような強硬な態度を後悔することになるかもしれんよ、ウィリアム」

「ぼくはそうは思いません」

「きみのそういう行動をお母さんがどう思うか、少しは考えてみたまえ」

「母はすでに自分の金を五十万ドル失いました。一人の夫に費す金はそれでもう充分じゃないでしょうか？　どうしてそのうえぼくまで五十万ドルも損しなきゃならないんですか？」

「損すると決ったものでもないだろうよ、ウィリアム。この投資は大きな利益を生むかもしれない。まだヘンリーの会社の帳簿にくわしく目をとおしてはいないが」

ウィリアムはアラン・ロイドが継父をヘンリーと呼ぶのを聞いてぞっとした。

「彼は間違いなく母の金の大部分を費《つか》ってしまっていますよ。正確にいえば五十万ドルのうち残っているのはたった三万三千四百十二ドルです。あなたもオズボーンの帳簿の数字に惑わされずに、彼の経歴や過去の事業歴や交友関係を綿密に調査するほうがいいですよ。彼がばくち好きで、大金を賭《か》けていることはいうまでもなく」

アランは八番ティーから、ビギナーでも越せる目の前の池にボールを打ちこんでしまった。そのホールもギヴ・アップした。

「ヘンリーに関する情報をどこで仕入れたのかね？」と、アランは質問した。情報源はトーマス・コーエンの事務所に違いないと、内心ではにらんでいた。

「それはいいたくありません」

アランは自分の考えを口には出さなかったが、間もなくウィリアムに対して、隠し持ったこの切札を出す必要が生じるかもしれないと思った。

「もしもきみのいっていることがみな事実だとしたら、もちろんわたしはヘンリーの会社への投資をやめるよう、お母さんに忠告しなくてはならないだろうし、ヘンリーについてもすべてをさらけだすことがわたしの義務というものだろう」

「ぜひそうしてください」

アランはいくらかましなショットをしたが、勝てる自信はなかった。

ウィリアムが続けた。「あなたにも興味のある話だと思いますが、オズボーンがぼくの信託からの五十万ドルを必要としているのは、病院の建築請負のためではなく、シカゴで長いあいだ借りっぱなしになっている借金を清算するためなんです。そのことはご存じなかったでしょう？」

アランは答えなかったが、もちろん知るはずがなかった。ウィリアムがそのホールも取った。

十八番までできたとき、アランはエイト・ダウンを喫し、近来にない最悪のラウンドを終えようとしていた。ワン・パットで沈めれば少なくとも最終ホールをウィリアムと引分けに持ちこめる五フィートのパットを残していた。

「まだほかに爆弾を隠しているのかね？」と、アランがいった。

「パットの前にしますか、それともあとにしますか？」

アランは笑いだし、手の内を見せてもらうことにした。「前でいいよ、ウィリアム」と答えて、クラブを杖《つえ》にして寄りかかった。

「オズボーンは病院の契約を取れませんよ。関係者は彼が市当局の下《した》っ端《ぱ》役人たちに賄賂《わいろ》を贈っていると見ています。これは表沙汰《おもてざた》にはならないでしょうが、あとで反動があらわれることを恐れて、彼の会社は業者の最終リストから除外されました。契約を獲得するのはカークブリッジ・アンド・カーターですよ。ただしこの情報はまだ秘密です。カークブリッジ・アンド・カーターがそのことを知らされるのは木曜日から一週間後ですから、あなたもこの情報は口外しないようにお願いします」

アランはパットをミスした。ウィリアムは最後のパットを沈め、頭取に近づいて心から握手をかわした。

「ゴルフの相手をしていただいてありがとうございました。ぼくの九十ドル勝ちのようです」

アランは紙入れを取りだして、百ドル紙幣を一枚渡した。「ウィリアム、どうやらきみがわたしに『サー』づけで話しかけるのをやめてもいいときがきたようだ。今後はアランと呼んでくれ」

「ありがとう、アラン」ウィリアムは十ドルのお釣りを渡した。

アラン・ロイドが月曜日の朝銀行に出勤したとき、週末前の予想よりは仕事が少しふえていた。彼は五人の部長に命じて、ウィリアムの話がほんとうかどうかをただちにチェックさせた。調査の結果がウィリアムの情報と一致するのではないかという不安があったので、銀行におけるアンの立場を考慮して、それぞれの部にほかの部のやっていることを知らせないように注意した。各部長に対する彼の指示は明確だった。すべての報告を極秘扱いにして、頭取以外の者の耳に入れるべからず。その週の水曜日までに五通の予備報告書が彼の机の上に揃《そろ》った。どの部長もいくつかの具体的事実を裏付けるために、もっと時間が欲しいといいはしたものの、全員の判断がウィリアムのそれと一致していることは明らかだった。アランはさらにいくつかの具体的な証拠を入手するまで、アンのことは考えないことにした。さしあたり彼にできることは、その夜オズボーン夫妻が主催するビュッフェ・パーティで、融資について性急な決断をくださないよう、アンに忠告することぐらいだった。

パーティに出席したアランは、アンのやつれた顔を見てショックを受け、彼女への接し方をいちだんとやわらげることにした。やっとのことで数分間二人きりになるチャンスがめぐってきた。こんな大事なときに彼女のお腹《なか》に子供さえいなかったら、と彼は思った。

アンが彼のほうを向いてほほえみかけた。「よくいらしてくださったわね、アラン、銀行のお仕事が忙しいでしょうに」

「おたくのパーティを逃がすわけにはいかんよ、アン。なにしろいまだにボストン社交界の目玉だからね」

アンは微笑を浮べた。「あなたのおっしゃることだから間違いじゃないわね」

「いや、間違いはしょっちゅうだけどね。ところでアン、あれから融資の件を考えてみたかね？」

彼は努めてさりげない口調でたずねた。

「いいえ、その暇がなかったわ。ほかのことで手いっぱいだったの。ヘンリーの会社の経営状態はどうだったの？」

「良好だが、一年分の数字しかないので、銀行の会計士にチェックさせる必要がありそうだ。営業期間が三年以下の会社に対しては例外なくそうするのが銀行の方針なんだよ。ヘンリーもわれわれの立場を理解して同意してくれるだろう」

「アン、すばらしいパーティだね」と、アランの肩ごしに大きな声で話しかけた男がいた。アランの知らない顔で、おそらくヘンリーの友達の政治家の一人だろう。「かわいい未来の母親は元気かね？」と、あたりはばからぬ声で続けた。

アランは銀行のためにいくらか時間稼ぎになったのであればよいがと思いながら、目立たないようにその場をはなれた。パーティには市の政治家がたくさん顔を見せていたし、連邦議会の議員さえ二人も出席していた。ウィリアムの大口契約に関する情報は間違いなのではないか、とアランは思った。もっとも銀行にそのことまで調査させる必要はなかった。どうせ来週になれば市当局の正式発表があるはずだったから。彼は主催者夫妻に別れを告げ、クロークルームで黒い外套《がいとう》を受け取って帰途についた。

「来週のいまごろだ」と、彼はチェスナット・ストリートを歩いて帰宅する途中、自分を安心させようとするかのように声に出していった。

パーティのあいだ、アンはヘンリーがミリー・プレストンのそばに近づくたびに、彼の態度を観察した。とくに目についたところはなかった。むしろヘンリーはジョン・プレストンと一緒にいることのほうが多かった。アンは夫を見る自分の目が誤っていたのではないかと思いはじめ、翌日グレン・リカードーと会う約束を取り消そうかとも考えた。パーティはアンが考えていたより二時間遅くお開きになった。来客全員が大いに楽しんだ結果であればよいが、と彼女は思った。

「すばらしいパーティだったよ、アン。どうもありがとう」それは最後まで残った例の大声の持主だった。アンはその男の名前を思いだせなかったが、市当局の有力者と紹介されたおぼえがあった。彼は車まわしを歩いて立ち去った。

アンは這《は》うようにして階段をあがり、寝室へ辿《たど》りつく前にドレスをゆるめながら、十週間後に子供を生むまではもうパーティなど開くまいと決心した。

ヘンリーはすでに着がえを始めていた。「アランと話すチャンスはあったかい？」

「ええ、あったわ。帳簿で見るかぎり会社は好調のようだけど、一年分の数字しか載っていないので、念のために銀行の会計士にチェックさせる必要があるそうよ。それが銀行のいつものやり方らしいわ」

「銀行のいつものやり方などくそくらえだ。きみにはこれがウィリアムの差し金だということがわからないのか？　彼が融資を邪魔しているんだよ、アン」

「どうしてそんなことがわかるの？　アランはウィリアムのことなどなにもいってなかったわ」

「そうかね？」ヘンリーの声が大きくなった。「それじゃ彼は、われわれが二人きりで家にいた日曜日に、ゴルフ・クラブでウィリアムと一緒に昼飯を食べたことも話さなかったんだね？」

「なんですって？　信じられないわ。ウィリアムがボストンにきて、わたしに会わずに帰るなんて。それはきっとなにかの間違いよ、ヘンリー」

「ねえきみ、ボストンじゅうの人間の半分がクラブにいたんだよ。それにウィリアムだってアラン・ロイドとゴルフをワン・ラウンドするために、わざわざ五十マイルもはなれたところからでかけてきたわけじゃあるまい。いいかい、アン、わたしにはこの融資が必要なんだ。さもないと市の契約に名乗りをあげる資格がなくなってしまう。いずれは——それもきわめて近い将来——きみはウィリアムとわたしのどっちを信用するかはっきりさせなくちゃならない。わたしは明日から一週間後、つまり今からわずか八日後にどうしてもその金が要る。それだけの資金があることを市当局に示さないと失格してしまうのだ。ウィリアムがわれわれの結婚に反対だったというそれだけの理由で失格してしまうんだよ。お願いだ、アン、明日アランに電話して、送金を頼んでくれ」

　ヘンリーのどなり声が頭のなかでがんがん響いて、アンはふっと気が遠くなるような感じに襲われた。

「いいえ、明日は無理よ、ヘンリー。金曜日まで待てないの？　明日はわたし、いろいろ忙しいのよ」

　ヘンリーはようやく気を取りなおして、鏡に映った自分の裸身を眺めているアンに近づいた。そしてせりだした下腹部を手で撫《な》でた。「わたしはこの子にもウィリアムのような恵まれたチャンスを与えてやりたいんだよ」

翌日アンはグレン・リカードーに会いに行くのをよそうと、百遍も自分にいい聞かせたが、正午少し前になるとタクシーを呼びとめていた。どんな調査結果を聞かされるかという不安を抱きながら、ぎしぎしいう木の階段をのぼった。今のうちならまだ帰れる。彼女は一瞬躊躇《ちゅうちょ》し、やがてドアを静かにノックした。

「どうぞ」

彼女はドアをあけた。

「やあ、オズボーン夫人、またお会いできてうれしいですな。どうぞお掛けください」

アンは腰をおろし、私立探偵と顔を見合せた。

「残念ながら、あまりいい知らせではありません」と、グレン・リカードーが黒い長髪を指で掻《か》きあげながらいった。

アンの心が沈んだ。急に気分が悪くなった。

「オズボーン氏はこの一週間プレストン夫人とも、ほかのいかなる女性とも会っておりません」

「でも、たった今よい知らせではないとおっしゃったわ」

「もちろんあなたが離婚理由を捜しておいでだと思ったものですからね、オズボーン夫人。ご主人に腹を立てた奥さん方で、ご主人の潔白を証明してもらうためにわたしのところへくる人はめったにいませんよ」

「いいえ」アンは安堵《あんど》で胸をいっぱいにしながらいった。「何週間ぶりかですわ、こんなよい知らせを聞いたのは」

「それはよかった」と、リカードー氏はいささか虚をつかれた面持でいった。「来週もなにもでてこないといいですな」

「そのことですけど、これで調査を打切っていただきたいんです、リカードーさん。きっと来週も大したことは発見できないと思いますわ」

「それはどうかと思いますよ、オズボーン夫人。わずか一週間の調査で結論を出すのはあまりにも性急すぎるというもんです」

「いいでしょう、あなたがそうおっしゃるんなら。でも来週も新しい事実はなにも浮んでこないと信じています」

「いずれにしても」と、グレン・リカードーは葉巻をすぱすぱやりながら続けた。その葉巻はこの前のより太くて匂《にお》いもよいように、アンは思った。「料金は二週間分いただいていますからね」

「手紙のほうはどうでした？」と、アンが急に思いだして質問した。「たぶん主人の成功を嫉妬《しっと》した人が犯人に違いありませんわ」

「先週も申しあげたように、匿名《とくめい》の手紙の差出人を突きとめるのは容易じゃないんですよ。ただし便箋《びんせん》と封筒を売った店はわかりました。あれはきわめて特殊なブランドでしたからね。今のところ手紙に関してはこれ以上報告することはありません。このほうも来週の今ごろにはなにか手掛りがつかめるでしょう。この数日間また手紙が届きましたか？」

「いいえ」

「よろしい、そうなるとすべては望ましい方向に動いているようですね。来週お会いするときが最後になるといいですな」

「ええ」と、アンはうれしそうにいった。「そうなることを祈りましょう。必要経費の精算は来週の木曜日でいいかしら？」

「もちろん、もちろん」

アンは相手の口癖らしいこの言葉をほとんど忘れかけていたが、今日はこの前と違って不快ではなく、むしろ滑稽《こっけい》だった。タクシーで帰宅する途中、ヘンリーに五十万ドルの融資と、ウィリアムとアランが間違っていたことを証明するチャンスを与える決心をした。ウィリアムがボストンにいながら連絡してこなかったことを知ったショックは、いまだに消えていなかった。ウィリアムが裏で糸を引いているというヘンリーの言葉は、ひょっとすると当っているのかもしれなかった。

その夜アンが融資についての決意を告げると、ヘンリーは大いに喜び、翌朝彼女の署名をもらうために正式の書類を持ちだした。アンは彼がしばらく前からこの書類を用意していたに違いないと思わずにいられなかった。ましてや書類にはすでにミリー・プレストンが署名をすませていたからなおさらである。それともわたしはまたしても必要以上に疑い深くなっているのだろうか？　その考えを振り捨てるように急いで署名をした。

翌週月曜日の朝、アラン・ロイドから電話があったとき、アンの肚《はら》は決まっていた。

「アン、この件はせめて木曜日まで待ってくれ。それまでには病院の契約をだれがとったかがわかる」

「いいえ、アラン、もう待てないわ。ヘンリーは今すぐお金が要るのよ。彼は契約を履行するだけの資力があることを市当局に証明して見せなければならないし、すでに二人の受託者の署名も揃《そろ》っているから、もうあなたには責任がないわ」

「銀行は実際に金を渡さなくてもいつでもヘンリーの立場を保証できる。市当局もそれで了承するだろう。いずれにせよ、まだ時間がなくて彼の会社の経営状態を充分にチェックしていないのだ」

「でも一週間前の日曜日に、わたしに内緒でウィリアムと食事をする暇はあったのね？」

電話線の向うに一瞬の沈黙が訪れた。

「アン、わたしは……」

「チャンスがなかったなんていわないでちょうだい。あなたは水曜日にうちのパーティにきたから、あのときわたしに話そうと思えば話せたはずよ。ところがわざとそのことを隠して、逆にヘンリーへの融資決定を先へのばすようわたしに忠告したんだわ」

「すまなかったよ、アン。あなたがそのことをどう受けとめ、なぜ腹を立てているのか、気持はよくわかるが、それには理由があったのだ。よかったらこれからそちらへ行って、なにもかも説明したいんだが」

「いいえ、お断わりよ、アラン。あなた方は手を組んでわたしの夫に反対しているのよ。みんな彼に実力を証明するチャンスを与えたくないのよ。だったらわたしがそのチャンスを与えるわ」

アンは自分の断固たる態度に満足しながら電話を切った。これでヘンリーに忠実な行動をとり、最初に彼を疑ったことを充分に償うことができたと感じた。

アラン・ロイドからすぐにまた電話がかかってきたが、アンはメイドに命じて、奥さまは一日じゅう外出していますと答えさせた。その夜帰宅したヘンリーは、アンがアランをどう扱ったかを聞いて大喜びした。

「これでなにもかもうまくゆくよ、アン。木曜日の午前中にわたしが契約を取ったら、きみはアランと仲なおりすればいい。だがそれまでは彼との接触を避けることだ。きみさえよかったら木曜日のお昼にリッツでお祝いの食事をして、アランのテーブルに手を振ってやってもいいよ」

アンは笑いながら同意した。その日十二時にリカードーと会う約束になっていることを思いだしたが、一時のリッツでの約束には充分間に合うし、あわよくば二つの勝利を同時に祝えるというものだった。

アランは何度もアンに電話したが、そのつどメイドが口実を用意していた。書類には二人の受託者が署名しているので、支払いを二十四時間以上引きのばすことはできなかった。書類の用語はいかにもリチャード・ケインによって書かれた法的協定らしく、どこを捜しても抜け穴は見つからなかった。火曜日の午後五十万ドルの小切手が特使によって銀行から持ちだされたとき、アランは机に向ってウィリアム宛《あ》ての長い手紙を書き、送金のやむなきにいたった事情をくわしく述べ、銀行の各部報告書に盛りこまれた発見を、未確認のものを除いてすべて伝えた。そしてこの手紙の写しを一部ずつ各部に届けた。自分の処置が適切であったという自信はあったにもかかわらず、事実を隠していたと非難されるおそれがあったからである。

ウィリアムがセント・ポールズでアラン・ロイドの手紙を受け取ったのは、木曜日の朝、マシューと一緒に朝食をとっているときだった。

木曜日の朝、ビーコン・ヒルの朝食は、ふだんと同じベーコン・アンド・エッグズ、焼きたてのトースト、冷たいオートミール、それに熱いコーヒーというメニューだった。ヘンリーは緊張と陽気さの混じり合った気分で、メイドを叱《しか》りつけたり、契約を与えられた会社の名前が十時ごろ市庁舎の掲示板に張りだされることを電話で知らせてきた市の下級役人と、冗談をいい合ったりした。アンはグレン・リカードーとの最後の会見が待ちきれなかった。《ボストン・グローブ》を持ったヘンリーの手が震えていることに気づかないふりをしながら、《ヴォーグ》のページをぱらぱらとめくった。

「きみの今朝の予定は？」と、ヘンリーが沈黙に耐えられなくなって話しかけた。

「お祝いの昼食までは大してすることもないのよ。あなた、リチャードを記念する産科病棟を建ててくださる？」

「そいつはお断わりだね。これはわたしの業績だから、きみの名前をつけたい──『ヘンリー・オズボーン夫人記念病棟』だ」と、彼は胸を張ってつけくわえた。

「すばらしい思いつきだわ」アンは雑誌を置いて彼にほほえみかけた。「でも昼食のときにあまりシャンパンを飲ませないでね。午後からマッケンジー先生の総合的な検査があるんだけど、先生は予定日の九週間前に酔っぱらったわたしを許してくれないと思うわ。契約の成立は何時にわかるの？」

「もうわかってるさ」と、ヘンリーは答えた。「さっき話した役人は百パーセント確実だといってたよ。正式発表は十時の予定だがね」

「そしたらまずいちばんにアランに電話して、吉報を伝えてね、ヘンリー。わたし、先週彼に悪いことをしたような気がしているの」

「なにも悪いことなんかしてないさ。彼だってウィリアムのやっていることをきみに知らせなかったんだから」

「それはそうだけど、彼はあとで説明しようとしたのよ、ヘンリー。それなのに、わたしは彼に釈明のチャンスを与えなかったわ」

「わかった、わかった、なんでもきみのいうとおりにするよ。それできみが喜んでくれるのなら、十時五分すぎに電話しよう。きみはウィリアムに、わたしが百万ドル儲《もう》けさせてやったことを伝えるがいい」

彼は時計を見た。「もう行かなくちゃ。幸運を祈ってくれ」

「あなたには幸運なんか必要ないと思うわ」

「そりゃそうだ。単なる言葉の綾《あや》だよ。では一時にリッツで会おう」彼はアンの額にキスをした。「今夜はアランやウィリアムや契約のことを笑いのめして、もう過去のこととして忘れてしまえるだろう。それじゃ、でかけるよ」

「あなたのいうとおりだといいわ、ヘンリー」

アラン・ロイドは目の前の朝食に手をつけていなかった。彼は《ボストン・グローブ》の経済欄を読んでいて、今日十時に五百万ドルの病院建築契約を獲得した会社名が、市当局から発表されるという右側の小さな記事に目をとめた。

アラン・ロイドは万一ヘンリーが契約を取ることに失敗し、ウィリアムの情報が正確だったとわかったときに、自分がどのような行動をとるかをすでに決めていた。それはこのような苦境に直面したとき、リチャードならきっとそうしたであろうと思われる行動であり、銀行の利益を最優先する身の処し方だった。ヘンリー個人の財政状況に関する最新の報告書の内容が、アラン・ロイドを深い不安に陥れていた。オズボーンはまぎれもないギャンブラーであり、信託の五十万ドルが彼の会社に入った形跡はどこにもなかった。アラン・ロイドはオレンジ・ジュースを一口飲んだだけで、朝食をそっくり残し、家政婦に詫《わ》びてから銀行まで歩いて出勤した。よく晴れた気持のよい朝だった。

「ウィリアム、午後からテニスをやるかい？」

マシュー・レスターはアラン・ロイドの手紙を読みかえすウィリアムのそばに立っ

ていた。

「今なんていった？」

「耳が聞えなくなったのかい？　それとも若年寄りをきめこむつもりなのかい？　午後からテニスコートでこてんぱんにやっつけられたいかときいたんだよ」

「いや、午後はでかける予定があるんだ、マシュー。大事な用があってね」

「そうだったな、きみのお忍びのホワイト・ハウス行きを忘れていたよ。ハーディング大統領が新しい財政顧問を捜していて、きみならあの気どり屋のばかなチャールズ・G・ドーズの後任として適任だってことはぼくも知っている。マシュー・レスターをつぎの司法長官にしてくれるならという条件で、財政顧問を引き受けると大統領に返事しろよ」

依然としてウィリアムからはなんの反応もなかった。

「つまらんジョークだってことはわかってるけど、なにか一言ぐらいはいってくれたっていいじゃないか」マシューはウィリアムの隣りに腰をおろして、少し注意深く友人を観察した。「卵が悪かったんじゃないだろうな？　まるでロシアの強制労働収容所みたいなひどい味だったけど」

「マシュー、きみの助けを借りたい」と、ウィリアムがアランの手紙を封筒にしまいながらいった。

「妹から手紙がきてるけど、彼女、しばらくきみをルドルフ・ヴァレンティノの代役にすることに決めたらしいよ」

ウィリアムは立ちあがった。「冗談はよせよ、マシュー。きみのお父さんの銀行から金が盗まれたとしたら、のんびり坐って冗談なんかいっていられるかい？」

ウィリアムの表情はまぎれもなく真剣そのものだった。マシューの口調が変った。

「いや、そんなことはない」

「よし、それじゃここを出よう。事情を洗いざらい説明するから」


アンはグレン・リカードーと会う前に買物をするつもりで、十時ちょっと過ぎにビーコン・ヒルの家を出た。チェスナット・ストリートに出て、姿が見えなくなったとたんに電話が鳴りだした。メイドが電話に出て、窓の外をのぞき、もう追いかけても遅いと判断した。もしもアンが家に戻って電話に出ていれば、市の病院建築契約がどこの社に決ったかを知らされていたところだったが、現実にはそのまま戻らずにシルクのストッキングを数足買い、新しい香水を試してみた。その匂《にお》いが葉巻の匂いを消してくれればよいと思いながら、十二時ちょっとすぎにグレン・リカードーのオフィスに着いた。

「遅刻だったらごめんなさい、リカードーさん」と、彼女はきびきびした口調でいった。

「どうぞお掛けなさい、オズボーン夫人」リカードーはとくに上機嫌にも見えなかったが、もともとこの人はいつもこういう顔なんだわ、とアンは思った。ふと、彼が葉巻を吸っていないことに気がついた。

グレン・リカードーは、このオフィスでアンの目にとまった唯一《ゆいいつ》の新品であるしゃれた茶色のファイルを拡《ひろ》げて、何枚かの書類を取りはずした。

「では匿名《とくめい》の手紙から始めましょうか、オズボーン夫人？」

アンは彼の口調も、始めるといういいまわしも気に入らなかった。「ええ、どうぞ」と、彼女は答えた。

「手紙の差出人はルビー・フラワーズという婦人です」

「その人はだれなの？　どうしてなの？」アンは聞きたくもない答えを求めて性急にたずねた。

「理由の一つは、フラワーズ夫人が目下ご主人を訴えていることに違いないと、わたしはにらんでいます」

「なるほど、それなら納得がいきますわ」と、アンがいった。「その方は復讐《ふくしゅう》したかったのに違いありません。フラワーズ夫人はヘンリーにいくら貸しがあるといってるんですか？」

「金の問題じゃないんですよ、オズボーン夫人」

「それじゃ、なんだといってるんです？」

グレン・リカードーは両手を突いて椅子《いす》から立ちあがった。疲れた体を持ちあげるのに両手に渾身《こんしん》の力をこめなければならない、といった感じだった。彼は窓ぎわに歩み寄って、混雑するボストン港を眺めた。

「訴えた理由は婚約不履行ですよ、オズボーン夫人」

「まさか！」

「オズボーン氏があなたと会った時点で二人は婚約していたらしく、その婚約は明確な理由もないままに打切られました」

「お金が目当てなのよ。その女はヘンリーのお金を狙《ねら》っていたんだわ、きっと」

「いや、そうは思えませんな。フラワーズ夫人自身が金持なのです。もちろん、あなたとはくらべものになりませんが、まあ裕福な暮し向きといってよいでしょう。死んだ夫がソフト・ドリンクのボトリング会社を経営していて、相当な遺産を遺しているんです」

「死んだ夫って――いったい彼女はいくつなの？」

私立探偵は机に戻って書類を一、二枚めくってから、親指でページをなぞりはじめた。汚れた爪《つめ》が、ある個所で止った。

「今度誕生日がくると五十三歳になります」

「まあ」と、アンがいった。「気の毒に。きっとわたしを恨んでいることでしょう」

「おそらくそうでしょうが、だからといってよかったということにはならんでしょうな。さて、つぎにご主人の行動ですが」

ニコチンで黄色くなった指がさらに何枚かの書類をめくった。

アンは急に気分が悪くなった。わたしはなぜここへきたのかしら？　なぜ先週でやめておかなかったのかしら？　知る必要はなかったし、知りたくもなかった。なぜ立ちあがって帰らないの？　今リチャードがそばにいてくれたら。あの人ならこんな場合にどう対処すればよいかを知っているだろう。彼女はグレン・リカードーと彼のしゃれた新しいファイルの内容に金縛りにされて、身動きもできなかった。

「オズボーン氏は先週二度、三時間にわたってプレストン夫人と二人きりで過していますす」

「でも、それだけじゃなんの証拠にもなりませんわ」と、アンは必死になって反論した。「わたしは二人がとても重要な経済上の書類のことで話し合っていたのを知っています」

「ラ・サール・ストリートの小さなホテルでですよ」

アンはもう探偵をさえぎる気力もなかった。

「二度とも二人は手を取り合い、ひそひそ話をして笑いながらホテルに入るところを見られています。もちろん決定的な証拠にはなりませんが、一緒にホテルに入るところと出てくるところの写真も撮ってあります」

「破り捨ててください」と、アンが消え入るような声でいった。

グレン・リカードーは目をぱちくりさせた。「お望みならそうしましょう。残念ながらほかにもまだ悪い知らせがあります。さらに調査を進めた結果、オズボーン氏はハーヴァードに在学したことも、将校として軍隊に勤務したこともないことがわかりました。ハーヴァードにヘンリー・オズボーンという男が在学したことは事実ですが、この男は身長五フィート五インチ、髪は砂色、アラバマ出身で、一九一七年にメイン州で死亡しています。またご主人は自称している年齢よりもかなり若く、本名はヴィットリオ・トーニャだということもわかりました。彼には前科が――」

「もう結構ですわ」と、アンが頰を涙で濡《ぬ》らしながらいった。「それ以上は聞きたくありません」

「もちろんお気持はわかりますよ。わたしの調査がこんな結果になってお気の毒でなりません。この商売では、ときおり……」

アンはいくらか自制心を取り戻した。「ご苦労さまでした、リカードーさん。いろいろやっていただいたことに感謝します。いくらお払いすればいいでしょうか？」

「二週間分は前払いしてもらっていますから、経費の七十三ドルだけです」

アンは百ドル紙幣を渡して椅子から立ちあがった。

「お釣りですよ、オズボーン夫人」

彼女は首を振り、無関心に片手を振った。

「だいじょうぶですか、オズボーン夫人？　顔色が悪いようだが。水でも持ってきましょうか？」

「だいじょうぶです」と、アンは嘘《うそ》をついた。

「お宅まで車で送りましょうか？」

「結構ですわ、リカードーさん、独りで帰れますから」彼女は振り向いてほほえんだ。

「ご親切にどうもありがとう」

グレン・リカードーは依頼人を送りだしてから静かにドアを閉め、ゆっくり窓ぎわに近づいて、最後に残った太巻きの葉巻の端を嚙《か》み、それを吐きだして自分の商売を呪《のろ》った。

アンは階段の上で立ちどまり、手摺《てすり》につかまって気を失いかけていた。赤ん坊がおなかを蹴《け》り、その感覚が吐き気を催させた。彼女はそのブロックの角でタクシーをつかまえ、座席にうずくまったまま、こみあげてくる啜《すす》り泣きを抑えることもできず、これからどうするかも考えつかなかった。レッド・ハウスでタクシーをおりると、使用人に泣き顔を見られないうちに寝室へ急いだ。部屋に足を踏み入れたときに電話が鳴っていたので、だれからか知りたいというよりはむしろ習慣で受話器を取りあげた。

「ケイン夫人を頼む」

とぎれとぎれの口調から、すぐにアランだとわかった。例によって疲れたような、悲しげな声だった。

「もしもし、アラン。わたしアンよ」

「アン、今朝のニュースは残念だったね」

「どうしてそのことを知ってるの、アラン？　なぜわかったの？　だれから聞いたの？」

「今朝十時ちょっと過ぎに、市庁舎からの電話で知ったんだ。すぐあなたに電話したんだが、メイドが奥さまは買物にでかけたといってたよ」

「まあ、たいへん。契約のことをすっかり忘れてたわ」彼女は息苦しさをおぼえて、倒れるように坐《すわ》りこんだ。

「だいじょうぶか、アン？」

「ええ、だいじょうぶよ」彼女は泣き声をごまかそうとしたがうまくいかなかった。

「市庁舎からどんな連絡があったの？」

「病院の契約はカークブリッジ・アンド・カーターという会社に決ったそうだ。ヘンリーは最終候補の三社にも入っていなかったらしい。午前中ずっと彼と連絡を取ろうとしたんだが、十時を過ぎて間もなく会社を出たきりまだ帰っていないんだ。あなたも彼の居場所は知らんだろうね、アン？」

「ええ、知らないわ」

「これからそっちへ行こうか？　数分後には着けると思うが」

「ありがたいけど、きてもらわなくていいわ、アラン」アンは言葉を切って、震えながら深呼吸をした。「この数日間のあなたに対する仕打ちを許してね、アラン。リチヤードが生きていたら、決してわたしを許さなかったわ」

「ばかをいってはいけないよ、アン。われわれの永年の友情をこんなばかげた、取るに足らない事件でこわされてたまるか」

彼の優しい言葉が新たな涙の奔流を誘った。アンはよろめきながら立ちあがった。

「もう電話を切るわ、アラン。玄関にだれかきているようなの。ヘンリーかもしれないわ」

「体をいたわるんだよ、アン。今日のことは心配しなくていい。わたしが頭取でいるかぎり、銀行は常にあなたの味方だよ。わたしの助けが要るときは遠慮なく電話してくれ」

アンは電話を切った。耳のなかで雑音が鳴り響いていた。耐えがたい息苦しさが襲ってきた。床にくずおれながら、長いあいだ忘れていた、あの激しく収縮するような感覚に圧倒された。

数分後にメイドが静かにドアをノックして、部屋のなかをのぞきこんだ。ウィリアムがそのうしろに立っていた。彼はアンがヘンリー・オズボーンと結婚してから、一度も母親の寝室に足を踏み入れたことがなかった。二人はアンのそばに駆け寄った。アンは二人が入ってきたことにも気づかず、激しく痙攣《けいれん》していた。上唇が泡《あぶく》に覆われていた。発作は数秒でおさまり、アンは低い呻《うめ》き声をたてながら横たわっていた。

「お母さん」と、ウィリアムが切迫した声で呼びかけた。「どうしたんです？」

アンは目をあけて、狂乱のまなざしで息子をみつめた。「リチャード。きてくれてありがとう。あなたにそばにいてもらいたかったのよ」

「ぼくはウィリアムだよ、お母さん」

彼女の視線が揺れた。「もう力が残っていないわ、リチャード。わたしは自分の過ちの償いをしなくちゃ。許して……」

ふたたび激しい収縮に襲われて、言葉がとぎれ、呻き声に変った。

「いったいどうしたんです？」と、ウィリアムがなす術《すべ》もなくきいた。

「赤ちゃんが生れそうなんですよ、きっと」と、メイドがいった。「予定日まではまだ何週間もありますけど」

「すぐマッケンジー先生を電話に呼びだしてくれ」と、ウィリアムはドアのほうへ駆けて行きながらメイドに命じた。「マシュー、急いであがってきてくれ」

マシューは階段を駆けあがって、寝室のウィリアムのもとへ駆けつけた。

「母を車に乗せるから手を貸してくれ」

マシューは床に膝《ひざ》をついた。二人の少年はアンをそっと抱きあげて、階段をおり、車まで運んで行った。彼女は喘《あえ》ぎ、呻き、見るからに苦しそうだった。ウィリアムは家のなかへ走って戻り、メイドの手から受話器をひったくった。そのあいだマシューは車のなかで待っていた。

「マッケンジー先生？」

「そうです。そちらは？」

「ぼくの名前はウィリアム・ケインです。ご存じないかもしれませんが」

「ご存じないだって？　わたしがきみを取りあげたんだよ。で、なんの用かね？」

「母の陣痛が始まったようなんです。これからすぐに病院へ連れて行きます。数分後にそちらに着きますから」

マッケンジー医師の口調が変った。「よしわかった、ウィリアム、心配するな。準備万端ととのえて待っているからな」

「お願いします」ウィリアムはちょっとためらってから続けた。「母はなにかの発作を起したようです。これは正常なんでしょうか？」

ウィリアムの言葉を聞いて、医師ははっとした。彼もまた一瞬躊躇《ちゅうちょ》してから答えた。

「そうだな、完全に正常とはいえまい。しかし赤ちゃんが生れれば元どおりになるだろう。できるだけ急いで連れてきてくれ」

ウィリアムは電話を切って家のなかから走りだし、ロールス＝ロイスに跳び乗った。

彼はトップ・ギアに入れっぱなしでがむしゃらに車を走らせ、途中一度も停らずに、医者が待機している病院まで辿《たど》りついた。マシューと二人でアンを車からおろし、看護婦が一人付添った担架で病人を産科へ運んで行った。マッケンジー医師は手術室の入口に立って待っていた。彼は患者を受け入れると、二人に外で待つようにいった。

二人の少年は小さなベンチに腰をおろして無言で待った。今まで聞いたこともないような恐ろしい泣き声や叫び声が、分娩室《ぶんべんしつ》から聞えてきた。そのあとにはさらに恐ろしい沈黙が続いた。ウィリアムは生れてはじめておのれの完全な無力を感じた。二人は一時間以上も一言も交わさずに坐り続けた。やがて疲れきったマッケンジー医師が姿を現わした。二人は立ちあがった。医者はマシュー・レスターの顔を見た。

「ウィリアムかね？」

「いや、ぼくはマシュー・レスターです。こちらがウィリアムです」

医者はウィリアムのほうを向いて、彼の肩に手を置いた。「ウィリアム、気の毒だがお母さんは数分前に亡《な》くなった……子供は、女の子だったが、死産だったよ」ウィリアムの脚からすうっと力が抜けて、ベンチに坐りこんだ。「母子ともに救うために全力を尽したが、最初から望みはなかった」彼は精根尽きはてたように首を振った。「お母さんはわたしの忠告に耳を貸さずに赤ちゃんを欲しがった。しょせんあの体で出産は無理だったのだ」

ウィリアムはまるで鞭《むち》をふるうような医者の言葉に茫然《ぼうぜん》として、無言のまま坐っていた。

「まさか死ぬなんて」と、彼はうわごとのように呟《つぶや》いた。「死なせるなんてあんまりだ」

医者は二人のあいだに腰をおろした。「お母さんはわたしの忠告を聞き入れなかった」と、彼は繰りかえした。「最初の流産のあと、もう子供を産むのは無理だと何度も忠告したんだが、再婚したあと、お母さんときみの継父はわたしの忠告を真剣に受けとめなかった。この前の妊娠のときに血圧が高かったのだ。だから、決して危険なレヴェルに近づいていたわけではないが、今度もわたしは心配していた。ところが今日きみがお母さんを運びこんだときは、なぜかわからないが、血圧が急上昇していて、その結果子癇《しかん》が起きてしまったのだ」

「子癇？」

「痙攣だよ。数度の発作を切り抜ける患者もいるが、あっという間に呼吸が止ってしまう場合もある」

ウィリアムは身を震わせて溜息《ためいき》をつき、両手で頭を抱えこんだ。マシュー・レスターが友人を優しく抱えて廊下を歩きだした。医者が二人のあとに続いた。ドアに達したとき、彼はウィリアムの顔をみつめた。

「血圧の上昇があまりにも急激だった。ふつうはありえないことで、おまけにお母さんはもうどうなってもいいとでもいうように、病気と戦う気力を見せなかった。どうも不思議でならないのだが、最近なにか悩みでもあったのかね?」

ウィリアムは涙に濡れた顔をあげた。「なにかじゃありません」と、彼は憎しみをこめていった。「だれかですよ」


二人の少年がレッド・ハウスに戻ってみると、アラン・ロイドが客間の隅に坐っていた。彼は二人が部屋に入ってくるのを見て腰をあげた。

「ウィリアム」と、彼は開口一番いった。「融資を許可したのはわたしの責任だ」

ウィリアムは相手がなんの話をしているのか呑《の》みこめずに、アランの顔を見た。マシュー・レスターが沈黙のなかに割りこんだ。「そのことはもう問題じゃないとましたと思います」と、彼は静かにいった。「ウィリアムのお母さんがたったいまお産で死にました」

アラン・ロイドがさっと青ざめ、マントルピースにつかまって体を支えながら顔をそむけた。二人とも大の男が泣くのを見るのははじめてだった。

「みんなわたしのせいだ」と、銀行家はいった。「わたしは自分が許せない。知っていることを全部彼女に話せばよかったのだが、彼女を深く愛していたから、そんな話をして悲しませたくなかったのだ」

彼の悲嘆がウィリアムを冷静にさせた。

「あなたのせいではありませんよ、アラン」と、彼は断言した。「あなたが最善の努力を払ったことをぼくは知っているし、今はぼくのほうがあなたの助けを必要としているんです」

アラン・ロイドは気を取りなおした。「オズボーンはお母さんが死んだことを知っているのかね?」

「どうかな。いずれにしてもぼくの知ったことじゃない」

「わたしは今朝からずっと投資の件で彼と連絡をとろうとしていた。彼は今朝十時過ぎに会社を出たきり居所がわからないんだよ」

「そのうちここへ姿を現わすでしょう」と、ウィリアムが冷たくいいはなった。

アラン・ロイドが帰ったあと、ウィリアムとマシューはほとんど一晩じゅう客間に二人きりで坐ったまま、うつらうつらしていた。朝の四時に、ウィリアムは大時計のチャイムをかぞえ、通りのほうで物音を聞いたような気がした。マシューが窓から車まわしのほうをのぞいていた。ウィリアムがぎくしゃくした足どりで彼のそばに近づいた。半分空になったボトルを手に持って、千鳥足でルイスバーグ・スクエアを横切るヘンリー・オズボーンの姿が見えた。彼はしばらく鍵《かぎ》を手探りしてから、ようやく戸口に姿を現わし、二人の少年に気がついて目をぱちくりさせた。

「用があるのはアンのほうだ、きみじゃない。どうして学校にいないんだ？　きみの顔など見たくもない」と、彼はろれつのまわらないだみ声でいって、ウィリアムを押しのけようとした。

「アンはどこだ？」

「お母さんは死んだよ」と、ウィリアムが静かにいった。

ヘンリー・オズボーンはぽかんとした顔で数秒間彼をみつめた。その言葉の意味が理解できないらしい相手の表情が、ウィリアムに自制心を失わせた。

「お母さんが夫を必要としていたときに、あんたはいったいどこをうろついてたんだ？」と、怒り心頭に発して叫んだ。

オズボーンはまだ少しふらつきながら立っていた。「赤ん坊はどうなった？」

「死産だ、女の子だったよ」

ヘンリー・オズボーンは椅子《いす》に倒れこんだ。酔った涙が頰を伝い落ちた。「彼女はわたしの子供を死なせてしまったのか？」

ウィリアムは怒りと悲しみのあまりわれを忘れた。「あんたの子供だって？　この期《ご》に及んでまだ自分がかわいいのか？」と、彼は叫んだ。「マッケンジー先生が妊娠は無理だと警告したことを、あんたも知ってるはずだ」

「ずいぶん専門家ぶった口をきくじゃないか。きみがよけいな邪魔さえしなければ、わたしは自分の女房の面倒ぐらいちゃんと見られたんだ」

「それに母の金の面倒も、といいたいんだろう」

「金か。このしみったれめ、なによりも金を失うのがいやなんだろう」

「立て」と、ウィリアムが歯を食いしばっていった。

ヘンリー・オズボーンは両手を突いて立ちあがり、椅子の角にボトルを叩《たた》きつけた。絨毯《じゅうたん》のあちこちにウィスキーが飛び散った。彼は割れたボトルを持った手を振りあげて、よろけながらウィリアムのほうににじり寄った。ウィリアムは一歩も退《ひ》かず、マシューがあいだに割って入って、酔っぱらいの手から割れたボトルを難なく取りあげた。

ウィリアムは友人を押しのけて、数インチの距離で顔と顔を突き合せるところまでヘンリー・オズボーンに詰め寄った。

「いいか、よく聞けよ。一時間後にこの家から出て行け。ぼくが生きているうちにふたたびあんたがなにかいってきたら、母があんたの会社に投資した五十万ドルの行方を法的手段によって徹底的に調査させ、あんたの正体とシカゴにおける過去の生活調査を再開するからな。そのかわり二度とぼくの前に姿を現わさなければ、金の件は帳消しにして、この一件はおしまいにしてやる。さあ、ぼくに殺されないうちに出てってくれ」

二人の少年は、啜《すす》り泣き、脈絡のない言葉をわめき散らし、怒り狂いながら出て行くヘンリー・オズボーンを見守った。

翌朝ウィリアムは銀行を訪問した。すぐに頭取室へ案内された。アラン・ロイドが鞄《かばん》に書類をしまいこんでいるところだった。彼は顔をあげて、無言で一枚の紙をウィリアムに差しだした。それは彼が銀行の頭取を辞任する旨《むね》を認《したた》めた取締役会あての短い手紙だった。

「秘書を呼んでもらえませんか？」と、ウィリアムが落ちついた口調でいった。

「いいとも」

アラン・ロイドが机の横にあるボタンを押すと、地味な服装をした中年の婦人が横手のドアから頭取室に入ってきた。

「おはようございます、ケインさん」と、彼女はウィリアムの姿に気がついていった。

「お母さまのことはまことにお気の毒でした」

「ありがとう」と、ウィリアムは答えた。「だれかほかにこの手紙を見た人はいるかね？」

「いいえ。これからロイドさんに署名していただくために、十二通のコピーをタイプしようとしていたところでした」

「よろしい、タイプする必要はないし、この原稿が存在したことも忘れてくれたまえ。このことをだれにも話してはいけない、わかったね？」

彼女は十六歳の少年の青い目をじっとみつめて、父親そっくりだと思った。「わかりました、ケインさん」彼女は音もなくドアを閉めて出て行った。アラン・ロイドが顔をあげた。

「ケイン・アンド・キャボットは現時点で新しい頭取を必要としていませんよ、アラン。あなたは同じ状況でぼくの父ならしなかっただろうと思われることはなにもしていない」

「話はそれほど簡単ではないんだよ」

「いや、簡単ですよ。この問題については、ぼくが二十一歳になったときに改めて話し合うことにして、それまでは棚上げしましょう。そのときまでぼくの銀行を、あなたの外交手腕に富んだ、堅実なやり方で運営してもらえるとありがたい。今度の一件は頭取室の外ではいっさい話題にしないでください。あなたの手もとにあるヘンリー・オズボーン関係の資料はすべて処分し、この問題は決着がついたということにしてください」

ウィリアムは辞表を破って火に投じた。そしてアランの肩に手をまわした。

「ぼくは天涯孤独の身で、頼りにできるのはあなただけですよ、アラン。お願いだからぼくを見捨てないでください」

ウィリアムはビーコン・ヒルに戻った。帰宅と同時に、執事がケイン夫人とキャボット夫人が客間で待っていると告げた。部屋に入って行くと、二人が同時に立ちあがった。ウィリアムは今はじめて自分がケイン家の家長であることを実感した。

葬儀は二日後にビーコン・ヒルのオールド・ノース教会でひっそりととりおこなわれた。参列者は身内と親しい友人だけで、ヘンリー・オズボーンの欠席だけが目立った。会葬者たちはウィリアムにお悔みの言葉を述べて帰って行った。二人の祖母は歩《ほ》哨《しょう》のように彼のうしろに一歩さがって立ち、彼の落ちついた威厳のある立居振舞いを満足そうに眺めていた。ウィリアムは最後に残ったアラン・ロイドを車のところまで送って行った。

頭取はウィリアムの頼みを聞いて大いに喜んだ。

「アラン、あなたも知っているように、母は前々から新しい病院に父の名を冠した産科病棟を建設することを望んでいました。母の願いを叶《かな》えてやってくれませんか」

11

ヴワデクはコンスタンチノープルのポーランド領事館に十八か月間滞在して、昼夜の別なくパーヴェル・ザレスキのもとで働き、彼の必要欠くべからざる助手兼親友となっていた。どんな仕事でもいやな顔ひとつせずに引き受けたので、間もなくザレスキは、ヴワデクが到着するまではどうやって独りで仕事をこなしていたのかと首をかしげるようになったほどだった。ヴワデクは週に一度イギリス大使館を訪問して、料理女のヘンダースン夫人と一緒に調理場で食事をし、一度は国王陛下の副領事のお相伴にありついたことさえあった。

彼らの周囲では古いイスラム教の生活習慣が消えかかり、オスマン帝国の屋台骨が揺らぎつつあった。ムスタファ・ケマルの名前があらゆる人々の口の端《は》にのぼっていた。迫りくる変動の兆《きざ》しがヴワデクを落ちつかない気分にさせた。心は絶えず男爵《だんしゃく》や、彼が愛した城の人々の上に戻って行った。ロシアではその日その日を生きのびなければならなかったことが、ヴワデクの心の目から彼らを遠ざけていたが、トルコにきてからは、ふたたび彼らが物いわぬゆるやかな行列を作って眼前に髣髴《ほうふつ》するようになった。ときには彼らの力強く、しあわせそうな顔が目に浮ぶこともあった。レオンは川で泳ぎ、フロレンティナは彼の寝室であやとりをして遊び、男爵の顔はろうそくの光を浴びて力強く、誇り高かった。だが愛する人々の忘れがたい顔は、ほとんどいつも不安げに揺れ動き、ヴワデクがいくらそのイメージをしっかりと心に刻みつけておこうと努力しても、やがて恐ろしげに変容して、レオンは死んで彼の体の上に重なり、フロレンティナは血を流して苦しみ、男爵はほとんど失明しかけ衰弱しきっているという、あの身の毛のよだつような最後の光景に変ってしまうのだった。

ヴワデクは自分の人生を多少とも生きるに価するものにするまでは、このような亡霊たちの住む国には帰れないという現実を認識しはじめた。そのことだけを念頭に置いて、男爵から多くの心躍る逸話を聞かされた同国人のタデウシュ・コシューシコがはるか昔にそうしたように、アメリカへ渡ることを切望するようになった。アメリカ合衆国、この国をパーヴェル・ザレスキは「新世界」と呼んでいた。「新世界」という名前そのものがヴワデクの心に将来の希望と、ポーランドに凱旋《がいせん》する夢を吹きこんだ。アメリカ合衆国への渡航切符を買う金を出してくれたのはパーヴェル・ザレスキだった。切符は常に一年先まで予約でいっぱいで、なかなか手に入らなかった。東ヨーロッパのすべての人々が故国を脱出して、「新世界」で最初の一歩からやりなおそうとしているように、ヴワデクには思えた。

一九二一年の春に、ヴワデク・コスキェヴィチはようやくコンスタンチノープルをあとにして、ニューヨークのエリス島行きの客船《ブラック・アロー号》に乗船した。彼の全財産は身のまわりのものを詰めこんだスーツケース一個と、パーヴェル・ザレスキが用意してくれた書類一式だけだった。

ポーランド領事は彼を埠頭《ふとう》まで見送って、慈愛をこめて抱擁した。「神とともに行きなさい、ヴワデク」

ヴワデクが幼いころにおぼえたポーランドの、昔ながらの別れの言葉が自然に口をついて出た。「神とともに残ってください」と、彼は答えた。

タラップをのぼりきったとき、ヴワデクはオデッサからコンスタンチノープルまでの恐ろしい船旅を思いだした。今度は石炭はどこにも見当らず、目につくのはポーランド人、リトアニア人、エストニア人、ウクライナ人、その他ヴワデクの知らないほかの多くの人種といった人また人ばかりだった。彼はわずかばかりの荷物をしっかり握りしめて、列に加わって待った。その後アメリカ合衆国に入国するまで、かぞえきれないほど繰りかえされることになる長い待機の、これが最初だった。

書類はヴワデクがトルコの兵役を逃れようとしているものと思いこんだ当直航海士によって、厳重に調べられたが、パーヴェル・ザレスキが用意してくれたそれは完璧《かんぺき》だった。ヴワデクはほかの連中が船から追いかえされるのを見ながら、親切なポーランド領事の頭上に無言の祝福を祈った。

つぎは予防注射とおざなりな身体検査だった。もしもコンスタンチノープルで十八か月間栄養たっぷりの食事をとって、健康を回復していなかったら、きっとこの検査で不合格になっていただろう。ようやくすべての検査が終了し、彼は甲板の下の三等船室行きを許された。船室は男子、女子、妻帯者の三つの区画に分れていた。ヴワデクは急いで男子船室へ行き、四人分一組の鉄製二段ベッドがずらりと並んでいる一画を占領したポーランド人グループを見つけた。それぞれのベッドには薄っぺらな藁《わら》ぶとんと、軽い毛布が備わっていて、枕《まくら》はなかった。ロシアを出てから枕をして眠ったことがないヴワデクは、それでもいっこうに苦にならなかった。

彼はほぼ同年配の少年の下のベッドを選んでから、自己紹介した。

「ぼくはヴワデク・コスキエヴィチだ」

「ぼくはワルシャワ出身のイェジー・ノヴァク」と、相手はポーランド語でいった。

「アメリカで一山当てるつもりだ」

少年は片手を差しだした。

ヴワデクとイェジーは船が出航するまでおたがいに身の上話で時間をつぶした。二人とも孤独を分ち合う相手が見つかって心強かったし、どちらもアメリカに関するまったくの無知を認めたくなかったからである。イェジーは両親を戦争で失ったと語っただけで、ほかには大してめぼしい体験をしていなかった。彼はヴワデクの身の上話に引きこまれていた。男爵の息子、罠猟《わな》師の小屋で育てられ、ドイツ軍とロシア軍に幽閉され、シベリアから脱出し、銀の腕輪のおかげでトルコ人の処刑人からも逃れることができた。イェジーはその腕輪から目をはなすことができなかった。ヴワデクの十五年間の体験はイェジーが一生かかってもかなわないほど波瀾《はらん》に富んでいた。ヴワデクが過去のすべての夜について語るのを、イェジーは熱心に聞いていた。二人とも眠ろうにも興奮で眠れなかったし、かといって将来に対する不安を口に出すのもいやだった。

翌朝《ブラック・アロー号》が出航した。ヴワデクとイェジーは手摺《てすり》のところに立って、コンスタンチノープルが青くかすんだボスポラス海峡に遠ざかってゆくのを見守った。波静かなマルマラ海を過ぎると、エーゲ海の荒波がだしぬけに彼らとほかの船客の大部分を悩ませはじめた。それぞれ十の洗面台と、六つのトイレと、冷たい塩水の蛇口を持つ三等船室の二か所の洗面所は、たちまち満員になった。二日後には船室の悪臭が吐き気を誘うほどひどくなった。

食事は不潔な大食堂の長テーブルで供され、暖かいスープ、ポテト、魚、ゆでたビーフとキャベツ、褐色パンまたは黒パンといったメニューだった。ヴワデクはもっとひどいものを食べたこともあったが、ロシアを出てからは粗食とは縁がなかったので、ソーセージにナッツにブランディの小壜《こびん》という自前の食糧を持ってきてよかったと思った。彼とイェジーはベッドの片隅でそれを分け合って食べた。口には出さなくとも、食物を分け合うことはおたがいに了解済みだった。彼らは一緒に食べ、一緒に船内を探検し、夜は上下のベッドに別れて眠った。

洋上に出てから三日目に、イェジーが一人のポーランド娘を夕食のテーブルに連れてきた。彼女の名前はザフィアだと、イェジーがさりげなくヴワデクに教えた。ヴワデクが一人の女性を二度見なおしたのは生れてはじめてで、ザフィアの顔から視線をそらすことができなかった。暖かい灰色の目、肩に流れ落ちる長い金髪、そしてやわらかい声。ヴワデクは彼女に手を触れてみたい欲求に駆られた。娘はときおりテーブルごしにヴワデクにほほえみかけたが、彼は自分よりもイェジーのほうがはるかに男前であることを意識してみじめな気分だった。イェジーがザフィアを女子船室まで送って行くときは、彼もあとからついて行った。

イェジーはあとで少し気分を害しながら彼にいった。「自分の女は自分で見つけたらどうなんだ？　あの子はぼくのもんだよ」

ヴワデクは女の子を見つける方法がわからないことを白状する気になれなかった。

「アメリカへ着けば女の子を見つける暇はいくらでもあるさ」と、彼はばかにしたような口調でいった。

「どうしてアメリカに着くまで待たなきゃならないんだ？　ぼくはこの船でできるだけ女の子をものにするつもりだよ」

「どうやって？」ヴワデクは自分の無知をさらけだすことなくその知識を得ようとして必死だった。

「ぼくたちはこのぼろ船にあと十二日間乗っていることになるから、十二人の女をものにしてみせるよ」と、イェジーが自慢した。

「十二人もの女をいったいどうするんだい？」

「決ってるじゃないか、寝るんだよ」

ヴワデクは困ったような顔をした。

「おいおい」と、イェジーがいった。「まさかドイツ軍につかまって生きのび、ロシア人から逃げだし、十二歳で人を一人殺し、トルコの野蛮人どもにあやうく片手を切り落されそうになったほどの男が、まだ女を知らないというんじゃないだろうな？」

彼が声をたてて笑うと、まわりのベッドからさまざまな言葉で「うるさい」の合唱が湧《わ》きおこった。

「よし」と、イェジーは小声で続けた。「きみの教育の幅を拡《ひろ》げるときがきた。ぼくもやっときみに教えられることを一つ見つけたよ」彼は暗くてヴワデクの顔が見えないのに、ベッドの縁から身を乗りだして下をのぞいた。「ザフィアは話のわかる子だ。たぶんきみの教育に協力してくれるだろう。ぼくが交渉してやるよ」

ヴワデクはなにも答えなかった。

その話はそれで打ち切られたが、翌日からザフィアがヴワデクに関心を示しはじめた。食事のときは彼の隣りに坐《すわ》り、何時間も過去の経験や将来の希望について話し合った。彼女はポズナニ出身のみなし児《ご》で、シカゴのいとこを頼って行くところだった。ヴワデクはニューヨークへ行って、たぶんイェジーと一緒に暮すことになるだろうと語った。

「ニューヨークがシカゴのすぐ近くだといいわね」と、ザフィアがいった。

「そしたらぼくが市長になったとき会いにこられるよ」と、イェジーが大きく出た。

彼女はふんと鼻を鳴らした。「あんたは根っからのポーランド人じゃないの、イェジー。ヴワデクのように英語をじょうずに話すこともできないくせに」

「英語ならおぼえるさ」と、イェジーは自信たっぷりにいった。「まず手はじめに名前をアメリカ風に変えるんだ。今日からぼくはジョージ・ノヴァクだ。これなら少しも困らない。アメリカ合衆国の人たちはみなぼくをアメリカ人だと思うだろう。きみはどうする、ヴワデク・コスキェヴィチ？　その名前じゃ大したことはできないぞ」

ヴワデクは自分自身の名前に内心腹を立てながら、新しい名前を採用したばかりのイェジーをみつめた。自分が正当な継承者である貴族の称号を名乗ることができないために、彼はコスキェヴィチ姓と、依然として続いている私生児の記憶を憎んだ。

「なんとかするさ」と、彼はいった。「よかったらきみの英語の勉強を手伝ってやってもいいよ」

「お返しにきみが女の子を見つけるのを手伝ってやるよ」

ザフィアがくすくす笑った。「その必要はないわ。もう一人見つかったのよ」

イェジーは、今ではジョージと呼ぶことを要求していたが、夕食のあと毎晩のように別の女の子を誘って、防水布でおおわれた救命ボートの一隻《せき》にもぐりこんだ。ヴワデクは彼がそこでなにをしているのか知りたくてたまらなかった。もっともジョージが選んだ娘たちの何人かは、単に不潔なだけでなく——三等船客はみな例外なしに不潔だった——たとえ磨きをかけたとしても、明らかに美人とは思えなかった。

ある晩夕食のあとで、例によってジョージが姿を消し、ヴワデクとザフィアがデッキに腰をおろしているときに、彼女が抱きついて、キスをしてくれとせがんだ。彼は歯と歯がぶつかり合うまでがむしゃらに口を押しつけた。それから先はどうしていいか全然わからなかった。思いがけずザフィアの舌がヴワデクの唇をこじあけて、彼をうろたえさせた。不安の数秒間が過ぎると、彼女の開かれた唇の感触がひどく刺激的で、自分のペニスが固くなっているのに気がついてびっくりした。恥ずかしくなって体を引きはなそうとしたが、相手は全然いやがっていないようだった。それどころか逆に軽くリズミカルに体を押しつけてきて、彼の両手をお尻《しり》のほうに導きさえした。勃起《ぼっき》したペニスは彼女の体に押しつけられて脈うち、ほとんど耐えがたいほどの快感をおぼえた。彼女が口をはなして耳打ちした。

「わたしの服を脱がせたい、ヴワデク？」

返事をしようにも声がでなかった。

彼女は笑いながら体を引きはなした。「じゃ、たぶん明日の晩ね」といい残して立ちあがり、彼をデッキに残して立ち去った。

彼は夢見心地でベッドに戻った。明日こそはザフィアが始めた仕事の仕上げをしてやろうと決意していた。ベッドに入って明日の晩の手順を考えはじめたとたんに、大きな手が彼の髪の毛をつかんで、ベッドから床に引きずりおろした。性的な興奮状態は一瞬にして消えた。顔に見おぼえのない二人の男が彼を見おろして立っていた。彼らはヴワデクを部屋の奥に引きずって行き、壁に押しつけた。大きな手がヴワデクの口をふさぎ、喉《のど》にナイフの刃が触れた。

「声をたてるな」ナイフを持った男が、喉にナイフを押しつけながらいった。「欲しいのはお前が手首にはめている銀の腕輪だけだ」

宝物を奪われるかもしれないという突然の実感は、ヴワデクにとって片手を失うという考えに劣らず恐ろしい苦痛だった。どうしようかと考える間もなく、一人が腕輪を手首からぐいとはずした。相手の顔は暗くて見えず、これで腕輪とも永久にお別れかもしれないと思ったとき、だれかがナイフを持った男の背中に跳びかかった。この動きがヴワデクに、自分を押えつけている男に一発パンチをくらわせるチャンスを与えた。まわりではねぼけ眼《まなこ》の移民たちが目をさまして、目の前で起っていることに注意を向けはじめた。二人の男はあわてて逃げだそうとしたが、それより早くジョージが襲撃者の一人の脇腹《わきばら》をナイフで一突きした。

「くたばっちまえ」と、ヴワデクが逃げて行く男の背中に向って叫んだ。

「間一髪だったな」と、ジョージがいった。「あいつらすぐには戻ってこないだろう」

それから床の踏み荒されたおがくずのなかに落ちている銀の腕輪を見おろした。「これだけの貴重品を持っていたんじゃ、盗もうとするやつがあとを絶たないぜ」

ヴワデクは腕輪を拾いあげて手首にはめた。

「あやうくそいつを永久になくしてしまうところだったな」と、ジョージがいった。

「ぼくの帰りが今夜はちょっと遅くなって運がよかったよ」

「なぜ遅くなったんだ？」

「今じゃぼくの評判のほうが本人より先走っちゃってね」と、ジョージは自慢そうにいった。「ほんとをいうと、ぼくの救命ボートをばかな男が占領して、すでにズボンを下げていた。だけどすぐに追っ払ってやったよ、お前が今寝ようとしている女は、ぼくが先週寝るつもりだったけど、梅毒を持っているかもしれないんでやめにした女だといってね。あんなにあわててズボンを引きあげたやつは見たことがないね」

「ボートのなかでなにをするんだ？」

「決ってるじゃないか、あほう、女とやる以外になにをすることがあると思ってるんだ？」そういって彼はごろりと寝返りをうち、すぐに寝入った。

ヴワデクは天井をみつめ、銀の腕輪をいじりながら、ジョージのいったことをあれこれ思いめぐらし、ザフィアと「やる」のはどんな感じだろうかと考えた。

翌朝船は嵐に遭遇し、船客は全員デッキの下に足止めをくった。船のスチーム暖房のせいでいちだんと強烈になった悪臭が、ヴワデクの骨の髄までしみこむかに思えた。

「いちばん困るのは」と、ジョージが呻《うめ》いた。「これじゃ女の子をきっかり一ダースものにできないことだ」

嵐がおさまると、船客はほとんど全員デッキへ逃げだした。ヴワデクとジョージは船内通路の人ごみをかきわけながら、新鮮な空気に感謝した。多くの娘たちがジョージにほほえみかけたが、ヴワデクの存在は目に入らないようだった。五十ルーブルもする外套《がいとう》を着た自分に気がつかないはずはないのに、と彼は思った。風に当って頬が赤くなった黒髪の娘が、ジョージとすれちがうときに笑いかけた。彼はヴワデクのほうを向いた。

「今夜はあの子をものにしてみせる」

ヴワデクは彼女をみつめて、ジョージに向けられた彼女の視線を観察した。

「今夜だ」と、ジョージが彼女に聞えるようにいった。女の子は聞えなかったようなふりをし、少し足どりを速めて歩み去った。

「振りかえってみろ、ヴワデク、彼女はぼくのほうを見ているかい?」

ヴワデクは振りかえった。「ああ、見てるよ」と、彼は驚いて答えた。

「ぼくは今夜あの子をものにする。きみはもうザフィアをものにしたかい？」

「いや。ぼくも今夜ものにするよ」

「そろそろ汐時《しおどき》だな。ニューヨークへ着いたらもう二度とあの子には会えないぜ」

宣言どおりジョージはその夜、黒髪の娘と一緒に食堂に現われた。ヴワデクとザフィアは暗黙のうちに彼らと別れ、おたがいの腰に手をまわしながらデッキに出て、船内を数回歩きまわった。ヴワデクは横目で彼女の若々しく美しい横顔をうかがった。今を逃したら二度とチャンスはない、と彼は思った。暗いところへ彼女を連れて行ってキスをしはじめた。彼女も唇を開いて積極的に応じた。彼女が少しさがって舷墻《げんしょう》にもたれかかり、ヴワデクも一緒に移動した。彼女がヴワデクの両手をゆっくり胸に導いた。彼はおずおずと乳房に触れ、その柔らかな手ざわりに驚いた。彼女がブラウスのボタンをはずして、彼の片手を内側に滑りこませた。はじめて経験する素肌の感触がなんともいえず快かった。

「まあ、ひどく冷たい手」と、ザフィアがいった。

ヴワデクは彼女にぴったり体を押しつけた。口がからからに干《ひ》あがって、息苦しさをおぼえた。彼女が脚を少し拡げ、ヴワデクが二人のあいだに介在する何枚かの布地を通して不器用に腰を突きたてた。

「デッキじゃいやよ。ボートを捜しましょう」

最初にのぞいた三隻はすでにふさがっていたが、やがてあいている一隻を見つけて防水布の下にもぐりこんだ。真っ暗で狭苦しいボートのなかで、ザフィアがヴワデクにはわからないちょっとした細工を着ているものにほどこして、自分の体の上に彼をそっと引き寄せた。おたがいのあいだにわずかに残った布地を通して、ヴワデクをついさきほどの猛《たけ》りたった状態に連れ戻すのに、ほとんど時間はかからなかった。彼はザフィアの脚のあいだの、やわらかく迎えてくれる部分にペニスを押しつけ、早くも絶頂に登りつめようとしたとき、彼女がふたたび口をはなした。

「ズボンの前を開けるのよ」と、彼女が囁《ささや》いた。

おれはなんてばかなんだろうと思いながら、急いでズボンのボタンをはずし、ふたたび突きたてると、たちまちにして果てた。ねばねばしたものが彼女の太腿《ふともも》を流れ落ちるのがわかった。彼は行為の唐突さに驚きながら、放心のていで横たわっていた。ボートの底板が肘《ひじ》と膝《ひざ》に食いこんでひどく痛いことに、今はじめて気がついた。

「女と寝たのははじめてなの？」と、ザフィアは彼が早くどいてくれればいいと思いながら質問した。

「いや、もちろん違うさ」

「わたしを愛してる、ヴワデク?」

「愛してるとも。ニューヨークで落ちついたら、すぐにシカゴへきみを捜しに行くよ」

「うれしいわ、ヴワデク」彼女はブラウスのボタンをかけた。「わたしもあなたを愛してる」

「彼女とやったかい?」と、ヴワデクがベッドに戻るのを待ちかねたように、ジョージがきいた。

「ああ」

「よかったか?」

「うん」ヴワデクは自信がないままに答えて、眠りに落ちた。

翌朝目をさますと、船室内は今日が《ブラック・アロー号》の航海の最後の日であることを知って興奮する船客でいっぱいだった。なかには陸地が見えてくる瞬間を見逃すまいとして、夜明け前からデッキで頑張った者もいた。ヴワデクはわずかな持物を新しいスーツケースに詰め、一帳羅の背広を着て帽子をかぶり、デッキにいるザフィアとジョージに仲間入りした。三人は海上に垂れこめた霧のなかに目をこらしながら、アメリカ合衆国が姿を現わす瞬間を無言で待った。

「見えたぞ!」と、上のデッキでだれかが叫び、春の朝のなかを接近してくる細長い灰色のロング・アイランドが見えたとたんに、いっせいに拍手が湧《わ》きおこった。

小さなタグボートが《ブラック・アロー号》の船腹に接近し、ブルックリンとスターテン・アイランドのあいだを通ってニューヨーク港へと導いた。巨大な自由の女神像が、春の空に向って大きな長い腕を差しあげるように聳《そび》え立つマンハッタンのスカイラインに感嘆の目を向ける移民の群れを、きまじめな顔で見おろしていた。

やがて《ブラック・アロー号》は、エリス島の小塔や尖塔《せんとう》を持つれんが造りの建物の近くに繋留《けいりゅう》された。個室の船客が先に下船した。ヴワデクはこの日まで個室の船客の存在に気がついていなかった。彼らは別のデッキを占領し、別の食堂で食事をしていたのに違いなかった。彼らの荷物はポーターによって運ばれ、埠頭《ふとう》には微笑を浮べて彼らを出迎える人々の姿があった。ヴワデクは自分を迎えてくれる人などいないことを知っていた。

恵まれた少数の人々が下船したあと、船長が残りの船客に拡声器を通じて、みなさんはなお数時間船内にとどまることになると告げた。失望の声があがり、ザフィアはデッキに坐りこんで泣きだした。ヴワデクは懸命に彼女を慰めた。放送が終ると、一人の高級船員がやってきてコーヒーを配り、もう一人が各人の首に番号札をぶらさげた。ヴワデクの番号はB127だった。それはかつてヴワデクが単なる番号でしかなかったころを思いださせた。いったいいかなる運命に自分を追いこんでしまったのだろうか？　アメリカもまたロシアの収容所と同じなのだろうか？

午後のなかばに、食事も新たな情報も与えられないまま、彼らは船足の遅いはしけで埠頭からエリス島へ移動させられた。そこで男女別に分けられて、仮宿舎に入れられた。ヴワデクがザフィアにキスして、彼女をはなそうとしなかったので、行列の進行が滞った。近くにいた役人が二人を引きはなした。

「さあ、先へ進むんだ」と、役人がいった。「そんなに別れたくなかったらすぐに結婚させてやるから」

ヴワデクはジョージと一緒に前へ押されて、ザフィアの姿を見失った。その夜は湿気の多い老朽宿舎に泊ったが、通訳たちがぎゅうぎゅう詰めのベッドの列のあいだを歩きまわって、勝手のわからない移民たちに、事務的だが決して不親切ではない援助を申し出る声がうるさくて、なかなか寝つかれなかった。

翌朝彼らは身体検査に呼ばれた。最初の検査が最大の難関だった。ヴワデクは急な階段をのぼらされた。青い制服を着た係官が二度階段をのぼらせて、彼の足どりを注意深く観察した。ヴワデクはできるだけ足を引きずらないように努力し、ようやく医者を満足させた。つぎに顔、目、毛髪、手、首などを綿密に調べるために、帽子と固いカラーを取るよう命じられた。身体検査が終ると、ヴワデクはふたたびジョージと一緒になって、公共審査室の前の長い列に加わった。審査に要する時間は一人五分というところだった。三時間後にジョージが部屋のなかに呼ばれたとき、ヴワデクはいったいどんなことを質問されるのだろうかと気になりだした。

ジョージが出てくると、にやりと笑ってヴワデクにいった。「やさしかったよ。合格間違いなしだ」ヴワデクは掌《てのひら》が汗ばむのを感じながら前に進みでた。

係官に導かれて、小さな、飾り気のない部屋に入った。二人の審査官が坐《すわ》って、公式書類と思われるものに猛烈な勢いでペンを走らせていた。

「英語は話せるかね？」と、一方が質問した。

「はい。ちゃんと話せます」ヴワデクは船上でもっと英語を話す練習をしておけばよかったと後悔しながら答えた。

「名前は？」

「ヴワデク・コスキェヴィチです」

二人の審査官は大きな黒い本を彼に渡した。「これがなんだかわかるかね？」

「はい。聖書です」

「神を信じているかね？」

「はい。信じています」

「聖書に手を置いて、われわれの質問に正直に答えると誓いなさい」

ヴワデクは左手で聖書を持ち、その上に右手を置いていった。「真実を述べることを誓います」

「国籍は？」

「ポーランド人です」

「きみの渡航費を出してくれたのはだれかね？」

「コンスタンチノープルのポーランド領事館で働いてためた自分の金で払いました」

審査官の一人がヴワデクの書類を見てうなずき、それから質問した。「住むところはあるのかね？」

「はい。ピーター・ノヴァクさんの家です。この人はぼくの友達のおじさんで、ニューヨークに住んでいます」

「よろしい。では、仕事の当ては？」

「あります。ノヴァクさんのパン屋で働くことになっています」

「逮捕歴は？」

ロシアのことがちらとヴワデクの心に浮んだ。これは問題にならないだろう。それからトルコ——これは持ちださないことにした。

「いえ、ありません」

「きみはアナーキストかね？」

「違います。共産主義者を憎んでいます。やつらに姉を殺されましたから」

「アメリカ合衆国の法律を守れるかね？」

「はい」

「金を持っているかね？」

「持っています」

「見せてもらおうか」

「どうぞ」ヴワデクは紙幣の束と小銭をテーブルの上に置いた。

「ありがとう。もうしまっていいよ」

もう一人の審査官が彼を見た。「二十一足す二十四はいくつかね？」

「四十五です」と、ヴワデクは即座に答えた。

「牛の足は何本あるかね？」

ヴワデクはおのれの耳が信じられなかった。「四本です」と、ひょっとするとこの質問はトリックではないだろうかと思いながら答えた。

「では馬の足は？」

「四本です」彼は依然として半信半疑で答えた。

「小舟で海上を漂流しているときに、重さを減らす必要があるとしたら、金とパンのどちらを海に捨てるかね？」

「金です」

「よろしい」審査官は「合格」と書かれたカードを取りあげてヴワデクに渡した。「所持金の両替がすんだら、このカードを入国管理官に提示したまえ。姓名を名乗れば登録カードをくれる。そのあとで入国許可証が与えられる。向う五年間犯罪を犯さず、簡単な読み書きテストに合格すれば、合衆国市民権を申請する資格ができる。では幸運を祈るぞ、ヴワデク」

「ありがとうございます」

両替カウンターで、ヴワデクはトルコで十八か月働いてためた金と五十ルーブル紙幣三枚を差しだした。トルコ通貨とひきかえに四十七ドル二十セント受け取ったが、ルーブルは無価値だと告げられた。デュビアン医師の十五年間にわたる苦心の倹約を思って感無量だった。

最後の関門は入国管理官で、彼はハーディング大統領の写真の真下にある検問所のカウンターに坐っていた。ヴワデクとジョージは入国管理官のほうに近づいて行った。

「姓名は？」と、彼がジョージにきいた。

「ジョージ・ノヴァクです」と、イェジーは力強く答えた。管理官はその名前をカードに書いた。

「住所は？」

「ニューヨーク州、ニューヨーク、ブルーム・ストリート二百八十六番地です」

管理官はジョージにカードを渡した。「これがきみの入国許可証だ、２１８７１－ジョージ・ノヴァク。アメリカ合衆国へようこそ。わたしもポーランド人だ。きっとこの国が気に入るよ。おめでとう、そして幸運を祈る」

ジョージはにっこり笑って管理官と握手をかわし、横に立ってヴワデクの番を待った。管理官は長い熊皮《くまがわ》の外套を着たヴワデクをみつめた。ヴワデクが「合格」と書かれたカードを提示した。

「姓名は？」

ヴワデクはためらった。

「きみの名前は?」相手はやや苛立《いらだ》って、英語が話せないのだろうかと思いながら、少し大きな声で繰りかえした。

ヴワデクは声が出なかった。自分の農民風の名前がいやでたまらなかった。

「もう一度だけきく、きみの名前は?」

ジョージはヴワデクの顔を凝視した。入国管理官の前に行列を作ったほかの移民たちもじっと成行きを見守った。ヴワデクは依然として口がきけなかった。突然管理官が彼の手首をつかんで、銀の腕輪に彫られた文字を読み取ってから、カードに記入してヴワデクに渡した。

「2187 2-アベル・ロスノフスキ男爵《だんしゃく》。合衆国へようこそ。おめでとう、アベル、幸運を祈るよ」

12

ウィリアムはセント・ポールズの最終学年が始まる一九二三年九月に学校に戻り、父親が同じ役目についてからちょうど三十年後に、最高学年の生徒会長に選ばれた。

ウィリアムはありふれた形で、つまり最も優秀なスポーツマンであるとか、学校一の人気者であるといった理由で選挙に勝ったのではなかった。そういった基準での競争なら、疑いもなく彼の親友であるマシュー・レスターのほうに分があっただろう。要するにウィリアムが勝ったのは学校じゅうでいちばん印象の強い生徒だったからであり、その点ではマシュー・レスターが彼に対抗して立候補しても勝目はなかった。セント・ポールズはウィリアムの名前をハーヴァードのハミルトン記念数学奨学金の候補として申請し、彼は秋の学期のあいだその目標めざして一路邁進《まいしん》した。

クリスマス休暇でビーコン・ヒルに帰ったときも、『数学原理』を理解するための勉強だけは中断せずに続けるつもりだった。しかしいくつかのパーティや舞踏会への招待が彼の到着を待っていたので、予定どおりにはいかなかった。招待状の大部分には口実をもうけて断わり状を出すこともできたが、一つだけ絶対に断われない催しがあった。二人の祖母がルイスバーグ・スクエアのレッド・ハウスで舞踏会を開くことを計画していたのである。ウィリアムは何歳になったらこの二人の老婦人が自宅に侵入するのを防げるだろうかと考えたが、結局今はまだその時期ではないと判断した。ボストンには彼の友人がほとんどいなかったが、そのことも祖母たちがおびただしい数の招待リストを作成する妨げにはならなかった。

この催しを記念して、祖母たちはウィリアムにとってははじめての最新流行のダブルのディナー・ジャケットをプレゼントした。彼は無関心を装《よそお》ってこの贈物を受け取ったが、あとで自分の寝室に戻るとさっそく試着して部屋のなかを歩きまわり、何度も立ちどまっては鏡をのぞいた。翌日ニューヨークへ長距離電話をかけて、マシュー・レスターを記念すべき週末に招待した。マシューの妹も一緒にきたがったが、母親が許可しなかった。

ウィリアムは駅まで親友を出迎えた。

「ところで」と、ビーコン・ヒルへ向う運転手つきの車のなかでマシューがいった。「きみもそろそろ女を知ってもいいころじゃないのか、ウィリアム？　ボストンにも選り好みをしない女はきっといるだろう」

「そういうきみはもう女を知っているのか、マシュー？」

「ああ、去年の冬、ニューヨークでね」

「そのころぼくはなにをしてた？」

「たぶんバートランド・ラッセルでも読んでいたんだろう」

「ぼくには話してくれなかったじゃないか」

「話すほどのことじゃないからさ。どっちにしろきみはぼくの始まったばかりの愛情生活よりも、うちのおやじの銀行のほうに関心がありそうだった。あれはおやじがワシントンの誕生日を祝うために開いた行員パーティでの出来事だった。今になって考えてみれば、ぼくは銀行のある部長の秘書で、シンシアという名前の大女に強姦《ごうかん》されたようなもんだ。しかも彼女のおっぱいときたら、途方もなくでっかくて、そいつがゆらゆら……」

「よかったかい？」

「うん、だけどシンシアのほうはよかったとは思えないな。なにしろぼくがいることさえわからないくらい酔っていたから。しかしだれだっていつかは始めなきゃならないことだし、彼女は頭取の息子に喜んで手を貸してくれたってわけさ」

アラン・ロイドのとりすました中年の秘書の顔がウィリアムの心をよぎった。

「ぼくの場合、頭取の秘書に筆おろしをしてもらう見込みはあまりなさそうだな」と、ウィリアムが呟《つぶや》いた。

「意外なことに」と、マシューがわけ知り顔でいった。「脚をぴったり閉じている女にかぎって、しばしばそれを開くのが待ちきれないんだ。ぼくは今じゃ公式非公式を問わず、たいていの招待に応じることにしているよ、あれをするときは正装だろうが略装だろうがあまり関係ないからね」

運転手がガレージに車を入れるあいだに、二人の若者は階段を駆けあがってウィリアムの家に入った。

「ぼくがこの前きたときからこの家もずいぶん変ったな」と、マシューがモダンな籐《とう》家具と新しいペイズリー模様の壁紙を眺めながらいった。深紅色のレザー・チェアだけは前と同じ場所にどっかりと腰を据えていた。

「少し明るい感じにする必要があったんだよ」と、ウィリアムが答えた。「以前はまるで石器時代の暮しだったからね。それに、いろいろ思いだされるのがいやで……ようそう、室内装飾の話をしているときじゃない」

「パーティの客は何時に到着するんだい？」

「舞踏会だよ、マシュー。祖母たちは今夜の催しを舞踏会《ボール》と呼ぶことにこだわっているんだ」

「こういうときにいいことと呼べるのはたった一つだけだよ」

「おいマシュー、部長秘書一人をものにしたからって、性教育の国家的権威でございといった大きな顔をするなよ」

「やれやれ、無二の親友からこんなに妬《ねた》まれるとはな」マシューはふざけて溜息《ためいき》をついた。

ウィリアムは笑いながら時計を見た。「最初の客が到着するのは二時間後だ。そろそろシャワーを浴びて着がえるとするか。ディナー・ジャケットを忘れずに持ってきたかい？」

「ああ。でも、忘れてきたとしてもパジャマならあるよ。たいていどっちかを忘れるけど、両方忘れたことはまだ一度もないからね。ぼくがパジャマを着て舞踏会に出席したら、それが大流行するかもしれないぜ」

「祖母たちはそういう冗談を喜ばないだろうな」と、ウィリアムがいった。

総勢二十三名の宴会係が六時に到着し、祖母たちは床に裾《すそ》を引く黒レースの長いドレスで正装して七時に到着した。ウィリアムとマシューは八時数分前に客間で彼女たちと顔を合わせた。

ウィリアムがみごとなアイス・ケーキの上からおいしそうな赤いサクランボをつまもうとしたとき、うしろからケイン家の祖母の声が聞えた。

「食べ物に手を触れてはいけませんよ、ウィリアム。それはあなたのじゃないんですから」

彼はさっと振りかえった。「じゃ、だれのなんです？」といいながら、彼女の頬にキスをした。

「生意気をいってはいけませんよ、ウィリアム。身長が六フィートを越したって、わたしは遠慮なくお尻《しり》をぶちますからね」

マシュー・レスターが声をたてて笑った。

「おばあさま、親友のマシュー・レスターを紹介します」

ケイン家の祖母は鼻眼鏡を通してマシューをじっくり値踏みしてからいった。「ごきげんいかが？」

「お会いできて光栄です、ケイン夫人。ぼくの祖父をご存じでしょう」

「あなたのおじいさまを？　ケイレブ・ロングワース・レスターを？　彼はわたしに結婚を申しこんだことがありましたよ、五十年以上も昔の話ですけどね。でもお断わりしましたよ。あなたはお酒を飲みすぎるから、若くしてお墓に入ることになるでしょうといってやりました。そのとおりになりましたわ。だからあなた方もお酒を飲んではいけません。アルコールは脳の働きを鈍らせますからね」

「飲みたくても禁酒法のおかげでほとんどチャンスがありませんよ」と、マシューが無邪気に答えた。

「残念なことに禁酒法はもうすぐ廃止になるでしょう」ケイン家の祖母はふんと鼻を鳴らした。「クーリッジ大統領は自分の育ちを忘れかけています。あれはあの愚かなハーディングが急死しなかったら、とうてい大統領になどなれなかった人物ですよ」

ウィリアムが笑いだした。「あなたの記憶もかなりご都合主義ですね、おばあさま。警察ストライキのあいだは彼の悪口に耳をかさなかったじゃありませんか」

ケイン夫人はその指摘を黙殺した。

招待客が到着しはじめたが、その大部分はウィリアムの全然知らない顔だったので、早目に到着した客のなかにアラン・ロイドの顔を見いだしてほっとした。

「元気そうじゃないか、ウィリアム」と、彼は生れてはじめてウィリアムを下から見あげながらいった。

「あなたもですよ、アラン。ご親切に、よくきてくれました」

「親切？　招待状がきみのおばあさんたちからきたことを忘れたのかね？　一人だけならわたしも思いきって断われたかもしれんが、二人から招待されたんじゃ……」

「あなたもですか、アラン？」ウィリアムは笑いだした。「ちょっと二人きりで話したいんですが」彼は静かな一隅へアラン・ロイドを引っぱって行った。「ぼくは投資計画を少し変更して、レスター銀行の株が市場に出たら買いたいんです。二十一歳までにレスター株の約五パーセントを保有したいと思っています」

「それは容易じゃないね」と、アランがいった。「レスター株はすべて個人株主が握っているので、めったに市場には出まわらないが、なんとか努力してみるよ。いったいなにを考えているのかね、ウィリアム？」

「実は、ぼくの究極の目的は……」

「ウィリアム」キャボット家の祖母が急ぎ足で彼らのほうに近づいてきた。「こんなところでロイドさんと密談などして、まだどのお嬢さんとも踊っていないじゃありませんか。いったいわたしたちがなんのためにこの舞踏会を開いたと思っているんです？」

「まったくですよ」と、アラン・ロイドが相槌《あいづち》を打って立ちあがった。「あなたはわたしと一緒にきてお坐《すわ》りなさい、キャボット夫人。わたしがウィリアムを世間に蹴《け》りだしてやりますから。われわれは休んで、彼が踊るのを見て、音楽でも聞きましょう」

「音楽ですって？　あんなものは音楽じゃありませんよ、アラン。メロディらしきもののかけらもない耳ざわりな不協和音にすぎません」

「おばあさま」と、ウィリアムがいった。「あれは最新のヒット曲、『イエス・ウイ・ハヴ・ノー・バナーナズ』ですよ」

「だとしたらわたしもそろそろこの世にお別れするときがきたようね」と、キャボット家の祖母が肩をすくめながらいった。

「そんなことはありませんよ」と、アラン・ロイドが優しく慰めた。

ウィリアムはかすかに見おぼえのある二人の娘と踊ったが、名前は聞くまで思いださず、片隅に坐っているマシューの姿を見つけたときは、ダンス・フロアから逃げだす口実ができてほっとした。すぐそばに近づくまでマシューの隣りに坐っている若い娘の存在に気がつかなかった。彼女がウィリアムの目を見たとたんに、彼の膝《ひざ》からすうっと力が抜けた。

「アビー・ブラントを知ってるかい？」と、マシューがさりげなくきいた。

「いや」と、ウィリアムが答えた。ネクタイの曲りをなおしたい衝動をかろうじてこらえた。

「こちらがホストのウィリアム・ローウェル・ケイン君です」

若い娘はウィリアムがマシューと反対側の隣りに腰をおろすと、しとやかに目を伏せた。マシューはウィリアムがアビーを見たときの目つきに気がついていたので、気をきかしてポンチを取りに立った。

「生れたときからずっとボストンに住んでいながら、どうして今まできみと会うチャンスがなかったのかな？」と、ウィリアムが話しかけた。

「前に一度会ってるわ。そのときあなたはわたしをボストン・コモンの池に突き落したのよ。おたがいに三歳のときの出来事だけど、わたしはそのショックから立ちなおるのに十四年かかったのよ」

「それはすまなかった」と、ウィリアムは少し間をおいていった。もっと気のきいた台詞《せりふ》を捜したのだが、すぐには思いつかなかったのである。

「とてもすてきなお家《うち》ね、ウィリアム」

ふたたび気のきいた言葉を捜すあいだ会話がとぎれた。「ありがとう」と、ウィリアムはさえない返事をした。アビーを見ていないようなふりをしながら、横目でちらちら観察した。彼女はほっそりした体つきで——ああ、なんて華奢《きゃしゃ》なんだろう——大きな茶色の目と、長い睫《まつげ》と、ウィリアムの心を捕えてはなさない横顔を持っていた。アビーはとび色の髪を、今の今までウィリアムが嫌いだった短髪にしていた。

「マシューから聞いたけど、あなたは来年ハーヴァードへ行くんですってね」

「うん、そのつもりだけど。どう、踊らない？」

「いいわ」

数分前まではいともも軽やかだったステップが、今は彼を見捨ててしまったようだった。アビーの爪先《つまさき》を踏んづけ、ひっきりなしに彼女をほかの踊り手たちと衝突させた。

詫《わ》びをいうと、彼女は微笑を浮べた。彼はアビーを抱く手に少し力をこめて踊り続けた。

「一時間前からウィリアムを独占しているお嬢さんをご存じ?」と、キャボット家の祖母が疑い深い口調できいた。

ケイン家の祖母は鼻眼鏡を取りあげて、ウィリアムと一緒に、開かれた張出し窓から芝生へ出て行く娘を眺めた。

「アビー・ブラントよ」と、ケイン家の祖母が断言した。

「ブラント提督の娘の?」

「そうよ」

キャボット家の祖母は大いに満足してうなずいた。

ウィリアムはアビー・ブラントを庭のはずれまで連れて行って、それまでは木登りにしか利用したことがない大きな栗《くり》の木の下で立ちどまった。

「あなたはいつでもはじめて会った女の子にキスしようとするの?」と、アビーがきいた。

「正直にいうと、女の子にキスしたことはまだ一度もないんだ」

アビーが笑った。「だったらうれしいわ」

彼女はまず桜色の頰を差しだし、つぎにばら色のすぼめた唇を与えてから、家のなかに戻ろうといいはった。二人の祖母は彼らの予想外に早い帰りをいささかほっとしながら見守った。

その夜、ウィリアムの寝室で、二人の若者は舞踏会のことを話し合った。

「悪くないパーティだった」と、マシューがいった。「きみに女の子を横取りされたけど、まあニューヨークからはるばるこんな田舎まででかけてきただけのことはあったよ」

「彼女はぼくが童貞を捨てるのを手助けしてくれると思うかい？」と、ウィリアムはマシューの冗談まじりの非難を無視して質問した。

「そうだな、その答えが出るまでまだ三週間あるが、彼女自身もまだ処女じゃないかな。ぼくはこの方面のエキスパートだから、たとえウィリアム・ローウェル・ケインの魅力をもってしても彼女を陥落させられないほうに五ドル賭《か》けてもいいよ」

ウィリアムは慎重に作戦を立てた。童貞を捨てることと、マシューに賭《かけ》で五ドル取られることはまったくの別問題だった。彼は十七歳で自分の家と車を持っていることの利点をはじめて利用して、それからほとんど一日も欠かさずにアビー・ブラントと会った。いつもつかずはなれずで見張っているように思われるアビーの両親の、目立たないけれどもしつこい付添いをわずらわしいと思うようになった。休暇の最後の日が明けたときも、彼は目立って目標に近づいてはいなかった。

　ウィリアムはなにがなんでも五ドルの賭に勝つつもりで、その日の朝アビーに一ダースのバラを送り届け、夜はジョゼフの店へ彼女を誘って豪華な夕食をとり、やっと自宅の客間へ誘いこむことに成功した。

「禁酒法の最中だというのに、どうやってウィスキーを手に入れたの？」と、アビーがたずねた。

「なあに、それほど難かしいことじゃないさ」と、ウィリアムは得意そうに答えた。真相はヘンリー・オズボーンが出て行った直後に、彼のバーボンを一本寝室に隠しておいたのだが、最初の予定を変更してそれを下水に流さずにとっておいたのが、今になって役に立ったのだった。

　ウィリアムは二つのグラスにウィスキーを注いだ。彼自身はそれを一口飲んで苦しそうに喘《あえ》ぎ、アビーは涙を流した。

　ウィリアムは彼女と並んで腰をおろし、自信満々で彼女の肩を抱いた。アビーは逆らわなかった。

「アビー、きみはすごくきれいだよ」と、手はじめにとび色の巻毛に囁《ささや》いた。
彼女は茶色の目を大きく見開いて、熱っぽいまなざしで彼をみつめた。「ウィリアム、あなたもすてきよ」

彼女の人形のような顔の魅力は抗しがたかった。彼女はキスを受け入れた。それですっかり大胆になったウィリアムは、片手を彼女の手首から胸に移動させ、前進する自動車の流れを止める交通巡査のように、その手を胸に当てたままにしておいた。彼女は顔を赤くして怒り、車の流れを前進させるために、彼の腕を下に押しのけた。

「いけないわ、ウィリアム」

「どうして?」ウィリアムはふたたび彼女をつかまえようとして無益な努力をしながらいった。

「どこが限界かわからなくなってしまうからよ」

「限界はちゃんと知ってるさ」

彼がふたたび攻撃を仕掛ける前に、アビーは彼を押しのけて、ドレスの皺《しわ》をのばしながら急いで立ちあがった。

「もう帰らなくちゃ」

「今着いたばかりじゃないか」

「母はわたしがなにをしていたか問いつめるわ」

「なにもしなかったと答えればいいじゃないか」

「わたしはなにもしないのがいちばんいいと思うの」

「でも、ぼくは明日帰っちゃうんだよ」彼は「学校へ」という言葉をわざと避けた。

「そんなら手紙を書いてよ、ウィリアム」

ヴァレンティノと違って、ウィリアムは敗北を自覚した。立ちあがってネクタイをなおし、アビーの手を取って家まで車で送った。

翌朝学校で、マシュー・レスターはふざけてさも驚いたふりをしながら眉《まゆ》を吊《つ》りあげて、差しだされた五ドル札を受け取った。

「いいかマシュー、なにか一言でもいってみろ、野球のバットを持ってセント・ポールズのまわりをぐるぐる追っかけまわしてやる」

「心から同情するけど、言葉もないね」

「おいマシュー、セント・ポールズのまわりを逃げまわりたいのか」

ウィリアムはセント・ポールズにおける最後の二学期のあいだに、舎監夫人の存在を意識するようになった。彼女は美人で、お腹《なか》とお尻のあたりは少々たるんでいるかもしれないが、胸は豊かに盛りあがり、頭の上に結いあげたみごとな黒髪にわずかに混じった白髪もほどよく似合った。ある土曜日、ウィリアムがホッケー・リンクで手首を挫《くじ》いたとき、ラグラン夫人は必要以上に体を近づけて、ウィリアムの腕が自分の胸に触れるように仕向けながら、痛めた個所を湿布してくれた。彼はその感触を楽しんだ。また、彼が熱を出して数日間医務室で寝たときは、三度三度の食事を運んできてベッドに腰かけ、薄い掛物を通して彼の脚に体を密着させた。そのときも彼は触れあいを楽しんだ。

彼女は気難《グ》か《ラ》し《ン》屋《ピー》ラグランの二度目の奥さんだという噂《うわさ》だった。寄宿舎の生徒たちには、グランピーがたとえ一人でも奥さんを見つけられたのが不思議だった。ラグラン夫人はときおりかすかな溜息《ためいき》や沈黙によって、彼女もまた生徒たちと同じように、グランピーの妻であることに信じがたい思いを抱いていることを示した。

ウィリアムは寮生長の任務の一つとして、毎晩十時三十分の消燈《しょうとう》時間に見まわりをすませ、就寝直前にグランピーのところへ報告に行くきまりになっていた。ある月曜日の夜、いつものようにグランピーの部屋のドアをノックすると、思いがけずどうぞというラグラン夫人の声が聞えてきた。彼女はどことなく日本風な感じのする、ゆったりした絹の部屋着をまとって、長椅子《いす》に横たわっていた。

ウィリアムは冷たいドアの把手《とって》を固く握りしめたままだった。「消燈を確認して玄関の戸締りをすませました、ミセス・ラグラン。ではおやすみなさい」

彼女は脚を床におろした。絹の部屋着の下から白い太腿《ふともも》がちらりとのぞいた。

「あなたはいつも急いでいるわね、ウィリアム。自分の人生が始まるのを待ちきれないんでしょう」彼女はサイド・テーブルに近づいた。「ひと休みしてホット・チョコレートでも飲んでらっしゃい。わたし、うっかり二人分作ってしまったの。主人が土曜日まで帰らないことをすっかり忘れていたわ」

ことさら「土曜日」という言葉を強調するのがはっきりわかった。彼女は湯気のたつカップをウィリアムのほうへ運んできて、その言葉の意味するところがのみこめたかどうかかと、彼の顔色をうかがった。彼女は満足してカップを手渡し、意識的に手と手を触れ合せた。彼はやたらにホット・チョコレートをかきまわした。

「ジェラルドは会議ででかけたのよ」と、彼女は説明を続けた。ウィリアムがグランピーのファースト・ネームを聞いたのはこの日がはじめてだった。「ドアを閉めて、ウィリアム。それからこっちへきてお掛けなさいよ」

ウィリアムは躊躇《ちゅうちょ》した。いわれるままにドアを閉めたが、グランピーの椅子に坐るのも、ラグラン夫人の隣りに坐るのも気がとがめた。結局グランピーの椅子に坐るほうがまだしも罪が軽いと考えて、そっちへ行った。

「遠慮はいらないのよ」と、彼女は自分の隣りの席をぽんと叩《たた》いた。

ウィリアムはゆっくり長椅子に近寄って、なにかいい考えはないかとカップのなかをのぞきこみながら、彼女の隣りに落ちつきなく腰をおろした。名案は見つからなかったので、カップの中身を飲みこみ、舌をやけどした。ラグラン夫人が立ちあがるのを見てほっとした。彼女はウィリアムが蚊の鳴くような声で辞退するのを無視して、チョコレートのおかわりをカップに注ぎ、それから無言で部屋を横切って蓄音機《ヴィクトローラ》のぜんまいを巻き、レコード盤に針をおろした。

「そっと優しくしてあげる」という歌いだしの文句が聞えた。あいかわらず床をみつめているうちに彼女が戻ってきた。

「まさかレディを一人で踊らせるつもりじゃないでしょうね、ウィリアム?」

彼は顔をあげた。ラグラン夫人は音楽に合わせてかすかに体を動かしていた。「たしかな恋が芽ばえる」と、ルディ・ヴァレーが甘い声で歌った。ウィリアムは立ちあがって、片手を行儀よくラグラン夫人の背にまわした。グランピーがいれば難なく二人のあいだに割りこめるほどの距離があった。音楽が数小節先へ進んだところで、彼女はウィリアムに体を近づけた。彼は相手の左手が肩から腰のほうへ滑り落ちたことに気がつかないふりをして、彼女の右肩ごしにじっと前方をみつめていた。レコードが鳴りやんだので、ウィリアムはこれでホット・チョコレートの安全地帯へ逃げこめると思ったが、敵はその隙《すき》を与えず、レコードを裏返すとすぐに彼の腕のなかに戻ってきた。

「ミセス・ラグラン、ぼくはそろそろ……」

「気を楽にして、ウィリアム」

ついに彼は勇気をふるいおこして彼女の目をのぞきこんだ。答えようとしたが声がでなかった。彼女の手が彼の背中の探検を開始し、太腿が股《また》のところにそっと押しつけられた。彼は相手の腰にまわした手に力をこめた。

「それでいいのよ」

彼らは体をぴったり密着させながら、音楽に合わせてゆっくり部屋のなかを回った。彼女が体をはなして明りを消しに行ったとき、ウィリアムは早く戻ってきてくれればよいのにと思った。暗いところに立って、身じろぎもせず、衣《きぬ》ずれの音を聞いていた。目に見えるのは、着ているものを脱ぎ捨てる彼女のシルエットだけだった。

彼女がウィリアムを手伝って服を脱がせ、長椅子のほうへ導くころには、歌手が歌い終り、レコード針がかりかりと雑音をたてていた。彼は暗闇《くらやみ》のなかで彼女の体を手探りした。おどおどした新米の指が、想像していたのとはまるで違う手ざわりを持った女体のいくつかの部分に出会った。あわてて指を引っこめて、比較的馴染《なじ》みのある乳房へと移動させた。彼女の指はそのような抑制を示さず、彼は夢想だにしなかった甘美な感覚をおぼえはじめた。呻《うめ》き声をたてそうになったが、愚かしく聞えるのではないかと不安になって我慢した。彼女の両手が背中にまわり、そっと自分の上に引き寄せた。

ウィリアムはまったくの未経験を見抜かれることなく、彼女のなかに入りこむにはどうすればよいかと思案しながら、もそもそ動きまわった。それは予想以上に難かしく、時間がたつにつれて焦《あせ》りが生じた。やがて、ふたたび彼女の指が下腹部にのびて、巧みに誘導した。ウィリアムは彼女に助けられて易々《やすやす》と挿入《そうにゅう》し、たちまち絶頂に達した。

「どうもすみません」と、ウィリアムはつぎにどうすればよいかわからずにいった。

そのまましばらく彼女の上に横たわっていると、やがて彼女がいった。

「あしたはもっと上手にやれるわ」

レコード針のかりかりという音が耳に戻ってきた。

長い長い火曜日は、ラグラン夫人が終日ウィリアムの心を占め続けた。その夜、彼女は吐息を洩《も》らした。水曜日、彼女は喘《あえ》いだ。木曜日、彼女は呻いた。そして金曜日、彼女は歓喜の叫びを発した。

土曜日にグランピーが会議を終えて戻ってきたが、それまでにウィリアムの教育は完了していた。

復活祭の休暇のあいだ、正確にはキリスト昇天祭の日に、アビー・ブラントがついにウィリアムの魅力に屈した。その結果マシューは五ドルを失い、アビーは処女を失った。ラグラン夫人のあとでは、彼女はいささか期待はずれだった。休暇中のめぼしい出来事といえばそれだけだった。アビーは両親と一緒にパーム・ビーチへ発《た》ち、ウィリアムはだいたい家に閉じこもって本を読んでいただけで、二人の祖母とアラン・ロイドのほかにはだれとも顔を合わせなかったからである。最終試験は数週間後に迫っていたし、グランピーはそれ以後会議にでかけなかったので、ウィリアムは勉強以外になにもすることがなかった。

最終学期のあいだ、彼とマシューはセント・ポールズの学習室に何時間もぶっとおしで坐《すわ》り続け、マシューには解けない数学の問題にぶつかったとき以外は、おたがいに口もきかなかった。ついに待ちに待った試験がやってきて、苛酷《かこく》な一週間を通しておこなわれた。二人とも試験が終った直後は自信満々だったが、何日かたって発表を待つうちにその自信が揺らぎはじめた。ハーヴァードのハミルトン記念数学奨学金は、学力競争以外の要素が入りこむ余地はなく、アメリカじゅうのすべての生徒に門戸が開かれていた。ウィリアムは競争相手の実力がどの程度のものか見当もつかなかった。さらに時間がたったが依然としてなんの連絡もなかったので、ウィリアムは最悪の事態を想定するようになった。

電報が届いたとき、彼はほかの最終学年生数人と野球をしながら、卒業を目前に控えた学期の最後の日々を過していたところだった。これらの暖かい夏の日々、生徒たちが酒を飲んで酔っぱらったり、窓ガラスを割ったり、舎監の妻か、でなければ娘のベッドに侵入しようとしたりして、放校処分になるという事件がしばしば起きた。

ウィリアムはこれから生れてはじめてホームランを打って見せると、大きな声で宣言していた。セント・ポールズのベーブ・ルース、とマシューが冷やかした。この誇大な肩書にどっと笑い声が湧《わ》いた。彼に電報が手渡されたとたんに、ホームランのことは忘れられた。彼はバットを投げだして小さな黄色い封筒をあけた。ゆっくり電文を読むあいだ、ボールを手に持った投手と外野手たちはしびれを切らしながら待っていた。

「プロ入りを勧誘されたんだろう」と、一塁手が叫んだ。野球試合の最中に電報が配達されるのは珍しいことだった。マシューが外野からウィリアムのそばに駆け寄って、親友の顔色からよいニュースか悪いニュースかを見抜こうとした。ウィリアムは表情ひとつ変えずに電報をマシューに手渡した。マシューはそれを読むなり狂喜して空中高くジャンプし、電報をグラウンドに投げだしてから、実際にバットでボールを打つことなく達成された史上初のホームランでベースを一周するウィリアムのあとを追った。投手は二人の行動を見守っていたが、やがて電報を拾って内容を読むと、スタンドに向って力いっぱいボールを投げこんだ。それから小さな黄色い紙片はグラウンドのプレイヤー全員に回覧された。最後にこの電報を読んだのは、これだけの浮かれ騒ぎの原因をもたらしながら感謝の言葉ひとつかけてもらえず、せめてこの騒ぎの原因ぐらいは知る権利があると考えた二年生だった。

電報の宛名《あてな》は、この二年生が打者としては非力だと見ていたウィリアム・ローウェル・ケイン様となっていた。「ハーヴァード大学ハミルトン記念数学奨学金の獲得おめでとう。詳細は追って通知する。学長、アボット・ローレンス・ローウェル」ウィリアムはホーム・プレートに辿《たど》りつく前に数人の野手の下敷きになって、ついにホームインすることができなかった。

マシューは親友の成功を喜びの目で見守ったが、反面これでウィリアムと別れ別れになるかもしれないと思うと悲しかった。ウィリアムもそのことを感じていたが、一言も口には出さなかった。マシューもまたハーヴァードへの入学を許可されたことを知るまでに、彼らはさらに九日間待たねばならなかった。

やがてもう一通の電報が届いた。それはチャールズ・レスターからで、息子の合格を祝い、二人をニューヨークのプラザ・ホテルに招待するという内容だった。二人の祖母たちもウィリアムにお祝いの言葉を伝えてきたが、ケイン家の祖母がやや無愛想にアラン・ロイドに語ったところによれば、「あの子は期待に応《こた》えたが、父親を追い越すほどのことをやってのけたわけではない」のだった。

二人の若者は指定された日に得意満面で五番街を闊歩《かっぽ》した。道行く女たちの視線はこのハンサムな二人連れに惹《ひ》きつけられたが、彼らは気がつかないふりをして通り過ぎた。三時五十九分にストロー・ハットを脱いでプラザの正面ドアから入り、気おくれしたようすもなくラウンジを通り抜けて、パーム・コートで彼らを待っている家族の姿を捜した。そこにはケイン家とキャボット家の祖母たちが、もう一人の老婦人をあいだにはさんで、心地よさそうな椅子に背筋をぴんとのばして坐っていた。ウィリアムはその老婦人がケイン家の祖母に相当するレスター家の祖母なのだろうと想像した。それにチャールズ・レスター夫妻、娘のスーザン、アラン・ロイドといったところがこの日の出席者の顔ぶれで、あとはウィリアムとマシューのために空席が二つ残っているだけだった。

ケイン家の祖母が尊大に目顔で合図をして、いちばん近くにいた給仕を呼び寄せた。

「新しいティー・ポットとケーキをもう少しお願いね」

給仕は調理場へ急いだ。「新しいティー・ポットとケーキを二十三番テーブルへ」と、彼は調理場の騒音に負けない声を張りあげた。

「了解」と、湯気でかすんだ奥のほうから声が返ってきた。

「ティー・ポットとケーキをお持ちしました、マダム」と、給仕がテーブルに戻ってきていった。

「きみのお父さんが生きていれば、今日はきみをさぞ誇りに思ったことだろうな、ウィリアム」と、年上のほうの紳士が背の高いほうの若者にいった。

給仕は、いったいこのハンサムな若者は、このようなほめ言葉に価するどんな偉業をなしとげたのだろうかと思った。

ウィリアムは給仕が手首にはめている銀の腕輪に気がつかなければ、彼の存在に目もくれなかっただろう。ティファニーあたりの製品に違いないその高価な腕輪を、ホテルの給仕が身につけている不自然さが、彼の心に引っかかった。

「ウィリアム」と、ケイン家の祖母がいった。「ケーキは二つにしておきなさい。ハーヴァードに入る前の最後の食事というわけじゃないんですから」

彼は愛情のこもった目で祖母をみつめ、銀の腕輪のことをきれいさっぱりと忘れた。

13

その夜プラザ・ホテルの小部屋で眠れぬままベッドに横たわり、父親が生きていれば誇りに思っただろうウィリアムという若者のことを考えながら、アベルは生れてはじめて自分の人生の目的を認識した。それはすなわち世のウィリアムたちから対等の人間とみなされることであった。

アベルはニューヨークに到着した直後にさんざん苦労していた。最初に住んだ部屋にはベッドが二つしかなく、それをジョージと彼の二人のいとこと共同で使用しなければならなかった。したがって彼はどちらか一方のベッドが空いているときしか眠れなかった。ジョージのおじさんは彼を雇うほどの余裕がなく、食うために蓄えの大部分を費やさねばならなかった不安な数週間のあとで、アベルはブルックリンからクイーンズへと職を捜しまわり、ようやく週に六日半働いて九ドルもらい、屋根裏部屋に寝かせてもらうという条件で、ある肉屋の店員の口を見つけた。この店はローワー・イースト・サイドの、ほぼ完全に外部から孤立した小さなポーランド人社会の中心にあり、アベルはほとんどの者が英語を話すことさえ学ぼうとしない同胞の閉鎖性に、たちまち苛立《いらだ》ちはじめた。

アベルは週末になるとジョージや、彼のつぎつぎに変るガールフレンドたちと会い続けていたが、週日の夜の自由時間は夜学に通って英語の読み書きを勉強した。九歳の年からあと文字を書く機会はほとんどなかったので、勉強がはかどらなくてもべつに恥ずかしいとは思わなかった。それでも二年以内に、ほんのかすかに訛《なま》りを残すだけで、新しい言葉を自在に操れるようになった。彼はそろそろ肉屋の店から逃げだす汐時《しおどき》だと判断した――だがどうやって、どこへ逃げだすのか？　やがて、ある朝ラムの脚の下ごしらえをしているときに、上顧客《じょうとくい》の一人であるプラザ・ホテルの仕入れ主任が、肉屋の主人に、けちな盗みを働いた新米の給仕を一人馘《くび》にしなければならなかったとこぼしているのを聞きつけた。

「急にかわりを捜せといわれたって無理な話だよ」と、主任がぼやいた。

肉屋にも名案はなかったが、アベルは違っていた。彼は一帳羅の背広を着て、四十七ブロックの距離を歩いて行き、その仕事にありついた。

プラザ・ホテルに引っ越すと、彼はコロンビア大学の夜間英語コースに入った。毎晩片手に開いた辞書、片手にペンを持って、たゆまず勉強した。午前中、朝食の給仕と昼食のテーブルの準備のあいだには、《ニューヨーク・タイムズ》の論説を書きうつし、知らない単語は古本で買ったウェブスターの辞書で意味を調べた。

それから三年間に、プラザの階級を着実に昇って、ついにオーク・ルームの給仕に抜擢《ばつてき》され、チップを含めて週に二十五ドル稼ぐところまできた。この世界では、彼はなに一つ欠けるところがなかった。

コロンビアのアベルの講師は、彼の勤勉さと英語の進歩に目をみはり、文学士号への第一歩となる新たな夜間コースへの進学をすすめた。彼は余暇の勉強を英語から経済学に切りかえて、《ニューヨーク・タイムズ》のかわりに《ウォール・ストリート・ジャーナル》の論説の筆写をはじめた。この新しい世界が完全に彼の心を奪い、ジョージを除くかつてのポーランド人仲間との接触は失われた。

オーク・ルームで給仕をするとき、アベルは常に客のなかの財界の名士たち——べイカー、ローブ、ホイットニー、モーガン、フェルプスといった人々――を注意深く観察し、金持は一般の人間とどこが違うのかを知ろうと努めた。貪欲《どんよく》に知識を求めて、H・C・メンケン、《アメリカン・マーキュリー》、スコット・フィッツジェラルド、シンクレア・ルイス、シオドア・ドライサーなどを読んだ。ほかの給仕たちが《ミラー》にぱらぱら目を通すあいだに、彼は《ニューヨーク・タイムズ》を熟読した。仲間が昼寝をする一時間の休み時間に、彼は《ウォール・ストリート・ジャーナル》を読んだ。新しく得た知識がどんな役に立つかわからなかったが、すぐれた教育は何物にも代えがたいという男爵《だんしゃく》の金言を疑ったことは一度もなかった。

一九二六年八月のある木曜日――その日をはっきりおぼえているのは、同じ日にルドルフ・ヴァレンティノが死に、五番街で買物をする婦人たちがみな喪服を着ていたからだった――アベルはいつものようにコーナー・テーブルの一つを受け持っていた。コーナー・テーブルを予約するのは、食事中の会話を周囲に聞かれることを望まないトップ・クラスの実業家たちだった。彼はそのテーブルを受け持ったことを喜んだ。当時は事業の拡張期で、会話のはしばしからしばしば貴重な内部情報が得られたからである。食事が終ったあとで、ホストが銀行か大きな持株会社の人間であれば、アベルは招待客の会社の会計報告を調べあげ、会食が和気藹々《わきあいあい》のうちに終ったと見えるときには、小さいほうの会社が大きいほうの会社に合併されるか、あるいはその助けを借りて事業を拡張する話がまとまったものと判断して、小さいほうの会社に百ドル投資することにしていた。ホストが食事のあとで葉巻を注文したときは、投資額を二百ドルにふやした。十回に七回は、彼がこの方法で選んだ株が六か月間で二倍に値上がりした。六か月というのはアベルが株を持ち続ける限度と定めた期間だった。彼はプラザで働いた四年間に、この方式でわずか三回しか損をしなかった。

その日のコーナー・テーブルの受持ちは、客が食事を始める前に葉巻を注文した点で特別な意味を持っていた。あとで新しい客がテーブルに加わり、その人たちも葉巻を注文した。アベルは給仕長の予約簿でホストの名前を調べた。ウールワース。つい最近経済欄でその名前を見た記憶があったが、どんな人物かすぐには思いだせなかった。もう一人の客はチャールズ・レスターというプラザの常連で、アベルは彼がニューヨークの著名な銀行家だということを知っていた。給仕をしながらできるだけ会話に聞き耳を立てた。客は給仕にまったく注意を払わなかった。特に重要な話は聞けなかったが、午前中になんらかの取引が結ばれ、その日のうちに抜打ちの発表がおこなわれる予定らしかった。そのとき彼はふと思いだした。《ウォール・ストリート・ジャーナル》で見た名前だった。ウールワースというのはアメリカで最初の五セント十セント・ストアを開業しようとしている人物だった。アベルはひと儲《もう》けしてやろうと決心した。客がデザートに舌鼓を打っているあいだに――ほとんどの人がストロベリー・チーズ・ケーキ（アベルのおすすめ品）を選んでいた――数分間食堂から抜けだして、ウォール・ストリートの馴染《なじ》みのブローカーに電話をかけた。

「ウールワースの株価はいくらだ？」と、彼は質問した。

相手はちょっと間をおいてから答えた。「二と八分の一ポイントだ。このところばかに活潑《かっぱつ》な動きを示している。理由はわからないが」

「今日じゅうに会社の発表があるはずだから、それまでわたしの口座の限度いっぱいまで買ってくれ」

「発表の内容は？」と、ブローカーが不思議そうに質問した。

「この種の情報は電話では話せない」と、アベルは答えた。

ブローカーはなるほどと感心した。アベルの過去の実績から、彼の情報源をあまりしつこく詮索《せんさく》しないことにしていた。

アベルは客にだすコーヒーに遅れないように、急いでオーク・ルームへ戻った。客はゆっくり時間をかけてコーヒーを楽しみ、アベルは彼らが席を立ちかけたときにふたたびテーブルに戻った。勘定書を取りあげた男が、アベルの懇切丁寧なサーヴィスに礼をいい、それから振りかえって連れにも聞えるような声でいった。「どうだ、チップがほしいかね？」

「ありがとうございます」

「ウールワースの株を買いたまえ」

客は声を揃《そろ》えて笑った。アベルも笑い、その男から五ドル受け取って礼を述べた。それから六か月のあいだに、ウールワースの株でさらに二千四百十二ドル儲けた。


アベルがアメリカ合衆国の完全な市民権を獲得したとき、それは二十一歳の誕生日の数日後のことだったが、これはお祝いに価する出来事だと考えた。彼はジョージのいちばん新しい恋人のモニカ、それにジョージの以前の恋人であったクララという娘を、ジョン・バリモア主演の映画『ドン・ファン』と、ビゴーでの夕食に招待した。ジョージはあいかわらずおじさんのパン屋で週給八ドルの見習職人をしており、アベルはいまだに彼を無二の親友とみなしていたものの、無一文のジョージと、今や八千ドル以上の銀行預金を持ち、コロンビア大学で経済学の学士号めざして最終学年の勉強を続けている自分とのあいだの溝《みぞ》が、しだいに拡《ひろ》がりつつあることに気づいていた。

アベルは自分の行く道を知っていたが、一方ジョージは、会う人ごとにいずれニューヨーク市長になって見せると大言壮語する癖が消えていた。

四人は忘れがたい一夜を過したが、それは主としてアベルが一流レストランで食事をするこつをよく知っていたおかげだった。彼の三人の招待客はみな満腹した。勘定書が運ばれてきたとき、ジョージは金額が自分の一か月分の稼ぎよりも多いことを知って愕然《がくぜん》とした。アベルは顔色ひとつ変えずに勘定を支払った。払わなければならない勘定ならば、金額は問題ではないというふりをすべし。金額が問題なら二度とその店へは行くな。いずれにせよ文句をいったり、驚いたような顔をしたりしてはいけない――これも彼が金持連中から得た教訓の一つだった。

午前二時ごろパーティがお開きになると、ジョージとモニカは家へ帰って行き、一方アベルはクララをこのまま帰す手はないと考えた。彼はプラザの従業員出入口から彼女をこっそり連れこみ、洗濯物用のエレベーターで自分の部屋に引っぱりこんだ。彼女をベッドに誘いこむのにさほどの苦労はなかった。アベルは朝食勤務につくまで二、三時間はぐっすり眠らなければならないと思いながら、大急ぎで彼女に挑みかかった。さいわい二時半までに思いを遂げることができ、それから午前六時に目ざましが鳴るまで熟睡した。着がえをする前にもう一度クララを抱くだけの余裕があった。

クララはベッドの上に坐《すわ》って、アベルが蝶《ちょう》ネクタイを結び、彼女にお座なりな別れのキスをするあいだ、不機嫌な顔で彼をみつめていた。

「いいか、ゆうべ入ってきたところから出て行ってくれよ。じゃないとぼくが迷惑する」と、アベルはいった。「今度はいつ会えるかな?」

「もう会いたくないわ」と、クララが無愛想に答えた。

「どうして?」アベルは意外そうにたずねた。「ぼくがなにか気に障《さわ》るようなことをしたかい?」

「そうじゃないわ、気に障るのはあんたがしなかったことなのよ」彼女はベッドから跳びおりて、急いで服を着はじめた。

「ぼくがしなかったことだって?」アベルは不服そうにいった。「きみはぼくと寝たかったんだろう?」

彼女は振りかえって彼と向き合った。「ええそうよ、あんたとヴァレンティノとの共通点はたった一つだってこと――つまりどっちも死んでいることに気がつくまではね。あんたはプラザじゃ大したものかもしれないけど、わたしにいわせればベッドのテクニックはゼロよ」すっかり服を着終った彼女は、ドアの把手《とって》を握って立ちどまり、最後の一撃を見舞った。「あんた、わたしより前に女の子をベッドに連れこんだ経験がないんじゃないの？」

アベルは乱暴に閉められたドアを茫然《ぼうぜん》とみつめた。その日はクララの言葉が一日じゅう頭にこびりついてはなれなかった。この問題を相談できるような相手はいくら考えても思いつかなかった。ジョージに話しても笑われるだけだろうし、プラザの従業員はみな、彼はなに一つ知らないことがないと思いこんでいる。この問題も、これまでの人生でぶつかったほかのすべての問題と同じように、知識または経験によって乗り越えるしかない、と彼は判断した。

半休の日の昼食後に、彼は五番街のスクリブナーズ書店へでかけて行った。経済学や語学の問題はすべてこの店の本が解決してくれたが、セックスの問題解決の手助けになりそうな本はただの一冊も見当らなかった。エチケットに関する本は役に立たなかったし、W・F・コルバートの『モラルの本質』も、ぱらぱらとページをめくって見た結果、お門違いもはなはだしいことがわかった。

アベルは一冊も本を買わずに店を出て、午後はブロードウェイの薄汚ない映画館で時間をつぶしたが、クララの言葉が気になって映画がさっぱり頭に入らなかった。映画は最後までキスさえしないグレタ・ガルボ主演のラヴ・ストーリーで、スクリブナーズ書店同様彼の助けにはならなかった。

映画館を出ると、すでに空は暮れて、ひんやりした風がブロードウェイを吹き渡っていた。夜になっても昼間と同じようににぎやかで明るい街があるということが、アベルにとってはいまだに驚きだった。新鮮な空気を吸えば頭も冴《さ》えるだろうと思いながら、北の五十九丁目に向って歩きだした。五十二丁目の角で夕刊を買うために足を止めた。

「女を捜してるの？」と、スタンドのうしろから呼びかける声がした。

アベルは声の主に目をこらした。三十五歳ぐらいの厚化粧の女で、最新流行の口紅をつけていた。白いシルクのブラウスのボタンを一個はずして、ロング・スカートにストッキングに靴と、すべて黒ずくめだった。

「たった五ドル、安い買物だよ」女はヒップをある角度に突きだして、スカートのスリットを拡げ、ストッキングのてっぺんをちらとのぞかせた。

「場所は？」

「つぎのブロックに狭いけどあたしの部屋があるんだよ」

女は首をひねって、アベルに方角を示した。はじめて街燈《がいとう》の明りで女の顔がはっきりと見えた。美人といえなくもない顔だった。アベルがうなずくと、女は彼の腕を取って歩きだした。

「サツに呼びとめられたら、あんたはあたしの古い友達だからね。名前はジョイスよ」と、女がいった。

彼らはつぎのブロックまで歩いて、むさくるしい小さなアパートに入った。アベルは女が住んでいる薄汚ない部屋に足を踏み入れたとたんにぞっとした。裸電球が一個ぶらさがり、椅子《いす》が一つと、洗面台と、皺《しわ》くちゃのダブル・ベッドがあるだけで、そのベッドは明らかに今日もすでに何度か使われていた。

「ここに住んでるのか？」と、彼は驚いてたずねた。

「まさか、ここは商売専用よ」

「なんでこんな商売をしてるんだ？」と、アベルは自分の計画を実行しようかどうかと迷いながらきいた。

「二人の子供は育てなきゃならないし、亭主はいないときてるのよ。それ以上の理由が考えられる？　さあ、あたしを買うの買わないの？」

「買うよ。だけどあんたが考えているのとは違うやり方でだ」

女は急に警戒するような目つきになった。「まさかあんた変態じゃないだろうね。サド侯爵の信者だったらあたしはごめんだよ」

「そうじゃないよ」

「じゃ、煙草《たばこ》の火を押しつけたりしない？」

「そんなことはしないさ」と、アベルは驚いていった。「やり方を教わりたいんだ。レッスンを受けたいんだよ」

「レッスンだって？　あたしをからかってるのかい？　ここをあれの夜学かなんかと思ってるの？」

「まあそんなところだ」アベルはベッドの端に腰をおろして、前の晩のクララの反応を女に説明した。「どうだ、ぼくを助けてくれるか？」

夜の女は今日はエイプリル・フールじゃなかったかしらと思いながら、アベルを注意深く観察した。

「いいとも」と、やがて彼女はいった。「だけど一回三十分のレッスンで、授業料が五ドルかかるよ」

「コロンビアの学士号より高いな」と、アベルがいった。「何回教わればいい？」

「あんたの出来しだいさ、そうだろ？」

「よし、じゃすぐに始めよう」アベルは内ポケットから五ドル取りだして渡した。彼女は札をストッキングにはさんだ。つまりストッキングは絶対に脱がないということだった。

「あんた、着てるものを脱いでよ」と、彼女がいった。「着たままじゃいいレッスンはできないわ」

アベルが裸になると、彼女は批評するような目で彼を見た。「ダグラス・フェアバンクスそっくりとはいかないね。でも心配しなくたっていいんだよ、明りを消しちゃえば顔や体は問題じゃないから。肝心なのはなにができるかってことよ」

アベルがベッドの端に腰かけると、彼女はまず女の扱い方から説明しはじめた。彼女はアベルが自分と寝ようとしないことにも驚いたが、それから二週間一日も休まず通ってきたことにはさらに驚かされた。

「成果があがったかどうか、いつになったらわかるんだい？」と、アベルが質問した。

「いまにわかるよ、坊や」と、ジョイスが答えた。「あたしをいかせられたら、エジプトのミイラだっていかせられるわ」

彼女はまず女の性感帯がどこにあるかを教え、つぎに性行為における忍耐強さと、女が感じていることを見分ける徴候を教えた。女の口以外のあらゆる部分を、舌と唇で愛撫《あいぶ》するテクニックも教わった。

アベルは彼女の教えに注意深く耳を傾け、はじめはややぎごちなかったが、忠実に指示に従った。目に見えないほど少しずつではあるが、確実に進歩していると彼女が保証したにもかかわらず、それが本当かどうかを見分ける術《すべ》はなかった。やがてほぼ三週間と百十ドルを費やしたあとで、ジョイスははじめて彼の腕のなかで火がついたような反応を示して、彼を驚かせると同時に狂喜させた。彼が乳首を優しく舐《な》めてやると、頭をしっかりと抱きしめた。両脚のあいだをそっと撫《な》でたとき、彼ははじめてそこが濡《ぬ》れていることに気がついた。やがて彼が体のなかに入りこむと、彼女は呻《うめ》き声をたてた。それはアベルが生れてはじめて聞く、えもいわれぬ快い声だった。彼女はアベルの背中に爪《つめ》を立てて、やめないでと哀願した。呻き声はあるときは高く、あるときは低く続いた。やがて鋭い叫び声を発して、彼をしっかりと抱きしめていた手の力を抜いた。

呼吸の乱れがおさまると、彼女はいった。「坊や、あんたは優等で卒業よ」

アベルは射精さえしていなかった。

アベルは卒業祝いにダフ屋からプレミアムつきでリング・サイドの切符を買って、ジョージとモニカといやがるクララを、ジーン・タニーとジャック・デンプシーのへヴィー級世界選手権試合へ連れて行った。その夜試合が終ったあと、クララはこんなに金を費《つか》わせた以上義理でもアベルと寝なくては悪いと考えた。ところが朝になると、わたしを捨てないでとアベルに泣きついていた。

アベルは二度と彼女を誘わなかった。

コロンビア大学を卒業すると、アベルはプラザの生活に満足できなくなったが、どうすればもっと出世できるのかわからなかった。アメリカでも有数の富豪や名士たちに囲まれていながら、客に直接働きかけることは許されなかった。そんなことをすれば馘《くび》になりかねないし、いずれにしても客が給仕風情《ふぜい》の願望をまじめに聞いてくれるとは思えなかった。アベルはずっと前から給仕長になろうと決意していた。

ある日エルズワース・スタットラー夫妻が、アベルが一週間の交替勤務についていたプラザのエドワーディアン・ルームへ昼食にやってきた。彼は待ちに待ったチャンスの到来だと判断した。この有名なホテル王の目にとまるために、ありとあらゆる手段を利用し、食事は順調に進んだ。スタットラーは席を立つときアベルに心から礼をいい、十ドルのチップをはずんだが、彼らの関係はそれでおしまいだった。アベルはプラザの回転ドアから出て行くホテル王の姿を見送りながら、はたしてふたたびチャンスは訪れるのだろうかと考えていた。

給仕長のサミーが彼の肩を叩《たた》いた。「スタットラーさんからなにをもらったんだ?」

「なにも」と、アベルは答えた。

「チップをくれなかったのか？」と、サミーはあきれ顔でいった。

「ああ、チップならもらったよ。十ドルだ」彼はサミーに金を渡した。

「そうこなくっちゃな。おれはお前がチップを独り占めにしてるんじゃないかと思ってたんだよ、アベル。十ドルとはスタットラーさんにしてもえらくはずんだもんだ。よっぽどあの人に気に入られたんだろう」

「いや、そんなことはないよ」

「それはどういう意味だ？」

「なに、大したことじゃないよ」と答えて、アベルは立ち去りかけた。

「ちょっと待てよ、アベル。お前に伝言だ。十七番テーブルのミスター・リロイというお客さんが、お前に話があるそうだ」

「なんの話だい、サミー？」

「知るもんか。たぶんお前の青い目が気に入ったんだろうよ」

アベルは十七番テーブルにちらと視線を走らせた。そこは調理場に通じるスウィング・ドアのすぐ近くという悪い席なので、うるさいことをいわない無名の客だけを案内するテーブルだった。アベルはいつもそのテーブルの受持ちをできるだけ避けるようにしていた。

「どういう人だ？」と、アベルがきいた。「いったいなんの用だろう？」

「知らないな」と、サミーがアベルのほうを見もしないで答えた。「おれはお前と違って全部の客の経歴まで調べちゃいないからね。客においしい食事を出し、チップをたんまりもらって、またきてもらう。お前にいわせりゃ考え方が単純かもしれないが、おれにはそれで充分なんだ。たぶんコロンビア大学はお前に物事の基礎を教え忘れたんだろう。さあ、十七番テーブルへ行けよ、アベル。もしもチップをくれたら、まっすぐおれのところへ持ってくるんだぞ」

アベルはサミーの禿頭《はげあたま》に笑いかけてから、十七番テーブルへ行った。テーブルには二人の客が坐っていた。一人は派手なチェックの上着を着た男で、アベルはその上着に感心しなかった。もう一人はブロンドの巻毛の若い女で、アベルはその巻毛に一瞬目を惹《ひ》かれたが、おそらくこの女はチェックの上着を着た男のニューヨークのガールフレンドだろうと、意地悪く想像した。アベルは「営業用の微笑」を浮べながら、男がスウィング・ドアのことで文句をいい、目のさめるようなブロンドにいいところを見せようとして、席を変えてくれといいだすほうに一ドル賭《か》けてもよいと思った。調理場の匂《にお》いが漂い、給仕が出入りするたびにスウィング・ドアがばたんと音をたてるようなテーブルを好む人間などいるはずもなかったが、さりとてこのテーブルを使用しないわけにはいかなかった。ホテルはすでに長期滞在客と、このレストランを自分たちの食堂として利用し、よそ者を侵入者ぐらいにしか見ていないニューヨーカーたちで満員だったからである。なんだってサミーはいつも世話の焼ける客をおれに押しつけるんだ？　アベルは用心しながらチェックの上着を着た男に近づいた。

「お呼びですか？」

「ああ、呼んだとも」と、南部訛《なま》りの声がいった。「わたしの名前はデイヴィス・リロイ、これは娘のメラニーだ」

アベルの視線は一瞬リロイ氏をはなれて、いまだかつて見たこともないほど濃い緑色の目とぶつかった。

「わたしはこの五日間ずっときみを観察していたんだよ、アベル」と、リロイ氏が南部特有のゆったりした口調で続けた。

もしも相手に問いつめられたら、アベルは五分前までリロイ氏の存在に気づいてもいなかったことを白状していただろう。

「わたしはきみの仕事ぶりを見てたいそう感心した。きみはじつに優秀だよ、アベル。わたしは常に優秀な男を捜している。きみを即座に引き抜かなかったエルズワース・スタットラーの目は節穴だな」

アベルはリロイ氏を注意深く観察しはじめた。赤黒い頰と二重顎《あご》は明らかに禁酒法の話など聞いたこともないことを示していたし、テーブルの上の空っぽの皿が彼の太鼓腹を説明していたが、名前も顔もアベルの記憶にはなかった。ふだんの日の昼食時なら、アベルはエドワーディアン・ルームの三十九のテーブルのうち三十七のテーブルに坐《すわ》る客の素姓を一人残らず知っていた。今日はリロイ氏が素姓の知れない二組の客のなかに入っていた。

南部人はなおも話し続けた。「ところでわたしは、プラザに泊ったらここのコーナー・テーブルに坐らなければ気がすまない億万長者たちの一人じゃない」

アベルはリロイ氏を見なおした。並みの客にはさまざまなテーブルの優劣まではわからない。

「だがわたしだって捨てたもんじゃない。わたしが所有する最高のホテルは、将来ここに負けないくらいりっぱなホテルになるかもしれんよ、アベル」

「そうでしょうとも」と、アベルは時間稼ぎにいった。

リロイ、リロイ、リロイ。いくら考えてみてもその名前は記憶になかった。

「さてと、肝心の話に移るとしようか。わたしのグループのナンバー・ワン・ホテルでレストラン担当の新しい副支配人を捜している。きみに関心があるなら、勤務が終ってからわたしの部屋へきてくれ」

彼は浮彫り印刷の大判の名刺をアベルに渡した。

「ありがとうございます」と、アベルは名刺を見ながらいった。デイヴィス・リロイ。リッチモンド・ホテル・グループ、ダラス。その下には「すべての州に一つのホテルを目ざして」というモットーが印刷されていた。アベルは名前を見てもまだぴんとこなかった。

「それじゃ、待ってるぞ」と、チェックの上着を着た人なつこいテキサス人はいった。

「ありがとうございます」と、アベルは答えた。彼は相変らず冷やかな緑色の目で自分をみつめているメラニーにほほえみかけてから、依然として下を向いたままチップの割り前をかぞえているサミーのところへ戻った。

「リッチモンド・ホテル・グループというのを聞いたことがあるかい、サミー？」

「あるとも。以前におれの兄弟がグループのホテルで給仕見習いをしてたことがある。たしか南部のあちこちに八つか九つのホテルがあって、頭のおかしなテキサス人が経営してるはずだが、その男の名前はおぼえてないな。なんでそんなことをきくんだ？」と、サミーが胡散《うさん》くさそうにアベルを見あげた。

「べつに理由はないよ」

「お前が理由のないことをする人間かい？　ところで十七番テーブルの客はなんの用だった？」

「調理場の音がうるさいって文句をいってたよ。無理もないがね」

「いったいどうしろというんだ、ヴェランダにでも坐らせるかい？　あの客は自分を何様だと思っているんだ？　ジョン・D・ロックフェラーにでもなったつもりかい？」

アベルはぶつぶついいながら金をかぞえているサミーのそばからはなれて、大急ぎで受持ちのテーブルを片づけた。それから自分の部屋に戻ってリッチモンド・グループのことを調べはじめた。電話を二、三本かけて、好奇心をみたせるだけの情報を聞きだした。リッチモンド・グループは有限会社で、全部で十一のホテルを所有しており、その代表格が三百四十二室を有するシカゴのデラックス・ホテル、リッチモンド・コンチネンタルであることがわかった。アベルはリロイ氏とメラニーを訪問しても失うものはなにもないと判断した。リロイ氏のルーム・ナンバーを調べた。八十五号室——小さいけれども比較的ましな部屋だった。四時少し前に八十五号室を訪問したが、残念なことにメラニーは父親の部屋にいなかった。

「よくきてくれたな、アベル。まあ掛けたまえ」

プラザで四年以上も働いていながら、アベルが客として腰をおろしたのは今日がはじめてだった。

「きみの給料はいくらだ?」と、リロイ氏が切りだした。「チップこみで週に約二十五ドルといったところです」

アベルは思いがけない質問に虚をつかれた。

「わたしは最初から週に三十五ドル払うことにしよう」

「どのホテルのことをおっしゃっているんですか?」と、アベルが質問した。

「わたしに人を見る目があるとしたら、きみは三時半ごろ勤務を終えて、それから三十分間にどのホテルの話か調べてみたはずだ。違ったかね、アベル?」

アベルはしだいにこの男が好きになった。「シカゴのリッチモンド・コンチネンタルですか?」

デイヴィス・リロイが声をたてて笑った。「やっぱりな、わたしの目に狂いはなかったよ」

アベルの頭がすばやく回転した。「ホテルのスタッフは副支配人より上には何人いるんですか?」

「支配人とわたしだけだ。支配人はのんびりした穏やかな男で、引退間近だし、わたしはほかの十のホテルの心配もしなければならんから、きみはそれほど仕事がやりにくくはないだろう——もっともシカゴはわたしのお気に入りの、北部では最初の系列ホテルだし、メラニーがシカゴの学校に入っている関係もあって、わたしは必要以上に多くの時間をあの風の町《ウインディ・シティ》で過しているがね。ニューヨーカーはシカゴという町を見くびっているが、きみはそのあやまちを犯してはいかんよ。連中はシカゴは大型封筒の切手に過ぎず、自分たちが封筒そのものだと思いこんでいる」

アベルは微笑を浮べた。

「リッチモンド・コンチネンタルは今のところいささか業績不振だし」と、リロイ氏は続けた。「副支配人はなんの説明もなしに突然辞めてしまった。だからわたしには副支配人の後釜《あとがま》に坐って、あのホテルの可能性を引きだしてくれる人間が必要なのだ。いいかね、アベル、わたしはこの五日間きみを注意深く観察した結果、きみこそその適任者だと判断した。どうだろう、シカゴへきてくれるかね?」

「週給四十ドル、プラス売上増の十パーセント、この条件でお引き受けします」

「なんだと?」デイヴィス・リロイは唖然《あぜん》とした。「うちの支配人で歩合契約をしている者は一人もおらん。そのことが知れたら連中が騒ぎだすだろう」

「あなたが黙っていてくれればぼくの口からはばれませんよ」と、アベルがいった。

「どうやらきみを選んだわたしの目に狂いはなかったようだ、たとえきみが六人の娘を持つヤンキーよりもはるかにこすからい取引相手だとしてもだよ」彼は椅子《いす》の横をぽんと叩いた。「よかろう、きみの条件をのむよ」

「身元保証書は必要ですか？」

「身元保証書だって？　わたしはきみの素姓や経歴を、ヨーロッパを発《た》ってからコロンビアで経済学士号を取るまで全部調べあげた。わたしがこの数日間なにをしていたと思うかね？　身元保証書の必要な人間を、自分の最高のホテルのナンバー・ツーに据えるわけがないじゃないか。で、いつから働けるかね？」

「一か月後にしてください」

「よろしい。その日を楽しみにしているよ、アベル」

アベルは椅子から立ちあがった。立っているほうが気が楽だった。彼は無名の客だけが案内される十七番テーブルの男、デイヴィス・リロイ氏と握手をかわした。


ニューヨークと、スウォーニム近郊の城以来はじめてのわが家ともいうべきプラザ・ホテルに別れを告げることは、アベルが予想した以上に辛《つら》いことだった。ジョージ、モニカ、それにコロンビアで知り合った数少ない友人たちとの別れも意外に辛かった。サミーや仲間の給仕たちが送別パーティを開いてくれた。

「これでおれたちと縁が切れたと思うなよ、アベル・ロスノフスキ」と、サミーがいい、ほかの全員がその言葉に同意した。

シカゴのリッチモンド・コンチネンタルは、アメリカで最も急速度で成長する都市の中心、ミシガン・アヴェニューという最高の立地条件に恵まれていた。ホテル経営にとって重要な要素は三つしかない、それは第一に場所、第二に場所、そして第三に場所である、というエルズワース・スタットラーの言葉を知っているアベルにとって、それはまことに喜ばしいことだった。だが間もなくアベルは、リッチモンドの取柄はほとんど立地条件だけであることを発見した。リッチモンドがいささか業績不振であるというデイヴィス・リロイの言葉は、控え目に過ぎた。支配人のデズモンド・ペイシーは、デイヴィス・リロイのいうようなのんびりした穏やかな男ではなかった。要するに彼はただの怠け者であり、アベルを通りをへだてた従業員用の別館の小部屋へ追いやり、本館からしめだすことによって、あからさまな敵意を示した。リッチモンドの帳簿にざっと目を通した結果、毎日の客室利用率は四十パーセントを下まわり、料理がひどくまずいことが少なからぬ原因で、レストランのテーブルが半分以上ふさがったことは一度もないことがわかった。従業員の話す三つか四つのお国訛《なま》りは、いずれも英語とは思えず、おまけにニューヨークからきたばかなポーランド人を歓迎する空気はまったくなかった。前の副支配人が早々に逃げだした理由が容易に想像できた。これでリッチモンドがデイヴィス・リロイのお気に入りのホテルだとしたら、グループのほかの十のホテルはいったいどんなありさまだろうかと心配になった。もっとも彼の新しい雇い主は、テキサスの虹《にじ》の向うに底無しの黄金の壺《つぼ》を持っているらしかったが。

アベルがシカゴに着いてから数日のあいだに知った最良のニュースは、メラニー・リロイが一人娘だということだった。

14

ウィリアムとマシューは一九二四年の秋にハーヴァードの一年生として出発した。ウィリアムは祖母たちの反対を押しきってハミルトン記念数学奨学金をもらい、二百九十ドルを奮発して、彼の人生ではじめての真の愛情の対象となった最新型のモデルT・フォード、「デイジー」を買った。このデイジーをあざやかな黄色に塗装した結果、車の価値は半減したが、ガールフレンドの数は倍増した。カルヴィン・クーリッジは選挙で地滑り的な大勝利を得てホワイト・ハウスに復帰し、ニューヨーク株式取引所の取引高は、二百三十三万六千百六十株という五年ぶりの新記録を樹立した。

二人の青年は（もうあの二人を子供扱いはできません、とキャボット家の祖母が宣言していた）、大学生活を楽しみに待っていた。テニスとゴルフに明け暮れる精力的な夏を過したあと、彼らはより真剣な学問研究に取りかかる心構えができた。ウィリアムはセント・ポールズの小さな部屋よりはかなりましな、高級学生寮群ゴールド・コーストの新しい部屋に着いたその日から、早くも勉強を開始し、一方マシューは大学のボート部へ入部を申込みに行った。彼は新入生クルーのキャプテンに選ばれ、ウィリアムは毎週土曜日の午後になると本を手放し、友人の活躍ぶりを見にチャールズ川の土手まででかけて行った。内心ではマシューの成功を喜んでいたが、面と向っては手きびしかった。

「八人の大男が、不格好な扱いにくい板きれで波立つ水面をかきまわし、一人の小男が彼らに向ってどなりたてる。人生はそんなことのためにあるわけじゃないぜ」と、ウィリアムは尊大な態度でいった。

「そんなことはイェールのクルーにいってやれよ」と、マシューが応じた。

一方ウィリアムのほうは、学業における自分がスポーツにおけるマシューに相当することを――つまり断然他を引きはなしていることを、短時日のうちに数学教授たちに実証して見せた。彼はまた新入生弁論部の部長に選ばれ、大伯父に当るローウェル学長を説得して、最初の大学保険計画の採用に踏み切らせた。これはハーヴァードを卒業する学生を、大学を保険金受取人とする一千ドルの生命保険に加入させるというもので、ウィリアムの試算によれば、加入者一人当りの費用は週に一ドル以下であり、卒業生の四十パーセントがこの計画に参加すれば、ハーヴァードは一九五〇年以降年間約三百万ドルの収入を保証される。学長はこのアイディアにいたく感心して、大学保険計画に全面的支持を与え、一年後にはウィリアムを大学基金募集委員会の一員に加えた。ウィリアムはこの任命が終身制であることを知らずに、鼻高々で委員に就任した。ローウェル学長はケイン家の祖母に、当代最高の財政的頭脳の一人を無報酬でつかまえたと報告した。ケイン家の祖母はいとこに向って、「どんなことからでも教訓は得られます。今度のことは細かい活字までしっかり目を通さなければならないことをウィリアムに教えるでしょう」と、不機嫌な顔で答えた。

二年目に入ると間もなく、ハーヴァードの裕福な学生たちの社交生活を支配するフアイナルズ・クラブの一つを選ぶ（あるいは選ばれる）ときがきた。ウィリアムはこれらのクラブのなかで最も歴史が古く、最も豊かで、最も排他的で、かつ最も地味なポーセリアン・クラブに入った。安っぽいヘイズ＝ビックフォード・カフェテリアの二階という目立たない場所にある、マサチューセッツ・アヴェニューのクラブハウスで、彼は心地よいアームチェアに坐《すわ》って、四色地図の問題を考えたり、二人の秀才大学生による少年殺人事件、ローブ・レオポルド裁判の余波について話し合ったり、最新流行の大型ラジオを聞きながら、適当な角度で取りつけられた鏡に映る下の通りのようすを眺めたりして時間をつぶした。

クリスマス休暇中に、彼はマシューに強引に誘われてヴァーモントへスキーに行き、元気な友人のうしろから息も絶えだえにスロープを登りながら、一週間を過した。

「教えてくれよ、マシュー、一時間がかりで登った山から、命と手足を相当な危険にさらしてわずか数秒間で滑りおりることに、いったいどんな意味があるんだ？」

マシューが軽蔑《けいべつ》の口調で答えた。「グラフ理論よりはこのほうがはるかにスリルがあるさ、ウィリアム。登るのも滑るのも苦手だってことを、正直に認めたらどうなんだ？」

二人とも二年目にはほどほどに勉強した。もっとも「ほどほど」の解釈がウィリアムとマシューでは大幅に違っていたが。夏休みのはじめの二か月間、彼らはニューヨークのチャールズ・レスターの銀行で若手幹部の助手として働いた。マシューの父親は、ウィリアムを自分の銀行に近づけまいとする戦いをとっくに放棄していた。八月の暑い盛りに入ると、彼らはデイジーを駆ってニュー・イングランドの田舎を走りまわったり、可能なかぎり違う顔ぶれの女の子たちを乗せてチャールズ川を帆走したり、招待された家族パーティには一つ残らずでかけて行ったりして、大部分の時間を過した。彼らはたちまちのうちに大学の名士に仲間入りし、それぞれ「学者」、「スポーツマン」と呼ばれるようになった。ボストン社交界では、ウィリアム・ケインまたはマシュー・レスターと結婚する娘は、将来になんの不安もないとだれしもが考えたが、野心家の母親たちがうぶな娘を連れて現われるより早く、ケイン家とキャボット家の祖母たちがあっさり彼女たちを撃退した。

一九二七年四月十八日に、ウィリアムは信託財産の受託者たちの最後の会合に出席することによって、二十一歳の誕生日を祝った。アラン・ロイドとトニー・シモンズが署名の必要なすべての書類を用意していた。

「さて、ウィリアム」と、ミリー・プレストンが大きな肩の荷をおろしたかのようにいった。「あなたならきっとわたしたちに劣らずうまくやってくれると思うわ」

「ご期待にそいたいものですよ、プレストン夫人。しかし一晩で五十万ドル損する必要が生じたときは、だれに電話すればよいかわかってますから」

ミリー・プレストンは顔を真っ赤にしたが、反撃しようとはしなかった。

信託財産は今や二千八百万ドルを上まわり、ウィリアムはこの金のふやし方についてはっきりした計画を持っていたが、それとは別に、ハーヴァードを卒業する前に自力で百万ドルためることを自分自身に課していた。これは信託財産にくらべれば大金とはいえなかったが、相続財産はレスター銀行の自分の口座の残高にくらべて、はるかに小さな意味しか持たなかった。

この年の夏、積極的な娘たちの新たな襲来を恐れる祖母たちは、ウィリアムとマシューをヨーロッパ巡遊旅行《グランド・ツアー》に送りだした。この旅行は二人にとって大成功だった。マシューはあらゆる言葉の障壁を乗り越えて、ヨーロッパのすべての主要都市で美しい娘たちと知り合った――愛は万国共通の商品だ、と彼はウィリアムに向って断言した。一方ウィリアムはヨーロッパの主要銀行のほとんどすべての頭取への紹介状を手に入れていた――金もまた万国共通の商品だ、と彼はマシューに向って断言した。ロンドンからベルリン経由でローマまで、二人の青年が通ったあとには傷心の娘たちと、感服した銀行家たちの群れが残された。九月にハーヴァードへ戻ってきたとき、彼らは最終学年を前にして猛勉強を開始する準備ができていた。

一九二七年の厳冬に、ケイン家の祖母が八十五歳で亡《な》くなった。ウィリアムは母親が死んでからはじめて泣いた。

「いいかげんに元気を出せよ」と、ウィリアムの悲しみに数日間つきあったあとで、マシューがいった。「彼女は充分長生きして、神さまがキャボット一族かローウェル一族かを確かめるまで長いこと待ったじゃないか」

ウィリアムは祖母が生きているあいだはほとんど真価を理解できなかった辛辣《しんらつ》な言葉になつかしさをおぼえ、彼女が生きていれば誇らしい気分で列席しただろうと思われるような葬儀の手配を整えた。偉大な老婦人は黒塗りのパッカードの霊柩車《れいきゅうしゃ》で墓地に到着したにもかかわらず（「わたしの目が黒いうちは、あんなおかしなものには絶対乗りませんよ」——ところが、死んでそれに乗せられるはめになった）、この見苦しい輸送手段を除けば、ウィリアムが采配《さいはい》を振った葬儀の段どりに、おそらく彼女としても文句のつけようがなかっただろう。祖母の死を契機に、ウィリアムはいちだんと固い決意のもとにハーヴァードの最終学年の勉強に励んだ。彼女の思い出のために数学でトップの成績を占めるべく、ひたむきに努力した。キャボット家の祖母は、ウィリアムにいわせればおそらく唯一《ゆいいつ》の話し相手を失ったために、それからほぼ六か月後に世を去った。

一九二八年二月に、ウィリアムは弁論部のキャプテンの訪問を受けた。「アメリカの未来は社会主義と資本主義のいずれにあるか」というテーマで、翌月公開討論がおこなわれる予定であり、ウィリアムは当然のごとく資本主義のために弁じることを求められた。

「ぼくが虐《しいた》げられた大衆のために弁じたいといったら、きみはいったいどうする？」と、ウィリアムは意外そうな顔をしたキャプテンに質問した。名門の生れで、繁栄する銀行の後継者であるというだけの理由で、予断にもとづいて他人から思想的立場を決められることがいささか不快だったのだ。

「しかし、ウィリアム、正直いってわれわれの予想では、きみの選択は……」

「そのとおりさ。資本主義側で結構だよ。ただしパートナーはぼくの好きなように選ばしてもらえるんだろう？」

「もちろんだ」

「よし、それじゃマシュー・レスターを選ぶよ。で、相手はだれだい？」

「ハーヴァード・ヤードにポスターが貼《は》りだされる討論会の前日までは、知らせないことになっている」

それから一か月のあいだ、マシューとウィリアムは、朝食時の左右両翼の新聞批評と、人生の意味に関する夜ごとの議論を、学内で「大討論」と呼ばれるようになった催しのための作戦会議に変えた。ウィリアムはマシューに口火を切らせることに決めた。

運命の日が近づくにつれて、政治意識に目ざめた学生と教授たちの大部分と、ボストンおよびケンブリッジの名士たちまで出席することが明らかになった。討論会の前日の朝、彼らは討論の相手の名前を見にヤードまで歩いて行った。

「リーランド・クロスビーとサディアス・コーエンだ。心当りはあるかい、ウィリアム？　クロスビーはたぶんフィラデルフィアのクロスビー一族の一人だよ」

「もちろんだ。『リッテンハウス・スクエアの赤い狂人』、これがかつて彼自身のおばさんがつけたどんぴしゃりの綽名《あだな》だよ。彼は学内で最も説得力のある革命家だ。大金持で、その金を全部進歩的な民衆運動に注ぎこんでいる。彼の冒頭弁論が耳に聞えるようだよ」

ウィリアムはクロスビーの耳障《みみざわ》りな口調を真似《まね》した。『わたしはアメリカの金持階級の貪欲《どんよく》さと社会的良心の欠如を、みずからの体験として知っている』聴衆の全員がその台詞《せりふ》をすでに五十回は聞かされていれば話は別だが、そうでなければ手強《てごわ》い相手になるぜ」

「サディアス・コーエンというのは？」

「聞いたことがないな」

翌晩、彼らは本番であがらないように、雪と寒風のなかで重い外套《がいとう》を背後になびかせながら、最近完成したばかりのワイドナー・ライブラリーの白く輝く列柱の前を通り過ぎて、ボイルストン・ホールまで歩いて行った。ウィリアムの父親と同じく、この図書館の寄贈者の息子も《タイタニック号》で遭難していた。

「この天気じゃ、少なくともかりにぼくらが負けたとしても、あまり噂《うわさ》にならずにすみそうだな」と、マシューが期待をこめていった。

ところが図書館の側面をまわると、足踏みし、白い息を吐きながら階段をのぼってホールに入りこむ人々の、切れ目のない列が見えた。館内に入ると、彼らは壇上の椅《い》子《す》に案内された。ウィリアムは坐ったまま身動きもしなかったが、目が聴衆のなかの知った顔を捜しだしていた。中ほどの列に目立たないように坐っているローウェル学長、高齢の植物学教授ニューベリー・セント・ジョン、それにレッド・ハウスのパーティで顔見知りのブラットル・ストリートの文学少女が二人。右手のほうにはネクタイをしめていない者さえ何人か混じったボヘミアン・タイプの男女の一群がいて、彼らは自分たちの代弁者——クロスビーとコーエン——が登壇すると、そっちを向いて盛大な拍手を送った。

二人のうちで異彩を放っているのはクロスビーのほうだった。長身で、滑稽《こっけい》といってもよいほど痩《や》せており、毛足の長いツイードの背広を無造作に——あるいはきわめて意識的に——着て、しかしワイシャツはぴしっとプレスがきいており、下唇のほかは肉体のどの部分とも接触していないように見えるパイプを口からぶらさげていた。サディアス・コーエンのほうは背が低く、縁なし眼鏡をかけて、仕立てが完璧《かんぺき》すぎるほどの、黒いウーステッドの背広を着ていた。

四人の弁士は最後の打合せをしながら用心深く握手をかわした。会場からわずか百フィートしかはなれていないメモリアル・チャーチの鐘が、遠くかすかな音で七回鳴った。

「リーランド・クロスビー二世君」と、キャプテンが指名した。

クロスビーのスピーチはウィリアムを安心させた。甲高い耳障りな声といい、過度に強調された、ヒステリックといってもよいほどの主張といい、どこからどこまで彼の予想どおりだったからである。クロスビーはアメリカの急進主義の呪文《じゅもん》――ヘイマーケット（訳注　一八八六年五月四日に八時間労働制の確立を求める労働者たちがデモをおこなったシカゴの広場）、マネー・トラスト、スタンダード・オイル、はては「黄金の十字架」（訳注　一八九六年の民主党全国大会で、ウィリアム・ジェニングズ・ブライアンがおこなった演説のタイトル）等々を並べたてた。彼はウィリアムの右手に陣どったさくらたちから予想外の拍手を引きだしたが、ウィリアムにいわせれば結局満場に恥をさらしただけだった。話し終って着席したとき、クロスビーが新しい支持者を一人も獲得できなかったことは明白であり、むしろ前からの支持者の何人かを失ったようにさえ見えた。ウィリアムおよびマシューとの比較――二人とも彼と同じように金もあり、社会的地位もありながら、社会正義の促進のために殉じることを利己的に拒否している――だけにとどめていたら、さぞや効果的であっただろう。

マシューは適切な言葉を用いて巧みに論を進め、自由主義の寛容の化身といった態度で聴衆の気持をなごませた。ウィリアムは盛大な拍手に包まれながら着席する友の手を暖かく握りしめた。

「どうやら勝負は見えたぞ」と、彼は囁《ささや》いた。

ところがサディアス・コーエンはほとんどすべての人間の予想を裏切った。彼の態度は感じがよく、遠慮がちで、話し方も共感が持てた。発言や引用は一方に偏《かたよ》ることなく、適切でわかりやすかった。彼は聴衆にことさら押しつけがましい感じを与えることなしに、理性的な人間としては最低それだけのものをそなえていなければ失格であると思わせるような、道徳的に真摯《しんし》な態度を感じさせた。進んで社会主義陣営の行き過ぎと、その指導者たちの欠点を認めたが、そうした危険にもかかわらず、多数の人類の向上を目ざすならば、社会主義以外に進むべき道はないという印象を聴衆に与えた。

ウィリアムはうろたえた。社会主義の主張に解剖のメスをふるうような論理的な攻撃を加えたところで、コーエンの穏やかで説得力に富んだ発言に対してはおそらく無力だろう。人間精神への希望と信頼の代弁者たる彼を負かすことは、ほぼ不可能である。そこでウィリアムはまずクロスビーの攻撃のいくつかに対する反駁《はんばく》に的をしぼり、つぎに知的なものであれ精神的なものであれ、競争を通じて最良の結果を生みだそうとするアメリカ的システムの可能性への信頼を表明することによって、コーエンの議論に反論を加えた。よく防戦したという感じはあったが、それ以上ではなく、コーエンに完敗したようだと思いながら着席した。

クロスビーが相手方の反論弁士だった。彼はウィリアムとマシューのみならずコーエンまでも負かす必要があるかのような、荒々しい口調で話しはじめ、今夜この会場にいる「人民の敵」を指摘できるかと聴衆に問いかけた。彼が数秒間にわたって会場内を睨《ね》めまわすと、聴衆は気まずい沈黙のなかでもじもじし、彼の熱心な支持者たちは下を向いて自分の靴をみつめた。やがて彼は身を乗りだして吼《ほ》えたてた。「敵は諸君の前に立っている。たったいまこの会場で話したばかりだ。彼の名前は、ウィリアム・ローウェル・ケインだ」片手でウィリアムのほうを示しながら、顔は見向きもせずに、彼は大声で叫んだ。「彼の銀行が所有する鉱山では、株主の配当金を年間百万ドルふやすために労働者たちが死んでいる。彼の銀行はラテン・アメリカの血なまぐさい、腐敗した独裁政権を支持している。彼の銀行を通じて、アメリカ議会は買収され、小規模農家をつぶしにかかっている。彼の銀行は……」

攻撃は数分間続いた。ウィリアムは完全に沈黙したまま坐り続け、ときおり黄色い法律用箋に意見をメモした。聴衆のごく一部が「ノー」と叫びはじめていた。クロスビーの支持者たちが忠実にやじりかえした。役員たちがそわそわしはじめた。クロスビーの持ち時間がなくなりかけていた。彼は拳《こぶし》を振りあげて叫んだ。「諸君、この会場からせいぜい二百ヤードしかはなれていないところに、アメリカが置かれた苦境に対する答えがあるとわたしは考える。世界最大の個人図書館、ワイドナー・ライブラリーがそこにある。貧しい移民の学者たちが、最高の教育を受けたアメリカ人と一緒に、知識と世界の繁栄を増大させるためにここへやってくる。それは何故《なにゆえ》存在するのか？　一人の金持のプレイボーイが、今から十六年前に、不運にも《タイタニック号》という豪華客船に乗って出発したためだ。いいか諸君、アメリカ人民が支配階級の一人一人に資本主義という《タイタニック号》の船室の切符を渡すまでは、この偉大な大陸に蓄積された富が解放され、自由と平等と進歩のために役立てられることはないのだ」

クロスビーの演説を聞いているうちに、マシューの気持は、この大へマのおかげで自分たちの勝利が確実になったという喜びから、相手の態度に感じる困惑をへて、《タイタニック号》への言及に対する怒りに変った。ウィリアムがこの挑発にどのような反応を示すか、彼には見当もつかなかった。

会場のざわめきがある程度静まると、キャプテンが演壇に歩み寄って、「ウィリアム・ローウェル・ケイン君」と指名した。

ウィリアムは大股《おおまた》で演壇にあがって、聴衆の顔を見まわした。会場は期待にみちて静まりかえった。

「クロスビー君によって述べられた意見は、反論に価しないとわたしは考えます」

そういって彼は着席した。一瞬の啞然《あぜん》とした沈黙——続いて猛烈な拍手が湧《わ》き起った。

キャプテンがふたたび演壇にあがったが、どうしようかと迷っているようすだった。彼のうしろから呼びかけた声が緊張を破った。

「議長、ケイン君の反論の時間を、わたしが使わせてもらえるかどうか、彼にたずねてみたいのですが」声の主はサディアス・コーエンだった。

ウィリアムはキャプテンにうなずいて同意を示した。

コーエンが演壇にのぼって、愛想よく聴衆にまばたきした。「これはつとに知られた事実なのですが」と、彼は話しはじめた。「アメリカ合衆国における民主社会主義の成功を妨げる最大の障害は、一部同志たちの行きすぎなのです。この不幸な事実を、今夜のわたしのパートナーの演説ほど明白な実例によって示しているものはありません。反対派の肉体的抹殺《まっさつ》を呼びかけることによって、結果的に進歩的運動に打撃を与えるがごとき行為は、戦争で鍛えあげられた移民や、われわれよりも激しい対外闘争の古強者《ふるつわもの》の場合にこそ理解できるものであって、アメリカではそれは感傷的な、許しがたい行為であります。わたし自身としては、ケイン君に心からお詫《わ》びしたい気持です」

今度は間髪を入れず拍手が起った。聴衆のほぼ全員が立ちあがって、いつまでも手を叩《たた》き続けた。

ウィリアムはサディアス・コーエンに歩み寄って握手を求めた。ウィリアムとマシューが百五十票以上の大差で勝ったことは、二人にとって意外ではなかった。討論会は終り、聴衆は静かな、雪におおわれた小径《こみち》にぞろぞろと溢《あふ》れでて、興奮した大きな声で話しながら通りの真ん中を歩いて行った。

ウィリアムは一緒に一杯やろうとサディアス・コーエンを誘った。三人はマサチューセッツ・アヴェニューを横切り、一寸先も見えないほどの雪のなかを歩いて、ボイルストン・ホールのほぼ真向いにある大きな黒いドアの前で立ちどまった。ウィリアムが自分の鍵《かぎ》でドアを開け、三人は玄関ホールに入りこんだ。

背後でドアが閉る前に、サディアス・コーエンがいった。「ぼくはここじゃ歓迎されないと思うんだが」

ウィリアムは一瞬はっと驚いたような顔をした。「ばかな。ぼくが一緒だよ」

マシューは友人を注意深く観察したが、ウィリアムの決意は固そうだった。

彼らは階段をのぼって、贅沢《ぜいたく》ではないが感じのよい家具を配した大きな部屋に入りこんだ。十人あまりの青年たちがアームチェアに坐《すわ》ったり、二、三人ずつ寄りかたまって立ったりしていた。ウィリアムの姿を戸口に認めたとたんに、彼らは口々におめでとうと叫びはじめた。

「すばらしかったよ、ウィリアム。あの手合いをやっつけるには、まさにあの方法しかない」

「赤退治の英雄の凱旋《がいせん》だ」

サディアス・コーエンはまだ戸口の半分影になったところに立ちどまったままだったが、ウィリアムは彼を忘れていなかった。

「諸君、ぼくの好敵手、サディアス・コーエン君を紹介するよ」

コーエンはためらいがちに前に進みでた。

あらゆる物音がぴたりと鎮まった。新雪の重みで枝の垂れさがった庭の楡《にれ》の木を眺めるかのように、何人かが顔をそむけた。

ついに床板を軋《きし》らせて、一人の青年が別のドアから出て行った。続いてまた一人。べつに急ぐようすもなく、申し合せたわけでもなさそうだったが、やがて全員がつぎつぎに部屋から出て行ってしまった。最後まで残った学生は、ウィリアムの顔を長いあいだじっとみつめてから、くるりと回れ右をして出て行った。

マシューはうろたえながら連れの二人の顔色をうかがった。サディアス・コーエンは顔を紫色にし、首うなだれて立っていた。ウィリアムの口は、クロスビーが《タイタニック号》を持ちだしたときと同じ冷たい怒りで、きっと結ばれていた。

マシューが友の腕に手をかけた。「出よう」

三人は足どり重くウィリアムの部屋に戻り、黙々とまずいブランディを飲んだ。

翌朝ウィリアムが目をさますと、ドアの下から封筒が見つかった。中身は「昨夜の、忘れてしまうように越したことのない出来事が、二度と繰りかえされないよう希望する」旨《むね》の、ポーセリアン・クラブ会長からの短い手紙だった。

会長は昼食時までに二通の退会届けを受け取った。

勉強に明け暮れる長い日々が何か月かたったあとで、ウィリアムとマシューは最終試験のための準備がほぼ――準備が万全だと思う人間は一人もいない――できあがっていた。彼らは六日間にわたって質問に答え、答案用紙に記入して、結果を待った。期待は裏切られることなく、二人とも一九二八年六月にハーヴァードを卒業した。

一週間後にウィリアムが学長数学賞の受賞者であることが発表された。彼は授賞式を父親に見せたかったと思った。マシューの成績は掛値なしの「C」で、本人はほっとしたが他人は大して驚きもしなかった。二人ともそれ以上の教育には関心を示さず、できるだけ早く社会に出ようと決心していた。

ウィリアムのニューヨークの銀行口座は、ハーヴァードを卒業する八日前に百万ドルを超えた。彼がレスター銀行をケイン・アンド・キャボットに吸収合併する長期計画について、マシューと詳細に話し合ったのはそのときだった。

マシューはこの計画に大乗気で、正直に告白した。「おやじが死ぬときにぼくに遺《のこ》してくれる財産をふやすには、方法はそれしかないと思うよ」

卒業式の当日、今や六十歳になるアラン・ロイドがハーヴァードへやってきた。卒業式のあとで、ウィリアムは彼を広場でのお茶に招待した。アランは長身の青年を眺めてうれしそうに目を細めた。

「さて、これでハーヴァードを卒業したわけだが、これからなにをするつもりかね？」

「ニューヨークのチャールズ・レスターの銀行に入って、数年後にケイン・アンド・キャボットに戻るまで少し経験を積んでおきたいと思っています」

「しかし、きみは十二歳のときからレスターの銀行に住んでいるようなもんじゃないか、ウィリアム。まっすぐうちの銀行へきたらどうかね？　われわれはただちにきみを取締役に就任させるつもりだよ」

ウィリアムはなにもいわなかった。アラン・ロイドの申入れは完全に彼の意表をつくものだった。いかに野心家の彼でも、父親が取締役になった二十五歳よりも前にその地位を提供されるとは、ただの一瞬たりとも思ってもみなかったのである。

アラン・ロイドは返事を待った。が、返事は聞けそうもなかった。「ウィリアム、びっくりして口がきけないなんてきみらしくもないぞ」

「しかし、ぼくが二十五歳にもならないうちに、あなたが取締役就任の話を持ちだすとは……」

「確かにきみのお父さんは二十五歳で取締役に選ばれた。しかしほかの取締役連中が支持するかぎり、きみが取締役会に名を列《つら》ねてはいけない理由はなにもないし、わたしは彼らがこの考えを支持してくれることを知っている。とにかく、わたしには一日も早くきみに取締役に就任してもらいたい個人的な理由があるのだ。五年後にわたしが引退するとき、われわれは最適任者を頭取に選ばなくてはならない。きみがレスター銀行の幹部としてではなく、ケイン・アンド・キャボットで五年間働いているほうが、後任頭取の決定に際してより強い影響力を発揮できるだろう。どうだ、ケイン・アンド・キャボットの取締役会に参加してもらえないかね？」

ウィリアムが父親が生きていてくれればよかったと思ったのは、この日二度目だった。

「喜んでお受けします」

アランがウィリアムの顔を見あげた。「きみがそんな丁寧な口のきき方をするのは一緒にゴルフをしたとき以来だぞ。どうやら大いに用心する必要がありそうだな」

ウィリアムがにやりと笑った。

「よろしい。これで話は決った。きみには投資担当の部長補佐として、トニー・シモンズのすぐ下で働いてもらう」

「助手は自分で選んでもいいんでしょう？」

アラン・ロイドはからかうように彼を見た。「マシュー・レスターのことだろうね、おそらく」

「そうです」

「いや、それはだめだ。きみがレスター銀行でやろうとしていたことを、うちの銀行で彼にやられるのは困る。トーマス・コーエンはそのことをきみに教えるべきだったよ」

ウィリアムはなにもいわなかったが、以後二度とアランを甘く見なかった。

チャールズ・レスターは、あとでウィリアムからこのときのやりとりの一部始終を聞いて大笑いした。

「たとえスパイとしてでも、きみがうちの銀行にこないとは残念だな」と、彼は上機嫌でいった。「しかし、きみはいつかはかならずここにやってくるだろう——なんらかの資格で」

第三部

15

一九二八年の九月にケイン・アンド・キャボットの青年取締役として勤務しはじめたとき、ウィリアムは生れてはじめて自分が真に価値のある仕事をしていると感じた。彼は財務部長のトニー・シモンズと隣りあわせの、オーク・パネル張りの小部屋で、銀行家としてのキャリアの第一歩を踏みだした。勤めはじめたその週から、一言も聞くまでもなく、トニー・シモンズがアラン・ロイドの後継者として頭取に就任する野心を燃やしていることを知った。

銀行の投資計画全般はシモンズの責任だった。彼は自分の仕事の一部、とくに小企業や、土地や、その他銀行がかかわりを持つ外部の企業活動への投資を、ただちにウィリアムにゆだねた。ウィリアムの公式任務の一つは、取締役会総会において、自分が推薦したいと望む投資についての月間報告をおこなうことだった。十四名の取締役全員が、月に一度、両端からウィリアムの父親と祖父の肖像画が見おろすオーク・パネル張りの大会議室で顔を合わせた。ウィリアムは祖父を知らなかったが、ケイン家の祖母と結婚したからには「大した人物」だったに違いないと、かねてから思っていた。会議室の壁には、まだウィリアム自身の肖像画をかけるスペースが充分に残されていた。

ウィリアムは入行当初の数か月間慎重に行動したので、同僚の取締役たちは間もなく彼の判断を尊重し、数少ない例外を除いて彼の提案を支持するようになった。もっとも、結果的に取締役会はウィリアムの最良の勧告を斥《しりぞ》けたことになった。最初はメイヤー氏という人物が「話す映画《トーキング・ピクチャー》」に投資するために銀行に融資を申し込んできたが、取締役会はこのアイディアに価値も将来性も認めなかった。つぎはペイリーなる人物がラジオ放送網ユナイテッドのための野心的な計画をウィリアムのもとへ持ちこんできた。テレグラフィなるものにテレパシーと同じ程度の敬意しか抱いていなかったアラン・ロイドは、この計画にかかわりを持つことを望まなかった。取締役会はアランの意見を支持した。ルイス・B・メイヤーはのちにMGMの社長となり、ウィリアム・ペイリーはやがてCBSとなる会社の社長になった。ウィリアムは自分の判断に自信があったので、自分の信託財産でこの二人を援助したが、父親と同じように、援助を受ける相手にはそのことを知らせなかった。

ウィリアムの日常で比較的いやなほうに属する仕事は、銀行から多額の金を借り、その後返済不能になった取引先の破産の処理だった。ヘンリー・オズボーンを痛い目にあわせたことでもわかるように、ウィリアムは生れつき気の弱いほうではなかったが、昔からのりっぱな取引先に、株を清算し、家まで売れと要求するのは、夜の安眠の妨げとなった。ウィリアムは間もなくこれらの取引先がはっきりと二種類にわかれることを知った。破産を日常茶飯事とみなしている人間と、破産という言葉そのものに愕然《がくぜん》とし、一生かかっても借金を完済しようと努力する人間である。ウィリアムは当然のことながら第一のタイプにはきびしい態度をとったが、第二のタイプに対してはほぼ例外なしにより寛大な態度をとって、トニー・シモンズに渋い顔をされた。

ウィリアムが銀行の鉄則の一つを破って、ある顧客と個人的なかかわりを持ったのは、前記のようなケースにおいてだった。顧客の名前はキャサリン・ブルックスといい、彼女の夫のマックス・ブルックスが一九二五年のフロリダの土地ブームに投資するために、ケイン・アンド・キャボットから百万ドル借りていた。当時ウィリアムが銀行で働いていたとしたら、このような投資は絶対に支持しなかっただろう。ところがマックス・ブルックスは気球乗り兼飛行家という大胆不敵な新しい種族の一人として、マサチューセッツではかなり名の知れた英雄であり、おまけにチャールズ・リンドバーグの親友でもあった。小型飛行機を操縦するブルックスが、地上十フィートの高さで離陸後わずか百ヤード先の立木に激突して、悲劇的な死を遂げた事件は、国家的な損失としてアメリカ全土の新聞で報じられた。

ウィリアムは銀行を代表して、すでに支払い不能に陥っていたブルックスの財産を押え、ブルックス家の住居が建っている二エーカーを除いたフロリダの保有地のすべてを売ることによって、銀行の損失をできるだけ少なくしようとした。損失はそれでもなお三十万ドルを上まわった。一部の取締役は土地を売却するというウィリアムのすばやい決断、トニー・シモンズが同調しなかった決断に対して、やや批判的だった。ウィリアムは自分の行動に対するシモンズの反対を議事録に記録させておき、数か月後に、もしも土地を売らずに持っていれば銀行は百万ドルの投資のほぼ全額を損していただろうと指摘できる立場に立った。こうして先見の明を誇示することによってトニー・シモンズには嫌われたが、ほかの取締役たちには非凡な洞察力を印象づけた。

ウィリアムは銀行がマックス・ブルックスの名義で保有していたものをすべて清算し終ると、死んだ夫の負債を個人的に保証していたブルックス夫人に注意を向けた。ウィリアムは銀行が与えるすべての融資に関して、この種の保証を取りつけるよう努力する主義だったにもかかわらず、自分の友人には、いかに有望な事業に乗りだそうとしている場合でも、このような義務を背負いこむことをすすめなかった。万に一つ事業に失敗した場合、保証人が窮地に陥ることはほぼ避けられないからである。

ウィリアムはブルックス夫人に形式的な手紙を書いて、彼女の立場について話し合うための面会の日時を定めることを提案した。ブルックス関係の書類を丹念に読んで、彼女がまだ二十一歳の若さであること、ボストンの由緒《ゆいしょ》ある名門の当主、アンドルー・ヒギンスンの娘であること、彼女自身の資産をかなり持っていることなどを知っていた。その資産を銀行に引き渡すよう要求することはあまり気が進まなかったが、彼もトニー・シモンズもこのときばかりは取るべき手段に関して意見が一致したので、心を鬼にしてこの不本意な面会の日を迎えた。

ウィリアムの予想を大きく裏切ったのはキャサリン・ブルックスその人だった。後年彼はその朝の出来事を詳細に思いだすことになる。その日は彼が取締役会に提案しようとする銅と錫《すず》への多額の投資について、トニー・シモンズと激論を交わしていた。この二つの金属に対する産業界の需要は着実に高まりつつあり、ウィリアムはいずれ世界的な銅と錫の不足が生じるものと確信していた。トニー・シモンズはそれよりも株式市場により多くの資金を投資すべきだと主張して譲らず、秘書がブルックス夫人を部屋に案内してきたとき、彼の頭は依然としてその問題でいっぱいだった。ところが彼女はためらいがちな微笑ひとつで、銅、錫、その他の世界的不足を彼の頭からきれいさっぱり追い払ってしまった。彼女が腰をおろすよりも早く、机の反対側にまわって、よくよく見ても彼女が蜃気楼《しんきろう》のように消えてしまうおそれがないことを自分に納得させるかのように、彼女に椅子《いす》をすすめていた。キャサリン・ブルックスの半分も美しいと思う女性にさえ会ったことがなかった。長い髪はゆったりと気まぐれな巻毛となって肩に落ちかかり、小さな毛の房が魅力的に帽子からこぼれでて、こめかみにまとわりついていた。彼女が服喪中であるという事実は、ほっそりした容姿の美しさをいささかも減じていなかった。華奢《きやしや》な骨組みは、彼女が年齢にかかわりなくいつでも美しく見える女性であることを保証していた。大きな茶色の目はまぎれもなく彼がこれから切りだそうとしていることを理解していた。

ウィリアムは努めて事務的な口調で話した。「ブルックス夫人、ご主人がお亡《な》くなりになったことはまことにお気の毒です。今日あなたにご足労いただいたことをまことに申し訳なく思っております」

その言葉のなかには、五分前なら真実だったであろう嘘《うそ》が二つ含まれていた。彼は彼女の返事を待った。

「ありがとうございます、ケインさん」彼女の声はソフトで、穏やかな、低い響きを持っていた。「あなたの銀行に対するわたしの義務は存じておりますので、その義務を果すためにできるだけのことをするつもりですわ」

ウィリアムは彼女が話し続けることを願って、自分ではなにもいわなかった。だが彼女が口をつぐんだので、マックス・ブルックスの土地をどのように処分したかをざっと説明した。彼女はうつむいて耳を傾けた。

「さて、ブルックス夫人、あなたはご主人への融資の保証人となっておられるので、当然あなたの個人の資産が問題となります」彼は書類に目を通した。「あなたはおよそ八万ドルの投資——これはおそらく実家からお持ちになったものでしょう——と、個人口座に一万七千四百五十六ドルの預金をお持ちです」

彼女が顔をあげた。「あなたはわたしの財政状況をほぼ的確に把握《はあく》していらっしゃいますわ、ケインさん。でもフロリダにあるマックス名義の家、バックハースト・パークと、わたしの若干の高価な宝石類をお忘れのようです。それらを全部合わせれば、不足分の三十万ドルに充分達すると思いますので、至急それらを現金化するよう手配しておきました」

彼女の声はほんのかすかな震えを帯びているだけだった。ウィリアムは感嘆のまなざしで彼女をみつめた。

「ブルックス夫人、銀行はあなたから全財産を取りあげるつもりは毛頭ありません。あなたの同意を得て株や債券を売却したいだけです。いまおっしゃったほかのものは、家も含めて、お手もとに残すべきだとわれわれは考えています」

彼女は躊躇《ちゅうちょ》した。「お心遣いには感謝いたしますわ、ケインさん。でもわたしはおたくの銀行に借りを作ったり、主人の名前を汚《けが》したりしたくないんです」ふたたび声にかすかな震えが加わったが、すばやく抑えられた。「いずれにしろ、わたしはフロリダの家を売って、なるべく早く実家へ帰る決心をしましたから」

彼女がボストンへ戻ってくると聞いて、ウィリアムの脈が速くなった。「それでしたら売却代金に関してなんらかの同意に達することができるかもしれませんね」

「いまこの場で決めてください」彼女は断固としていった。「借りたお金は残らず受け取っていただきます」

ウィリアムはもう一度会うチャンスを作ろうとした。「結論を急ぎすぎるのは禁物です。同僚とも相談したうえで、後日この問題をもう一度話し合うほうが賢明だと思いますよ」

彼女は小さく肩をすくめた。「ではどうぞお好きなように。わたしはお金のことはどちらでもかまいません、あなたにご迷惑さえかからなければそれでいいんです」

ウィリアムはまばたきした。「ブルックス夫人、正直なところあなたのおおらかな態度には驚きました。せめて昼食にお誘いすることを許していただけませんか？」

彼女がはじめて微笑を浮べると、右頰に思いもかけなかったえくぼが現われた。ウィリアムはそれをうっとりと眺め、リッツでの長い昼食のあいだにふたたびえくぼを出現させるべく全力をあげた。銀行の机に戻ったときは三時をとっくに過ぎていた。

「長い昼食だったね、ウィリアム」と、トニー・シモンズがいった。

「ええ、ブルックス問題が思った以上に厄介でね」

「わたしが書類に目を通したときはたいそうすっきりしているように思ったが。夫人はわれわれの条件に不満があるわけじゃなかろう？　この状況ではわれわれの条件はかなり寛大なものだといわざるをえんよ」

「彼女もそう思っていたよ。なにしろ彼女が銀行に迷惑をかけまいとして全財産を放棄しようとするのを、説得してやめさせなければならなかったくらいだ」

トニー・シモンズが目を丸くした。「われわれみんなが熟知し、深く敬愛しているウィリアム・ケインらしくもないね。とはいうものの、銀行が寛大なところを見せるとしたら、今ほどいい時期はないが」

ウィリアムは顔をしかめた。入社以来、彼とトニー・シモンズの株式市場の動向に関する意見の食いちがいは拡《ひろ》がる一方だった。一九二八年十一月にハーバート・フーヴァーがホワイト・ハウス入りして以来、ダウ＝ジョーンズ平均は着実に上昇し続けていた。彼の大統領就任のわずか十日後に、ニューヨーク株式取引所は一日で六百万株を上まわる取引の新記録を立てた。しかしウィリアムは、自動車業界からの多額の資金の流入によって勢いづいた上昇気運の行きつくところは、不安定といってもよいほどの株価の高騰《こうとう》であると確信していた。それに反してトニー・シモンズは、この好況がいつまでも続くものと確信していたので、ウィリアムは取締役会で慎重論を唱えるたびに、決って多数意見に圧倒された。しかしながら自分の信託資金に関してはおのれの直感に従って行動してもだれからも文句が出なかったので、キャッシュの五十パーセントを株式投資に残しただけで、土地、金、商品、そしてより慎重に選んだ印象派の絵画などに大金を投資しはじめた。

ニューヨーク連邦準備銀行が、取引先に投機だけを目的として融資をおこなっている銀行への、融資の再割引をおこなわないという布告を発したとき、ウィリアムは投機家の柩《ひつぎ》に最初の釘《くぎ》が打ちこまれたと考えた。そこでただちに銀行の融資計画を再検討し、ケイン・アンド・キャボットはこの種の貸出しを二千六百万ドル以上も抱えていると見積った。彼はこのような政府規制が実施されれば、長い目で見た場合株価は必然的に下落すると確信して、トニー・シモンズに貸出金の取立てを要求した。彼らは月例の役員会であやうくつかみあいまで演じかけたが、結局十二対二でウィリアムの提案が否決された。

一九二九年三月二十一日、ブレア・アンド・カンパニーがバンク・オブ・アメリカとの合併を発表した。これはより明るい未来に向うように思われる一連の銀行合併の三件目であり、三月二十五日にトニー・シモンズは、株式市場がまたしても前代未聞《みもん》の大商いの記録を立てたことを指摘するメモをウィリアムに届けて、また新たな銀行の資金を株に投入した。そのころまでにウィリアムは自分の資金を再調整して、株式市場への投資を全体の二十五パーセントまで縮小していた。その結果すでに二百万ドル以上の損失をこうむり、心配したアラン・ロイドからは叱言《こごと》をいわれる始末だった。

「自分のやっていることがちゃんとわかっているんだろうね、ウィリアム」

「アラン、わたしは十四の年から株式市場で勝ち続けているが、それもみな大勢に逆らったおかげなんだよ」

だが一九二九年の夏のあいだ市場がじりじり高騰し続けると、さすがのウィリアムもトニー・シモンズの判断が正しかったのではないかという迷いが生じて、売りを中止した。

アラン・ロイドの引退のときが近づくにつれて、頭取の後釜《あとがま》を狙《ねら》うトニー・シモンズの明白な意図が、既成事実の様相をとりはじめた。この見通しは、シモンズの物の考え方があまりに型にはまりすぎると考えるウィリアムを不安にした。シモンズは常に市場の動きから一歩遅れており、これは好況時には申し分ないが、不況の、競争の激しい時代には危険な姿勢ともいえた。ウィリアムにいわせれば、抜目のない投資家とは、常に群れと一緒には走らず、つぎに群れがどの方角に向うかを前もって読みとれる人の謂《いい》だった。ウィリアムはすでに将来の株式投資はまだまだ危険であると判断していたが、トニー・シモンズのほうはアメリカが黄金時代に入りつつあると確信していた。

ウィリアムのもう一つの問題は、トニー・シモンズがまだ三十九歳の若さなので、少なくともあと二十六年間は自分がケイン・アンド・キャボットの頭取になれる見込みがないということだった。それはハーヴァードで「定型的昇進経路《キャリーア・パターン》」と呼ばれているものにはおよそ当てはまらない状況だった。

他方、キャサリン・ブルックスの面影は彼の心に鮮明に焼きついていた。ウィリアムは彼女の株や債券の売却について、できるだけひんぱんに手紙を書いて報告した。タイプで打った形式的なそれらの手紙には、当然のことながら形式的な肉筆の返事しかもらえなかった。彼女はウィリアムを世界一良心的な銀行家だと思ったに違いない。もしも自分のファイルがウィリアムの担当するほかのどのファイルにも劣らないほど分厚くなりつつあることを知ったら、彼女はそのことを——あるいは少なくとも彼のことを——もっと本気で考えたかもしれなかった。秋のはじめに、彼女はフロリダの土地に有望な買手がついたことを手紙で知らせてきた。ウィリアムはすぐに返事を書いて、銀行を代表して売却の条件を話し合う役目をみずから買って出、彼女がそれに同意した。

彼は一九二九年九月の初旬にフロリダへ旅をした。駅までブルックス夫人の出迎えを受けた彼は、記憶のなかの彼女よりも実物のほうがはるかに美しいことに圧倒された。プラットフォームに立って待つ彼女の体に、微風《そよかぜ》になびく黒いドレスが密着し、ウィリアム以外のすべての男が振りかえって見ずにはいられない横顔をきわだたせた。ウィリアムの視線は一瞬も彼女からはなれなかった。

彼女はまだ喪に服しており、ウィリアムへの態度がいかにも控え目で礼儀正しかったので、彼ははじめ彼女になんらかの印象を与えることを諦《あきら》めたほどだった。バックハースト・パークの買手である農園主との交渉をできるだけ引きのばし、合意に達した売値の三分の二を銀行が取り、残る三分の一はキャサリン・ブルックスを説得して受け取らせることにした。契約書に署名がすむと、ついにボストンへ帰らずにいる口実がなくなった。彼は自分の気持を打ち明ける決心をして、彼女をホテルへ夕食に招待した。すでに何度か経験していたことだが、このときも彼女はウィリアムの意表をついた。彼が肝心の話題を切りだす前に、彼を見ないようにして手に持ったグラスをくるくる回しながら、バックハースト・パークに数日泊っていただけないかと切りだしたのである。

「いわばわたしたち二人の休暇というところですわ」彼女は顔をあからめ、ウィリアムは無言だった。

やがて彼女が勇気をふるい起して続けた。「こんなことを口にするのははしたないかもしれませんけど、わたしがとても淋《さび》しい思いをしていることをわかっていただきたいんです。思いがけずあなたと一緒に過した先週ほど楽しかったことは、今までなかったような気がするんです」彼女はふたたび顔を赤らめた。「わたし口下手なもんだから、ひどいことをいうとお思いになるでしょうね」

ウィリアムの動悸《どうき》が速まった。「ケイト、わたしもこの九か月間、少なくともあなたと同じくらいひどいことをいいたくてたまらなかったんです」

「それじゃ、二、三日泊っていただけるのね、ウィリアム？」

「ええ、ケイト、喜んで」

その夜彼女はバックハースト・パークのメインの客用寝室を彼に提供した。後年ウィリアムは、いつまでもこの数日間を自分の人生の黄金の幕間《まくあい》としてなつかしんだものだった。彼らは一緒に乗馬を楽しみ、彼女のほうがより巧みな跳躍ぶりを見せた。水泳でも彼女のほうが上手《うわて》だった。一緒に散歩をしても、常に彼のほうが先に引き返すことになるので、とうとう奥の手を出してポーカーに誘い、長時間をかけて三百五十万ドル巻きあげた。

「小切手でよろしいかしら？」と、彼女が胸を張って質問した。

「ぼくがあなたの資力を知っていることを忘れておいでのようですな、ブルックス夫人。だが、まあいい、取引をしよう。あなたが負けた分を取り返すまでポーカーを続けることにすれば問題はない」

「二、三年はかかりそうよ」

「待ってあげるよ」

彼はいつの間にか長く埋もれていた過去の出来事、マシューにさえほとんど話さなかった事柄、父親への敬意や、母親への愛や、ヘンリー・オズボーンへの盲目的な憎しみや、ケイン・アンド・キャボットにおける野心などについて語っていた。彼女のほうもボストンの少女時代のこと、ヴァージニアの学生生活、マックス・ブルックスとの若いうちの結婚などについて語った。

ケイトが五日後に駅でウィリアムに別れを告げたとき、彼がはじめてキスをした。

「ケイト、ひどくぶしつけなことをいわせてもらうよ。いつかマックス以上にぼくに心を寄せてほしいんだ」

「もうそんな気持になりはじめているわ」と、彼女が小声でいった。

ウィリアムは彼女をじっとみつめながらいった。「また九か月もはなればなれで暮すのはいやだ」

「そうしたくてもできないわ——あなたがわたしの家を売ってしまったから」

父親の死後絶えて久しい落ちついたしあわせな気分でボストンへ帰る途中、ウィリアムはバックハースト・パークの売却に関する報告書を書いたが、思いはケイトと過去の五日間に絶えず戻って行った。列車がサウス・ステーションに入る直前に、几帳《きちょう》面《めん》だが読みにくい筆蹟《ひっせき》であわただしく一筆認《したた》めた。

ケイト、もうあなたが恋しくなった。まだ別れてから数時間しかたっていないのに。いつボストンにくるか、手紙で知らせてください。それまでぼくは銀行業務に戻って、長時間（すなわち十プラス・マイナス五分）ずっとあなたを忘れていられることを証明してみせます。

愛をこめて
ウィリアム

チャールズ・ストリートの郵便ポストに手紙を投函《とうかん》したとたんに、新聞売子の叫び声がケイトのことを彼の念頭から一掃した。

「ウォール・ストリート崩壊」

ウィリアムは新聞を引ったくるようにしてトップ記事にざっと目を通した。株式市場は一夜にして暴落していた。一部の財政家たちはこれを単なる再調整と見ていたが、ウィリアムは自分が何か月も前から予言してきた地滑りのはじまりと見た。彼は銀行へ急ぎ、まっすぐ頭取室へ行った。

「いずれ市場は持ちなおすさ、わたしはそう確信しているよ」と、アラン・ロイドがなだめるような口調でいった。

「いや、それは違う」と、ウィリアムがいった。「市場は過熱している。ぼろ儲《もう》けを狙う小口投資家たちで過熱状態だが、いまやその連中が命からがら逃げだすに違いない。今にも風船が破裂しそうなことにあなたは気がつかないのか？　わたしは全部売るつもりだ。今年の終りまでにこの過熱市場の底が抜けているだろう。わたしは二月にそのことを警告したはずだよ、アラン」

「わたしは依然としてきみとは考えが違うが、きみの意見をより詳細に検討するために、明日役員総会を招集することにしよう」

「ありがとう」ウィリアムは自分の部屋に戻ってから内線電話を取りあげた。

「アラン、あなたに話すのを忘れていた。実は結婚したい女性にめぐりあったんだ」

「相手はもう知ってるのかね？」と、アランが問いかえした。

「いや、まだだ」

「なるほど。きみの結婚は銀行家としての経歴と酷似しているんだね、ウィリアム。つまり直接の関係者はきみが決心したあとではじめて知らされるというわけだ」

ウィリアムは笑いながら別の電話を取りあげて、ただちに自分の主要な持株を市場に放出し、換金した。そこへトニー・シモンズがやってきて、開けっぱなしの戸口に立ってウィリアムを見ながら、こいつ気が狂ったに違いないという顔をした。

「現状の市場に株を売りに出したら、一夜にして無一文になってしまうぞ」

「売らずに持っていたらもっと大損するさ」と、ウィリアムが答えた。

それから一週間でこうむった百万ドル以上の損失に、彼ほど確信のない人間ならとうてい耐えられなかっただろう。

翌日の役員会でも、銀行の株を現金化すべしという彼の提案は八対六で否決された。トニー・シモンズが、今少し持ちこたえる努力をしないのは無責任であると、役員会を説き伏せたのである。ウィリアムの唯一《ゆいいつ》のささやかな勝利は、同僚取締役たちに、銀行が新たに株を買わない方針を承認させたことだった。

その日株価はわずかに上昇し、さらに持株を手放すチャンスをウィリアムに与えた。その週の終りまで四日間連続で株価指数が上がり続けたとき、さしものウィリアムも自分の反応が過剰だったのではないかと思いはじめたが、過去の訓練と直感が決断に誤りはないことを教えた。アラン・ロイドはなにもいわなかった。ウィリアムが失いつつある金はどうせ彼の金ではなかったし、自分が無事引退に漕《こ》ぎつけることだけを願っていたからである。

十月二十二日、市場はいちだんと大きな損失をこうむり、ウィリアムはふたたびアランにまだチャンスがあるうちに逃げだすよう懇願した。今度はアランも耳をかし、ウィリアムが銀行の主要株のいくつかについて、売りの指令を出すことを許可した。翌日、市場はふたたび殺到する売りのために暴落し、もはや買手が一人もいないので、銀行がどの株を処分しようとするかは問題にならなかった。株の投売りは、全国の小口投資家たちが破産を免れるために売りにまわるにつれて、なだれ現象の様相を呈しはじめた。パニックが高じて、速報テープが取引に追いつかなくなった。所員が夜どおし働いたあと、朝になって株式取引所が開かれたときにはじめて、仕切売買人たちは自分が前日どれだけ損したかを事実として知る始末だった。

アラン・ロイドは二代目J・P・モーガンと電話で話し合って、ケイン・アンド・キャボットが主要株の全国的な暴落を買い支えるための銀行グループに参加することを承知した。ウィリアムは、もしもグループによる努力が必要なら、ケイン・アンド・キャボットは責任ある立場でその活動に参加すべきであるという理由で、この方針に反対しなかった。それに、もちろんこの計画が成功すれば、すべての銀行の経営が楽になるだろう。ニューヨーク株式取引所の副会長で、モーガン・グループの代表者を兼ねるリチャード・ホイットニーが、翌日ニューヨーク株式取引所に介入して三千万ドル相当の優良株《ブルー・チップス》を買い支えた。市場はもちなおしはじめた。その日だけで千二百八十九万四千六百五十株が売買され、市場は続く二日間どうにかもちこたえた。フーヴァー大統領から仲買店のメッセンジャーたちまで、だれもが最悪の事態は過ぎ去ったと信じた。

ウィリアムは個人で所有する株の大部分を売っており、彼の損失は、四日間で三百万ドル以上に達した銀行の損失にくらべれば、はるかに少なかった。結局あのトニー・シモンズでさえウィリアムの意見に従うようになっていた。のちに「暗黒の火曜日」と呼ばれることになった十月二十九日に、市場がふたたび落ちこんだ。千六百六十一万三十株が売買された。全国の銀行は今や自分たちが支払い不能であるという事実を知った。もしも全預金者が現金を要求したら——あるいは逆に銀行が融資を全額回収しようとしたら——銀行業界全体が音をたてて崩壊するだろう。

十一月九日に役員会が開かれ、自宅でピストル自殺をした、カウンティ・トラストの社長でケイン・アンド・キャボットの取締役でもあったジョン・J・リオーダンの冥福《めいふく》を祈って、一分間の黙禱《もくとう》が捧《ささ》げられた。それはボストン銀行業界で起きた、過去二週間で十一番目の自殺だった。故人はアラン・ロイドの個人的な親友だった。頭取は続いてケイン・アンド・キャボット自体の損失も四百万ドル近くに達し、モーガン・グループは合同の試みに失敗した以上、今や個々の銀行がおのれの最上の利益のために行動すべきであると述べた。銀行の小口投資家のほとんどはすでに破産し、大口投資家も大部分が現金不足に手を焼いていた。ニューヨークではすでに怒った群衆が銀行の前に集まりはじめており、ピンカートン社から人を雇って年寄りの守衛たちを補強しなければならなかった。あと一週間この状態が続けば、銀行は一つ残らず消えて無くなるだろう、とアランは述べた。彼は辞意を表明したが、役員会がそれを認めなかった。彼の立場はアメリカのどの大手銀行頭取の立場とも変りなかったからである。トニー・シモンズも辞意を表明したが、同僚取締役たちはその件についても考慮の余地はないという態度だった。トニーはもはやアラン・ロイドの後釜《あとがま》に坐《すわ》る運命になかったので、ウィリアムは寛容な沈黙を守った。一つの妥協案として、シモンズは海外投資の責任者としてロンドンへ派遣されることになった。いわば厄介払いだ、とウィリアムは思った。そのウィリアムは銀行の投資全般を管掌する財務部長に任命された。彼はただちに自分の右腕としてマシュー・レスターを招聘《しょうへい》した。今度はアラン・ロイドも全く反対しなかった。

マシューは新年早々にウィリアムのもとへくることを承知した。それより早くは父親に解放してもらえなかった。彼らは彼らで問題がないわけではなかったからである。

そこでウィリアムはマシューが到着するまで投資部門を独力で切りまわした。一九二九年の冬はウィリアムにとって気の滅入《めい》る季節となった。生れたときから知っている友人たちの経営する会社が、大きいところも小さいところも区別なく、つぎつぎに破産するのを見守らなければならなかった。一時は銀行そのものがはたして生き残れるかどうかさえ疑問だった。

クリスマスに、ウィリアムはフロリダでケイトと一緒にすばらしい一週間を送り、ボストンへ帰るために荷物を茶箱に荷造りするのを手伝った。「ケイン・アンド・キャボットがわたしから取りあげなかった茶箱よ」と、彼女はウィリアムをからかった。ウィリアムのクリスマス・プレゼントでもう一つの茶箱がいっぱいになり、ケイトは彼の気前のよさにひけめを感じた。「文無しの未亡人は、お返しになにをあげたらいいのかしら？」と彼女が冗談をいった。ウィリアムはその問いに答えて、彼女を残った茶箱に押しこみ、「ウィリアムへのプレゼント」と貼紙《はりがみ》をした。

彼は意気揚々としてボストンへ帰り、ケイトと一緒に過した一週間がよりよい年の幕あきの前兆であることを祈った。かつてのトニー・シモンズの部屋に腰をおろして、午前中の郵便物に目を通し、例によってその週に予定された二、三の会社清算会議を司会しなければならないことを知った。彼は秘書を呼んで、最初の面会者はだれかとたずねた。

「また破産のようですわ、ケインさん」

「そうそう、思いだしたよ」と、ウィリアムはいった。だが肝心の名前に心当りはなかった。「ゆうべ書類に目を通した。実に不幸な事件だ。その人は何時にくることになっているのかね？」

「十時のお約束ですけど、その方はもうロビーで待っておられます」

「よろしい。お通ししてくれ。早いところ片づけてしまおう」

ウィリアムはめぼしい事実をざっと復習するために、改めて書類に目を通した。最初の顧客であるデイヴィス・リロイ氏の名前に線が引かれ、今朝の訪問者であるアベル・ロスノフスキ氏の名前がかわりに書きこまれていた。

ウィリアムはロスノフスキ氏とかわしたいちばん最近の会話を鮮明に思いだして、早くもそのことを後悔しはじめていた。

16

アベルは三か月かかって、ようやくリッチモンド・コンチネンタルが直面している問題の根の深さと、ホテルがなぜそれほど赤字を出し続けているのかを理解した。従業員には半分眠っているように思いこませながら、十二週間にわたって隅々まで目を光らせた結果、彼が達した単純な結論は、ホテルの儲《もう》けが盗まれているというものだった。リッチモンドの従業員は、さすがのアベルもいまだかつてお目にかかったことがないような、狎《な》れあいのシステムで働いていた。しかしながらこのシステムは、かつて生きるためにロシア人からパンを盗まなければならなかった新しい副支配人の到着を、考慮に入れたものではなかった。アベルが最初にぶつかった問題は、ホテルのあらゆる部門に目が届くまで、自分の発見をだれにも知られないようにすることだった。各部門が独自の盗みのシステムを完成させていることを見抜くのに、さして時間はかからなかった。

ごまかしはまずフロントで始まっていた。そこではフロント係が十人の宿泊客中の八人しか記帳せず、残る二人の現金による支払いを着服していた。彼らの手口は単純そのものだった。ニューヨークのプラザで同じやり方をしたら、数分後には見つかって馘《くび》になっていただろう。フロント主任はほかの州からやってきた一泊だけの老夫婦に目をつける。その夫婦は市内に取引関係がないことを慎重に確かめてから、宿泊簿への記帳を中止する。客が翌朝現金で支払いをすれば、金はポケットに入れられ、記帳がおこなわれていなければ客がホテルに宿泊したという記録は残らない。アベルはずっと前からすべてのホテルは宿泊客を自動的に記帳すべきだと考えていた。プラザではすでにその方法がとられていた。

レストランでは盗みのシステムにいちだんと磨きがかかっていた。もちろん昼食や夕食にやってきたふりの客の、現金による支払いがすでに着服されていたことはいうまでもない。その点はアベルも予想していたが、レストランの伝票を調べてみて、フロントがレストラン従業員と手を組み、すでに自分たちが記帳しないことに決めた客のレストラン伝票が存在しないように手を打っていることを確かめるまでには、さらに少々時間を要した。それに加えて、架空の破損と修理、備品の紛失、食品の行方不明、ベッドシーツやときにはマットレスまで消えてしまうといったことが、ひっきりなしに起っていた。アベルはあらゆる部門を徹底的に調べあげて、耳をすまし、目を配った結果、リッチモンドの従業員の半数以上が盗みに関係しており、完全に潔白な部門は一つもないという結論に達した。

はじめてリッチモンドへきたとき、アベルは支配人のデズモンド・ペイシーが、自分の鼻先でおこなわれている不正になぜもっと早く気がつかなかったのだろうかと不審に思った。おそらく支配人が怠け者で、不正を徹底追及する気がないのだろうと、彼は誤解した。さすがのアベルも、怠け者の支配人こそあらゆる不正の元凶であり、だからこそこのシステムがうまく機能していたのだと気がつくまでには、しばらく時間がかかった。ペイシーは三十年以上もリッチモンド・グループで働いてきた。彼がある時期主要なポストにつかなかったホテルは、グループに一つもないほどで、そのことがほかのホテルの経営内容に関してもアベルに不安を抱かせた。おまけにデズモンド・ペイシーはホテルの持主であるデイヴィス・リロイの個人的な友人でもあった。シカゴ・リッチモンドは年間三万ドル以上の赤字を出しているが、デズモンド・ペイシーを皮切りに従業員の半数を解雇すれば、一夜にしてこの状態を改善できることをアベルは知った。だがそこには問題が一つあった。デイヴィス・リロイは過去三十年間ほとんど従業員を解雇したことがないのである。問題があってもいずれ時がたてば解決するだろうと考えて、じっと耐え忍ぶ主義だった。アベルの見るかぎり、リッチモンド・ホテルの従業員は、心ならずも退職する日まで、やりたいほうだいホテルを食い物にしていた。

アベルは、ホテルの経営を好転させるにはデイヴィス・リロイと対決するしかないと考えて、その目的で一九二八年のはじめにイリノイ—セントラル鉄道の急行に乗ってセント・ルイスへ行き、そこからミズーリ・パシフィック鉄道でダラスへ行った。

小脇《こわき》にはホテル別館の小部屋で三か月かかってまとめあげた二百ページの報告書を抱えていた。この厖大《ぼうだい》な証拠書類を一とおり読み終ると、デイヴィス・リロイは当惑してアベルの顔をみつめた。

「この連中はみなわたしの友達なんだよ」報告書を閉じて、彼が最初に発した言葉がこれだった。「なかには三十年もわたしと一緒にやってきた者もいる。この商売に多少のごまかしはつきものだが、きみは連中がわたしに隠れて盗みほうだいに盗んできたというんだね？」

「何人かは三十年間ずっと盗み続けていますよ」

「いったいわたしにどうしろというのかね？」

「あなたがデズモンド・ペイシーを辞めさせて、明日から盗みに関係した者を馘にする白紙委任状をわたしにあずけてくれれば、不正をなくしてみせます」

「どうかな、アベル。問題がそれほど簡単だといいが」

「問題はそれほど簡単ですとも。それから盗人《ぬすっと》どもをわたしに始末させてくれないのなら、今この場でわたしが辞めさせてもらいます。アメリカでいちばん経営の腐敗したホテルで働く気は毛頭ありませんから」

「デズモンド・ペイシーを副支配人に格下げするだけではいかんのかね？　そしてき

みを支配人にすれば、問題はきみの手で解決できるだろう」

「それは無理です」と、アベルが答えた。「ペイシーは退職まであと二年残しており、リッチモンドの全従業員に強い影響力を持っているから、彼をわたしの方針に従わせるころには、あなたは死ぬか破産するかしているでしょう。ほかのホテルもみなおそらくこんな調子でずさんな経営がおこなわれているでしょうから、ひょっとしたら死と破産のダブル・パンチに見舞われるかもしれませんよ。シカゴの流れを変えたかったら、今すぐペイシーについて断固たる決意をしなければなりません。さもないとあなた自身の責任でホテルをつぶしてしまうことにもなりかねませんよ。さあ、どっちかに決めてください」

「われわれテキサス人ははっきり物をいうことで有名だが、しょせんきみにはかなわんな、アベル。よしわかった、きみに全権を与えよう。おめでとう。きみは今からシカゴ・リッチモンドの新しい支配人だ。きみがシカゴに到着したことがアル・カポネの耳に入ったら、彼もシカゴから逃げだして、偉大なテキサスで平穏の日々を楽しんでいるわたしに仲間入りしたくなるだろう。いいか、アベル」リロイは立ちあがって新しい支配人の肩をぽんと叩《たた》いた。「わたしを恩知らずなやつだなどと思うなよ。きみはシカゴでりっぱな仕事をやってのけた。わたしは今後きみを自分の右腕とみなすことにする。正直にいうとだな、アベル、わたしは本業で損したことに気がつかないくらい株取引で大きく儲けていた。だがありがたいことに今は正直な友達が一人いる。どうだ、一晩泊って一緒に食事でもしていったら？」

「食事は喜んでご一緒しますが、個人的な理由で今夜はダラス・リッチモンドに泊りたいと思います」

「だれ一人容赦しないつもりらしいな、アベル？」

「やむをえません」

その晩デイヴィス・リロイは、豪華な食事と、南部ではこの程度のもてなしは当り前だと称して、やや多すぎる量のウィスキーをアベルに振舞った。彼はまた、自分が少し楽をするために、だれかリッチモンド・グループの経営を引き受けてくれる人物を捜しているところだと、アベルに打ち明けた。

「うすのろのポーランド人に本気で経営をまかせるつもりですか？」少し飲みすぎたアベルはろれつがまわらなかった。

「うすのろはわたしのほうさ、アベル。きみが大いに手腕を発揮して、あの泥棒どもをいぶしだしてくれなかったら、わたしはいずれ破産していたかもしれん。しかし実状を知ったからには、連中を痛い目にあわせてやる。それからリッチモンド・グループをふたたび一流ホテルに戻すチャンスをきみに与える」

アベルは体をぐらぐらさせながらグラスを持ちあげた。「そのことに――それからパートナーシップがいつまでも、順調に続くことを祈って、乾杯」

「しっかり頼んだぞ」

アベルはその晩ダラス・リッチモンドに泊り、偽名を使って、一晩だけの泊りであることをフロントでことさら強調した。翌朝現金支払いの領収書の唯一《ゆいいつ》の控えが屑籠《くずかご》に捨てられるのを見たとき、アベルの疑惑は裏付けられた。問題はシカゴだけではなかった。彼はまずシカゴの粛正が先決だと判断した。グループのほかのホテルでおこなわれている不正の摘発はそれからでも遅くない。彼はデイヴィス・リロイに電話をかけて、病気はグループ全体に蔓延《まんえん》していると報告した。

アベルはきたときと同じルートでシカゴへ帰った。ミシシッピの峡谷は前年の洪水で荒れはてて、車窓ぞいに不機嫌な相貌《そうぼう》を呈していた。アベルは自分がシカゴ・リッチモンドへ帰って惹《ひ》きおこす嵐のことを思った。

ホテルに帰り着くと、勤務中のナイト・ポーターの姿は見当らず、フロント係が一人いるだけだった。彼はみんなをお払い箱にする前に一晩だけぐっすり眠らせてやることにした。若いベルボーイが、別館へ戻る彼のために玄関のドアをあけた。

「旅行はいかがでした、ロスノフスキさん？」

「よかったよ、ありがとう。こっちはどうだった？」

「とても静かでしたよ」

明日のこの時間は、従業員のなかで残っているのはきみだけだから、もっと静かになるだろう、とアベルは思った。

アベルは旅装を解き、ルーム・サーヴィスに電話して軽食を頼んだが、到着するまで一時間以上もかかった。コーヒーを飲み終ると、服を脱いで冷たいシャワーを浴びながら翌日の計画を検討しなおした。大鉈《おおなた》をふるうにはもってこいの時期を選んでいた。今は二月のはじめで、ホテルの部屋はわずか二十五パーセントしかふさがっておらず、現有勢力が半減してもリッチモンドの経営業に差支えは生じないという確信があった。やがてベッドに入って、枕《まくら》を床に投げだし、知らぬが仏の従業員たちと同じようにぐっすり眠った。

リッチモンドではみんなに「ぐうたらペイシー」と呼ばれているデズモンド・ペイシーは、当年六十二歳だった。かなりの肥満体で、そのために短い脚の上に乗っかった体の動きが鈍くなるのだった。デズモンド・ペイシーは七人か八人の副支配人がリッチモンドに勤めてはやめて行くのを見てきた。ある者は欲に目がくらんで分け前をふやせと要求し、ある者はどんな仕組みになっているのか理解できなかった。今度のポーランド人も今までの連中よりずば抜けて頭が切れるということはないようだ、と彼は判断した。毎朝十時の顔合せのためにアベルの部屋に向ってゆっくり歩きながら、彼は鼻歌を歌っていた。すでに十時を十七分回っていた。

「待たせてすまなかったな」と、支配人はいったが、およそすまなそうな口調ではなかった。

アベルはなにもいわなかった。

「フロントでちょっと手間取ってね、わかるだろう？」

フロントでなにがあったか、アベルはわかりすぎるほどよくわかっていた。

彼は目の前の机のひきだしをゆっくりあけて、皺《しわ》くちゃになった四十枚の伝票をずらりと並べた。そのうちの何枚かは四つか五つに破られていた。それらは屑籠や灰皿から拾った伝票、現金で払い、記帳されなかった客の伝票だった。彼は太った背の低い支配人が、なんの伝票か調べようとするのを見守った。

デズモンド・ペイシーにはそれがなにを意味するのかよくわからなかった。とはいっても大して気にはならなかった。なにも心配する必要はなかった。この間抜けなポーランド人が組織的な不正に気がついたとしても、分け前をもらうかホテルを辞めるかだ。ペイシーはこいつにいくら分け前をやらなくちゃならないだろうかと思案しはじめた。もしかすると上等の部屋を一つやるだけで、しばらくは口を封じておけるかもしれない。

「あなたは解雇されました、ペイシーさん。一時間以内にこの建物から出て行ってください」

デズモンド・ペイシーは意味がわからなかった。耳を疑うような言葉だったからである。

「今なんていった？　聞きちがいのような気がするんだが」

「いや、ちゃんと聞えていますよ。あなたは解雇されたんです」

「きみにわたしを解雇する権限はない。わたしがこのホテルの支配人だし、三十年以上もリッチモンド・グループで働いている。だれかが解雇されるとしたら、それをするのがわたしの役目だ。きみはいったい自分を何様だと思っているのかね？」

「わたしは新しい支配人です」

「きみが、、、なんだって？」

「新しい支配人です」と、アベルは繰りかえした。「リロイさんがきのうわたしを支配人に任命し、わたしがたった今あなたを解雇したんですよ、ペイシーさん」

「解雇の理由は？」

「大がかりな盗みです」

アベルは伝票の向きを変えて、眼鏡をかけた支配人によく見えるようにしてやった。

「これらの宿泊客は一人残らず金を払ったが、リッチモンドの経理にはただの一セントも入っていない、しかもどの伝票にも共通する点が一つある――あなたの署名があることですよ」

「きみは百年かかってもなにも証明できんぞ」

「わかってます。あなたは効果的なシステムを作りあげていた。しかし、ここではもうあなたの運が尽きたようだから、どこかよそへ行ってそのシステムを生かすんですね。ポーランドの古い諺《ことわざ》に、水差《みずさし》は把手《とつて》がこわれるまでしか水を運ばない、というのがあるんですよ、ペイシーさん。あなたはたった今把手がこわれて解雇されたんです」

「きみにはわたしを解雇する権限はない」と、ペイシーが抗議した。二月の寒さのなかで額に汗がにじんだ。「デイヴィス・リロイはわたしの個人的な親友だ。わたしを解雇できる人間は彼しかいない。きみは三か月前にニューヨークからきたばかりじゃないか。わたしが直接話せば彼はきみの言い分など聞かんだろう。わたしは電話一本できみをこのホテルからほうりださせることもできるんだ」

「ではどうぞ」と、アベルがいった。

彼は電話を取りあげて、交換手にダラスのデイヴィス・リロイを呼んでくれと頼んだ。二人の男は睨《にら》みあいながら待った。今やペイシーの鼻の頭を汗が伝い落ちていた。アベルは一瞬自分の新しい雇い主が弱気になって折れてしまうのではないかと思った。

「おはようございます、リロイさん。シカゴのアベル・ロスノフスキです。たった今デズモンド・ペイシーを解雇したところですが、あなたに話があるといっておりますす」

ペイシーが震えながら受話器を受け取った。相手の話を聞いていたのはほんの数秒間だけだった。

「しかし、デイヴィス、わたしは……わたしにどうしろというんだ……？　誓ってそんなことは嘘《うそ》だ……きっとなにかの間違いだよ」

アベルはカチッと電話が切れる音を聞いた。

「一時間ですよ、ペイシーさん」と、アベルがいった。「それ以上ぐずぐずしていたら、この伝票をシカゴ警察に持ちこみますからね」

「ちょっと待ってくれ。そんなに急ぐなよ」ペイシーの口調と態度ががらりと変っていた。「よかったらきみも仲間に入らないか。このホテルで一緒に手を組めばちょっとまとまった稼《かせ》ぎになるし、このことはだれにも知れる気づかいがない。副支配人の給料よりはずっといい稼ぎになるし、デイヴィスはそれぐらい損をしたってこたえないことぐらいだれでも知っている……」

「わたしはもう副支配人じゃありませんよ、ペイシーさん。今はれっきとした支配人なんだから、ほうりだされないうちに出て行ってください」

「このポーランド野郎め」元支配人は最後の切札を出して、しかも敗北したことを知った。「今に化けの皮を剝《は》がしてやるから、覚悟しろ」

ペイシーは出て行った。昼食までに給仕長、料理長、清掃主任、フロント主任、ヘッド・ポーター、そのほか七人の、アベルが救済の余地なしと判断したリッチモンドの従業員が、ペイシーに続いて追いだされた。午後から残りの従業員を一堂に呼び集めて、自分のやったことがなぜ必要であったかをくわしく説明し、彼らの働き口が奪われる心配はないと説明した。

「ただし、ただの一ドルでも、いいか、ただの一ドルでもだ、ごまかしたことがわかったら、犯人は紹介状なしで即刻解雇される。わかったかね？」

だれ一人口をきかなかった。

アベルにはデズモンド・ペイシーの盗みのシステムを、自分の儲《もう》けのために続ける意思がないことがわかると、それから数週間以内にさらに何人かの従業員が辞めていった。欠員はただちに埋められた。

三月の末までに、アベルはプラザから四人の従業員をリッチモンドに引き抜いていた。彼らには三つの共通点があった。若いこと、野心家であること、正直なことである。六か月以内に、もとからいた百十人の従業員中、依然としてリッチモンドに残った者はわずか三十七人に減っていた。一年目の終りに、アベルはデイヴィス・リロイとともにシャンパンの大壜《おおびん》を一本あけて、シカゴ・リッチモンドのその年の営業実績を祝った。三千四百八十六ドルの黒字が計上されたのである。これは金額にすれば微々たるものだが、ホテルの開業以来三十年目にしてはじめて計上された黒字だった。アベルは一九二九年度分として二万五千ドル以上の黒字を見込んでいた。

デイヴィス・リロイは深い感銘を受けた。月に一度の割でシカゴを訪問し、アベルの判断を大いに当てにするようになった。シカゴ・リッチモンドにおいて正しかったことはグループのほかのホテルにも当てはまるかもしれない、とさえ考えるようになった。アベルはほかのホテルに取り組む前に、まずシカゴ・リッチモンドを新路線の軌道に乗せたかった。リロイはその考えに同意したが、アベルがシカゴでやったことをほかのホテルでもやれるようなら、共同経営者に取りたててもよいと語った。

デイヴィスがシカゴへくるたびに、彼らは一緒に野球や競馬へでかけるようになった。あるとき、六レースたて続けに予想がはずれて七百ドルすったデイヴィスは、うんざりしたように両手をあげていった。「なんだってわたしは馬なんかに賭《か》けるのかな、アベル？　きみはわたしがいままでにやったいちばん確実な賭《かけ》だったよ」

メラニー・リロイは父親がシカゴへくるたびにかならず一緒に食事をした。クールな美人で、ホテルの多くの宿泊客を振り向かせずにおかないほっそりしたスタイルと長い脚の持主である彼女は、アベルに対してやや気位の高い態度で接したので、彼としても自分のなかに芽生えていた野心を口に出していうのははばかられた。彼女もまたアベルがコロンビア大学の経済学の学士号を持っており、現金収支割引法については彼のほうがくわしいことを知るまでは、「ミス・リロイ」をやめて「メラニー」と呼んでくれとはいわなかった。そのことを知ってから彼女は少し軟化し、ときおりアベルと二人きりで食事をしたり、シカゴ大学の教養学科で学位をとるための研究に助力を求めたりするようになった。彼はしだいに大胆になって、ときおり音楽会や芝居にお供をし、彼女がほかの男と一緒にホテルへ食事をしにくるたびに、権利を侵害されたような気がして嫉妬《しっと》するようになった。もっとも彼女は決して同じ男と二度一緒には現われなかった。

アベルの鉄の規律のもとで、ホテルの料理の味が大いに向上したので、シカゴに三十年住みながらこのホテルの存在を知らなかった人々も、毎週土曜の夜には、美食の道をきわめるべくリッチモンドのレストランにやってくるようになった。アベルは二十年ぶりにホテルを全面的に改装し、従業員には緑と金色のスマートな新しい制服を着せた。毎年一週間リッチモンドに滞在する一人の客などは、間違って別のホテルに入りこんだとかん違いして、玄関を入ったとたんにあわてて逆戻りしたほどだった。アル・カポネから三十歳の誕生日を祝うために個室で十六人の晩餐会《ばんさんかい》を開きたいという予約を受けたとき、アベルは自分が成功したことを知った。

アベルの個人資産は、株式市場が全盛をきわめたこの時期にふえた。十八か月前に八千ドルを握ってプラザを辞めたのが、今は仲買店の彼の口座の残高は三万ドルを超えていた。株価は今後も上がり続けると確信していたので、利益分はかならず再投資した。彼自身の生活費はあいかわらずほんのわずかですんでいた。新しい背広を二着と、はじめての茶の靴を一足買ったが、食住は依然としてホテルがかりで、現金支出は微々たるものだった。まさに前途は洋々だった。コンチネンタル・トラスト銀行が三十年以上もリッチモンドの口座を扱っているので、アベルもシカゴへくるそうそう自分の口座をそこへ移した。彼は毎日銀行へ通って、ホテルの前日の売上金を預け入れた。ある金曜日の朝、思いがけず彼に会いたいという支配人からの伝言を聞いた。個人口座が貸越しになっていることは考えられなかったので、これはなにかリッチモンドに関する話なのだろうと思った。三十年間ではじめて、ホテルの口座が黒字になったからといって、銀行から文句をいわれることはまず考えられなかった。若い行員に案内されて迷路のような廊下を通り抜けたアベルは、やがて堂々たる木の扉の前に立った。静かにノックして、支配人室に入った。

「わたしはカーティス・フェントンと申します」と、机の向うの男がいい、アベルに手を差しのべてから、グリーンのレザー・チェアをすすめた。丸々と太った身ぎれいな男で、半月形の眼鏡をかけ、三つ揃《ぞろ》いの銀行家の背広にふさわしい純白のカラーと黒のネクタイをつけていた。

「どうも」と、アベルは神経質に答えた。

その場の雲行きが彼の心に過去の記憶をよみがえらせた。それはつぎになにが起るかわからない不安とだけ結びつく記憶だった。

「実は昼食にでもお誘いしたかったのですが、ロスノフスキさん――」

アベルの心臓の鼓動がいくらか収まった。銀行支配人がいやな話を持ちだすときに、食事をおごってくれるはずがないことを、知りすぎるほどよく知っていたからである。

「――なにぶんすぐに手を打たなければならない事態が生じたものですから、よろしかったら今すぐその問題について話し合いたいのですが。ずばり本題に入りましょう、ロスノフスキさん。うちの大切なお顧客《とくい》さまにエミー・リロイさんとおっしゃる老婦人がおりますが」――その名前を聞いたとたんに、アベルは居ずまいを正した――「その方がリッチモンド・グループの株を二十五パーセント保有しておられます。彼女はこの持株を過去数回兄のデイヴィス・リロイさんに譲渡しようと働きかけたのですが、彼は妹さんの株の買収にまったく関心を示しません。リロイさんのお気持はわたしにもわかりますよ。彼はすでに会社の七十五パーセントを保有していますから、残りの二十五パーセントを気に病む必要はまったくないというところでしょうな。ついでにいいますと、この二十五パーセントは亡《な》くなった父親の遺産なのです。しかしながら、エミー・リロイさんはかつて一度も配当金がついたことのないこの株を、ぜひとも処分したいとおっしゃいましてな」

アベルは無配の件を聞いても驚かなかった。

「リロイさんは彼女が株を売ることに反対はしないと明言しているし、彼女は将来グループが利益をあげるのを待つよりは、年も年だから今すぐ費《つか》える現金が欲しいというお考えなのです。そこで、ロスノフスキさん、あなたならホテル経営に関心があり、したがってわたしのお顧客《とくい》の株を買ってもよいというような人をどなたかご存じではないかと思って、この話をお耳に入れたわけなんですよ」

「エミーさんはいくらで株を手放すつもりなんですか？」

「せいぜい六万五千ドルにもなれば喜んで手放すでしょうな」

「一度も配当金のつかない株が六万五千ドルとは、いささか高すぎますよ」と、アベルがいった。「おまけに将来も何年かは無配が続くでしょう」

「しかし、十一のホテルの値打ちも考慮に入れていただかなくては」

「しかし会社の支配権は依然としてリロイさんの手中にあり、したがって妹さんの二十五パーセントの持株はただの紙きれでしかありません」

「ご冗談でしょう、ロスノフスキさん。十一のホテルの二十五パーセントをわずか六万五千ドルで所有できるんですから、こんなお買い得はまたとありませんよ」

「デイヴィス・リロイが経営の全権を握っているかぎり、そうは思えませんな。エミーさんに四万ドルなら関心を示す人が見つかるかもしれないと伝えてください」

「その人はもう少し奮発してくれないもんでしょうかね？」フェントン氏は「もう少し」のところで眉《まゆ》を吊《つ》りあげた。

「びた一文といえども無理でしょうな、フェントンさん」

銀行支配人は内心でアベルを値踏みして楽しみながら、指先を器用に組み合せた。

「そうなると、エミーさんがその金額をどう思うかたずねてみないわけにはいきませんな。彼女の指示がありしだいまたご連絡しましょう」

カーティス・フェントンの部屋を出たあとも、アベルの心臓は入るときに劣らず激しく動悸《どうき》していた。急いでホテルへ帰り、自分の個人財産を詳細にチェックした。仲買店口座には三万三千百十二ドル、銀行口座には三千八ドルあった。それからアベルは一日の仕事を片づけようとしたが、エミー・リロイが指し値にどう反応するだろうか、リッチモンド・グループの二十五パーセントを手に入れたらどうしようかなどと考えてばかりいるものだから、さっぱり仕事に身が入らなかった。

彼はこのことをデイヴィス・リロイに話すのをためらった。親切なテキサス人が彼の野心を脅威と感じることを恐れたからである。だが、二日間慎重に考えたあとで、結局デイヴィス・リロイに電話して、自分の意図を伝えておくのがフェアなやり方だと判断した。

「わたしがなぜこんなことをするかを知っておいてもらいたいんです、リロイさん。わたしはリッチモンド・グループの未来はばら色だと信じています。自分もそこに投資しているとなれば、今まで以上にやる気が出るはずです」彼は一息入れて続けた。「しかしあなた自身がその二十五パーセントを買いたいのなら、もちろんわたしは引きさがりますよ」

ところが意外な答えが返ってきた。

「そうだな、アベル、きみがリッチモンド・グループの将来性をそれほど高く買っているんなら、遠慮はいらん、エミーの株を買いたまえ。わたしはきみをパートナーとすることを誇りに思う。きみは実力でその地位を手に入れたのだよ。ところで、わたしは来週レッズとカブスの試合を観《み》にそっちへ行く。そのとき会おう」

アベルは有頂天だった。「ありがとう、デイヴィス、今日の決断を決して後悔はさせませんよ」

「そうだろうとも、パートナー」

アベルは一週間後にふたたび銀行を訪れた。今度は彼のほうから支配人に面会を求めた。彼はふたたびグリーンのレザー・チェアに腰をおろして、フェントン氏が口を切るのを待った。

「意外なことに」と、カーティス・フェントンはまるで驚いたようすもなくいった。「ミス・リロイはリッチモンド・グループの持株二十五パーセントを、四万ドルで手放してもよいそうです」彼はちょっと間をおいてアベルの顔を見た。「彼女の同意が得られたからには、買手の名前を明かしていただけるかどうかうかがいたいものですな」

「いいでしょう」と、アベルが自信にみちて答えた。「わたしがその当人です」

「わかりました、ロスノフスキさん」今度も相手は驚いたようすがなかった。「で、四万ドルの資金計画をおたずねしてもよろしいですかな？」

「株を現金化して、銀行の口座で遊んでいる現金を引きだすと、不足分は約四千ドルになります。あなたはリッチモンド・グループの株が低く評価されているというお考えだから、それぐらいの金額なら喜んで貸してくれるんじゃないですか？　いずれにせよ、その四千ドルはおそらくこの取引における銀行の手数料といったところでしょう」

カーティス・フェントンは目をぱちくりさせ、眉をひそめた。一般に紳士は銀行の支配人室でそんな口のきき方をしないものだった。おまけにアベルの金額の読みがぴったりだったことが、なおのこと彼の癇《かん》にさわった。「その件については少々考える時間をいただけませんか、ロスノフスキさん？　改めてこちらからご返事しますから」

「あまり手間取るようだと、おたくから借りる必要がなくなりますよ」と、アベルが答えた。「目下の市場の動きでは、間もなくわたしの別口の投資だけでも、充分四万ドルになるでしょうから」

アベルはさらに一週間待って、コンチネンタル・トラストから承諾の返事をもらった。ただちに二つの口座を現金化し、銀行から四千ドル弱を借りて四万ドルの不足分を埋め合せた。

それから六か月以内に、アベルは株式市場が未曾有《みぞう》の好況に明け暮れた一九二九年三月から九月にかけて、慎重に株を売買することによって、四千ドルの銀行からの借金を完済した。

九月になると、二つの口座はともにわずかながら貸越しに戻り――ビュイックの新車を買う余裕さえできた――しかも今や彼はリッチモンド・ホテル・グループの二十五パーセントの所有者であった。アベルはデイヴィス・リロイの帝国にこれだけの確固たる足場を築いたことがうれしかった。それはデイヴィス・リロイの娘と、残りの七十五パーセントを追求する自信を彼に与えた。

十月初旬に、シカゴ・シンフォニー・ホールにおけるモーツァルト演奏会にメラニーを招待した。いちばんスマートな服を着て——それは少々太りだした体をかえって目立たせた——、生れてはじめてのシルク・タイをしめると、鏡を見ながら、今夜はすばらしい夜になるだろうという確信が湧《わ》いてきた。コンサートのあと、アベルは今ではすばらしい料理を出すリッチモンドをわざと避けて、ザ・ループへメラニーを夕食に連れて行った。話題を経済と政治だけに限るよう細心の注意を払った。この二つだけは彼女もアベルに一目置かざるを得ないことを知っていたからである。やがて最後に、一杯やるために彼女を自分の部屋へ誘った。彼女がアベルの部屋を見たのははじめてで、好奇心に駆られると同時に、思ったより整然としているので驚いた。

アベルは彼女の注文に応じてコカコーラを注ぎ、泡立《あわだ》つ液体のなかにアイス・キューブを二個入れて、グラスを手渡すときに彼女が浮べた微笑から自信を得た。組まれたすらりとした脚を、マナーに反するほどじろじろ眺めずにはいられなかった。自分のグラスにはバーボンを注いだ。

「どうもありがとう、アベル。今夜はとても楽しかったわ」

彼は彼女と並んで腰をおろし、じっと考えこむようすでグラスのなかの酒をぐるぐる回した。「わたしは何年ものあいだ音楽を聞かなかった。今夜久しぶりに聞いたとき、モーツァルトがほかの作曲家とは違って、わたしの心に語りかけてきましたよ」

「あなたってときどきとても中部ヨーロッパ風の話し方をするのね、アベル」彼女はシルクのドレスの裾《すそ》を引っぱった。アベルがその上に坐《すわ》っていたのだ。「ホテルの支配人がモーツァルトに関心を持つなんて、だれが想像するかしら？」

「わたしの先祖の一人、初代ロスノフスキ男爵《だんしゃく》は、一度この巨匠に会ったことがあり、モーツァルト家の人々ときわめて親しかったものだから、わたしも昔からモーツァルトが他人のような気がしないんです」

メラニーの微笑の意味は測りがたかった。アベルは体を傾けて、彼女の耳のすぐ上の、顔に落ちかかる金髪をうしろへかきあげたあたりにキスをした。彼女はその行為に気がついたことをそぶりにも見せず、会話を続けた。

「フリードリヒ・シュトックが第二楽章の雰囲気《ふんいき》を完璧《かんぺき》に把握《はあく》していたわね？」

アベルはふたたびキスを試みた。今度は相手も彼のほうに顔を向けて、唇へのキスを許した。やがて彼女は体を引きはなした。

「もう大学へ戻らなくちゃ」

「今着いたばかりじゃないですか」と、アベルががっかりしながらいった。

「ええ、それはわかっているけど、明日の朝早く起きなくちゃならないの。一日じゅう予定がぎっしり詰っているのよ」

アベルはふたたび彼女にキスをした。彼女は長椅子《いす》にもたれかかり、アベルは彼女の胸に手を這《は》わせようとした。彼女はすばやくキスを中断して、彼を押しのけた。

「わたし、もう行かなくちゃ、アベル」

「そんな、まだいいですよ」彼はそういって、もう一度キスしようとした。

今度は彼女が断固として彼を押しとどめた。

「アベル、いったいどういうつもりなの？　ときどきわたしに夕食をおごり、コンサートへ連れて行ってくれるからといって、わたしに失礼なことをする権利があると考えるのは虫がよすぎるわ」

「しかし、もう何か月も前からデートしているんですよ」と、アベルがいった。「あなたがいやがるとは思わなかったな」

「そんなの嘘《うそ》よ、アベル。そりゃあときどき父のダイニング・ルームであなたと一緒に食事をするけど、そのことを指して何か月も前からデートしていると解釈するのは勝手すぎるわ」

「気を悪くしたのなら謝ります」と、アベルがいった。「あなたに失礼なことをしているとだけは思われたくありません。ただ、あなたに手を触れたかっただけなんです」

「その人と結婚するのでなければ、絶対に男の人に手など触れさせないわ」

「でも、わたしはあなたと結婚したいんです」と、アベルが落ちつきはらっていった。

メラニーがぷっと吹きだした。

「なにがそんなにおかしいんです?」と、アベルが顔を赤くしてたずねた。

「ばかなこといわないで、アベル、わたし、あなたとは結婚できないんだから」

「どうしてです?」彼は相手の断定的な口調にショックを受けてたずねた。

「南部のレディと一世のポーランド移民の結婚なんて、無理な相談よ」彼女は行儀よく坐りなおし、シルクのドレスの裾をきちんとなおしながら答えた。

「しかし、わたしは男爵ですよ」と、アベルがちょっと胸を張っていった。

メラニーがまた吹きだした。「まさかそんなことを信じる人がいるなんて思ってないんでしょう、アベル? あなたがその肩書を口にするたびに、従業員たちみんなが笑っていることに気がつかないの?」

彼は唖然《あぜん》とし、気分が悪くなって、当惑のために赤くなった顔がさっと青ざめた。

「連中は隠れてわたしを笑っているんですか?」彼のかすかな訛《なま》りがきわだった。

「そうよ。ホテルでのあなたの綽名《あだな》を知ってるでしょう? シカゴ・バロンと呼ばれているのよ」

アベルは言葉もなかった。

「でもあんまり気にしないで。あなたはパパのためによく尽してくれたと思うし、パパはあなたを尊敬しているわ。だけどわたし、あなたとは結婚できないの」

アベルは静かに腰をおろした。「だけどあなたとは結婚できない、か」と、彼は呟《つぶや》いた。

「そうなのよ。パパはあなたが気に入っているけど、あなたを義理の息子にすることは絶対に承知しないわ」

「すみません、気を悪くしたでしょう」と、アベルがいった。

「そんなことないわ、アベル。わたし、悪い気はしなかったのよ。でもあなたがこの話を持ちだしたことはもう忘れましょう。送ってくださる？」

彼女は立ちあがってドアのほうへ進んだが、アベルは茫然《ぼうぜん》とした表情で坐ったままだった。やがて大儀そうにゆっくりと立ちあがって、メラニーにマントを着せてやった。一緒に廊下を歩いて行くうちに、自分の不自由な脚が鋭く意識された。エレベーターで階下へおりて、タクシーで彼女を送って行った。途中どちらも一言も口をきかなかった。彼はタクシーを待たせておいて、寮の正門まで送って行った。そして手にキスをした。

「今日のことは今日のこととして、これからもお友達でいたいわ」と、メラニーがいった。

「もちろんです」

「コンサートへ連れてってくださってありがとう、アベル。あなたにはきっとかわいいポーランド娘のお嫁さんが見つかってよ。おやすみなさい」

「おやすみなさい」と、アベルは答えた。

ホテルの宿泊客の一人が勘定を株で払ってもよいかときくまで、アベルはニューヨーク株式市場でなにか重大な異変が起きているとは思ってもみなかった。彼はほぼ全財産をリッチモンド・グループに凍結されていたので、株はほんのわずかしか持っていなかったが、仲買人の忠告に従って残りの株をわずか損をしただけで手放し、自分の蓄えの大部分がれんがと漆喰に形を変えて万全の状態にあるものと安心していた。ダウ＝ジョーンズ平均の毎日の動きにも、自分の全資本がまだ株式市場に投入されていたころと違って、さほど細かな関心を払わなかった。

ホテルの上半期の営業成績は好調で、一九二九年度分として見込んだ二万五千ドル以上の利益を間違いなく達成できそうだった。デイヴィス・リロイには経営状態を絶えず報告し続けた。ところが十月に株式市場の暴落が起きると、ホテルは半分空室ができた。アベルは暗黒の火曜日にデイヴィス・リロイに電話をかけた。テキサス人は元気がなく、なにか気にかかることがあるらしくて、今やアベルが緊急に必要だと考えているホテル従業員の一時解雇についても、すぐには決断を下そうとしなかった。

「待ってくれ、アベル」と、彼はいった。「来週そちらへ行くから、そのとき一緒に検討しよう――なるべくならば」

アベルは最後の一言が気になった。「どうしたんです、デイヴィス？　なにかわたしにできることは？」

「今のところはないよ」

アベルはまだ腑《ふ》に落ちなかった。「なぜ一時解雇の件をわたしにまかせてくれないんですか？　来週こちらにいらしたときに具体的な方法を報告しますよ」

「事はそれほど簡単じゃないのだよ、アベル。個人的な問題を電話で話したくはないが、株式市場での損失について銀行がうるさくいってきていて、負債をカバーするだけの金を用意できなかったら、ホテルを売ってもらわなくてはならないと脅されているのだ」

アベルは冷水を浴びせられたような気分だった。

「きみはなにも心配しなくていい」と、デイヴィスが続けたが、その口調に相手を説得するだけの力はなかった。「来週そちらへ行ったらくわしく話すよ。それまでになんとか打つ手はあると思う」

アベルは電話が切れると同時に、全身にじわっと汗がにじんでくるのを感じた。最初に考えたのは、どうやったらデイヴィスを助けられるかということだった。カーティス・フェントンに電話をかけて、リッチモンド・グループを支配している銀行家の名前を聞きだした。その銀行家と会えれば、友人のためにいくらかでも事態を好転させられるかもしれないと思ったからである。

アベルはそれから数日のあいだに数回デイヴィスに電話して、事態はますます悪くなるばかりだから、一刻も早く決断を下す必要があると告げたが、デイヴィスの口調はますます上《うわ》の空になる一方で、依然として決断を下そうとはしなかった。とうとう事態が手に負えなくなりはじめたので、アベル自身ある決断を下した。秘書に命じて、リッチモンド・グループを支配する銀行家を電話に呼びだしたのである。

「どなたにご用でしょうか、ロスノフスキさん？」と、取りすました女の声がたずねた。

アベルは目の前のメモに書かれた名前を見て、それをきっぱりと告げた。

「ただ今おつなぎします」

「おはよう」と、威圧的な声が呼びかけた。「どんなご用件ですかな?」

「わたしの名前はアベル・ロスノフスキです」と、アベルが緊張しながら名乗った。

「シカゴ・リッチモンドの支配人をしている者ですが、できれば一度お目にかかって、リッチモンド・グループの将来についてあなたと話し合いたいと思いまして」

「わたしはデイヴィス・リロイさん以外のどなたとも交渉する権限を与えられていないのですよ」と、歯切れのいい口調で相手がいった。

「しかし、わたしはリッチモンド・グループの株の二十五パーセントを所有していますよ」

「でしたらあなたが五十一パーセントを所有するまでは、デイヴィス・リロイさんの許可がないかぎり銀行と交渉する立場にはないことを、たぶんだれかが教えてくれるでしょう」

「しかし彼はわたしの親友で……」

「その点を疑うわけじゃありませんよ、ロスノフスキさん」

「……なんとかして彼を助けてやりたいと……」

「リロイさんはあなたに代表権を与えたんですか?」

「いや、しかし……」

「ではお気の毒ですが。この会話をこれ以上続けることはわたしの職業上の倫理が許しません」

「あなたは実に頼みがいのない方だ」とアベルはいったが、いい終ったとたんにその言葉を後悔した。

「あなたの立場からはおそらくそう見えることでしょうな、ロスノフスキさん。では失礼します」

くそっ、アベルは内心で毒づきながら乱暴に受話器を置いた。デイヴィスを助けるために、つぎにどんな方法があるかということがいよいよ気にかかった。その答えがわかるまで、長くはかからなかった。

つぎの日の夕方、アベルはレストランでメラニーの姿を見かけた。いつもの身だしなみのよい、自信にみちた態度が見られず、疲労と心労がありありと見えたので、彼はもう少しで大丈夫かとたずねそうになった。結局彼女のそばには近づかないことにし、レストランから出て自分の部屋に戻ろうとしたとき、フロント・ホールに独りぽつんと立っているデイヴィス・リロイの姿が見えた。最初にプラザでアベルに声をかけた日と同じチェックの上着を着ていた。

「メラニーはレストランにいるかね？」

「ええ、いますよ」と、アベルは答えた。「今日お着きだとは知りませんでしたよ、デイヴィス。すぐに特別室の用意をさせましょう」

「一泊だけだよ、アベル。それから、あとできみと二人きりで話したい」

「わかりました」

アベルは「きみと二人きりで」という言葉の響きが気になった。メラニーが父親に告げ口でもしたのだろうか？　この数日間デイヴィスから決断を引きだせなかったのはそのせいだろうか？

デイヴィス・リロイは急ぎ足でレストランへ入って行き、そのあいだにアベルはフロントで十七階の特別室が空いているかどうかを確かめた。ホテルの半分は空室で、特別室が空いていても不思議はなかった。アベルは自分の雇い主の名前を宿泊名簿に記入し、それからフロントで一時間以上も待った。メラニーが泣いたあとのような汚れた顔で出て行くのに気がついた。数分後に父親がレストランから出てきた。

「バーボンを一本持って――ないとはいわせないよ――わたしの部屋へきてくれ、アベル」

アベルは自分の金庫からバーボンを二本取りだして、十七階の特別室にリロイを訪ねた。依然としてメラニーが父親に告げ口でもしたのだろうかと気にかかっていた。「ボトルをあけて自分でなみなみと注いでくれ、アベル」と、デイヴィス・リロイがいった。

アベルはふたたび未知の不安に捕われた。両手の掌《てのひら》にじっとり汗がにじんだ。まさか雇い主の娘に求婚しただけで馘《くび》ということはあるまい。彼とリロイは今や一年以上にわたっての友人、それも親友同士だった。未知のものの正体はほどなくわかった。

「ぐいとやってくれ」

アベルはグラスを一気に飲みほし、デイヴィス・リロイも自分のグラスを空にした。

「アベル、わたしは破産した」彼は言葉を切って両方のグラスにおかわりを注いだ。「もっとも、破産したのはわたしだけじゃない、アメリカの半分がそうだ」

アベルは黙っていた。ひとつにはいうべき言葉が見つからなかったからである。彼らは数分間たがいに顔をみつめあい、やがてもう一杯飲んでから、やっとアベルが口を開いた。「しかし、あなたはまだ十一のホテルを持っていますよ」

「かつては持っていた」と、デイヴィス・リロイが訂正した。「もう過去形で語らなきゃならないんだよ、アベル。ホテルはもうどれもわたしのものじゃない。先週の木曜日に銀行の手に渡ってしまった」

「でも、ホテルはあなたのものですよ、二代にわたってあなたの一族のものだったんですから」

「かつてはそうだった。が、今は違う。ある銀行のものだ。きみに真相をすべて話しても、まずいことはあるまい。今アメリカでは、大小を問わずほとんどすべての企業に同じようなことが起りつつある。わたしはおよそ十年前に、ホテルを担保にして二百万ドル借り、その金を全額株に投資した。しっかりした会社を選んで、きわめて堅実な投資をしたつもりだ。資本は五百万ドル近くにふえていた、だからこそわたしはホテルで赤字が出てもあまり気にしなかった――赤字分は常に株で儲《もう》けた分の税金から控除されるからだ。ところがもうその株を売ることはできない。十一のホテルでトイレット・ペーパーがわりにでも使ったほうがいいくらいだ。三週間前からできるだけ売り急いでいるのだが、もう買手は一人も残っていない。銀行は先週の木曜日に抵当権を行使したのだ」アベルは銀行家と電話で話したのが木曜日であったことを思いださずにいられなかった。「市場暴落の影響を受けた人間の大部分は、借金をカバーするのに紙きれしか持っていないが、わたしの場合は融資してくれた銀行が、最初の融資に対する担保として、十一のホテルの権利書を持っている。だから市場の底が抜けると同時に、ホテルは銀行の手に渡ってしまった。彼らはできるだけ早くリッチモンド・グループを売却するつもりだと、わたしに通告してきたよ」

「それは狂気の沙汰《さた》だ。今売ったってなんの得にもならないし、この時期を乗り切るまでわれわれを応援してくれれば、われわれが力を合わせて、投資分に見合う充分な利益をあげさせてやれるのに」

「きみならそれができるだろう、アベル。だが彼らはわたしの過去の実績を理由に断わることができる。わたしはそのことだけをいうために本店へでかけて行った。きみのことを説明して、われわれを援助してくれるのなら、わたしはすべての時間をリッチモンド・グループの経営に注ぎこむといったんだが、連中はまるで関心を示さなかった。資金繰りやら、資本基盤の欠如やら、融資制限やらについて、教科書の引きうつしみたいな答えを並べたてる人当りのよい青二才に、体よく追い払われてきたよ。もしも再起できたら、あいつとあいつの銀行に仕返ししてやる。今のところはぐでんぐでんに酔っぱらうぐらいしか手はないな。わたしは無一文で、破産して、一巻の終りだから」

「だったらわたしも同じです」と、アベルが静かにいった。

「いや、きみの将来は有望だよ。だれがこのホテル・グループを引き継ぐにせよ、そいつはきみがいなくては動きがとれないだろう」

「あなたはわたしがグループの二十五パーセントを所有していることを忘れていますよ」

デイヴィス・リロイは彼の顔をまじまじとみつめた。明らかにその事実を失念していたらしい。

「やれやれ、アベル、きみが全財産をわたしに注ぎこんだのでなければいいが」彼はしだいにだみ声になってきた。

「最後の一セントまで注ぎこみましたよ。しかしわたしはそのことを後悔していません。ばかな人間と一緒に儲けるよりは、賢い人間と一緒に損をするほうがましです」

そういってアベルは自分のグラスにバーボンのおかわりを注いだ。

デイヴィス・リロイの目尻《めじり》に涙がにじんでいた。「アベル、きみはまことに得がたい友人だ。きみはこのホテルの経営を軌道に乗せ、自分の金を投資し、わたしのせいで文無しになったというのに、泣き言ひとついわない。おまけにわたしの娘はきみと結婚することを拒んでいる」

「わたしがお嬢さんに求婚したことを怒っていないんですか?」と、バーボンの酔いでやや遠慮がなくなったアベルがたずねた。

「あのばか娘め。人を見る目がまるでないときている。あれが結婚を望む相手は、家系図に南軍の将軍を三人持つ南部出身の牧場主か、北部人ならば曾祖父《そう》がメイフラワー号で渡ってきた家柄でなければいやだというんだろう。先祖がメイフラワー号に乗ってきたと称する人間がみなほんとのことをいっているとしたら、その船はアメリカに到着する前に千回も沈没してしまっていただろう。もう一人娘がいて、きみに嫁にやれないのが残念だよ、アベル。きみほど忠実にわたしに仕えてくれた人間はいない。きみを家族の一員として迎えられたら、わたしは鼻高々だったろう。きみとわたしならすばらしいチームが組めたところだが、きみ独りでもだれにも負けはしないだろう。きみはまだ若いし、可能性に満ちみちている」

まだ二十三歳という若さなのに、アベルは急にひどく年をとったような気がした。

「信頼していただいたことを感謝しますよ、デイヴィス」と、彼はいった。「それに株式市場がどうなったところで知っちゃいませんよ。あなたはわたしがこれまでに得た最高の友人です」酒が舌を滑らかにしはじめていた。

アベルはさらにもう一杯おかわりを注いで、一気にあおった。早朝までに二人して二本のボトルを空にしていた。デイヴィスが椅子《いす》の上で眠ってしまうと、アベルはよろめきながら十階までおり、服を脱いでベッドに倒れこんだ。やがて激しくドアを叩《たた》く音で深い眠りからさめた。頭がぐらぐらしたが、ドアを叩く音はやまず、ますます大きくなっていった。やっとの思いでベッドからおりて、手探りでドアのほうへ進んだ。ベルボーイが立っていた。

「急いでください、アベルさん、早く」と、彼は廊下を走りながらいった。

アベルは部屋着を羽織り、スリッパをつっかけて、よろめきながら廊下を走り、エレベーターのドアを押えながら待っているベルボーイに追いついた。

「急いで、アベルさん」と、ベルボーイが繰りかえした。

「なにをそんなに急いでるんだ？」と、アベルが質問した。エレベーターがゆっくり降下するあいだ、依然として頭がぐらぐらした。やがて彼は宵の口の話を思いだした。銀行がホテルを接収しにきたのかもしれなかった。

「だれかが窓から飛びおりたんです」

アベルはすうっと酔いがさめた。「お客か？」

「はい、そうだと思います。でも確かじゃありません」

エレベーターが一階で停止した。アベルは鉄のゲートを勢いよく押しあけて、通りに走りでた。すでに警察が到着していた。チェックの上着がなかったら、おそらく遺体の確認に手間取ったことだろう。一人の警官がメモを取っていた。私服刑事がアベルのほうに近づいてきた。

「あなたが支配人ですか？」

「そうです」

「この男に心当りはありますか？」

「ええ」と、アベルが回らぬろれつでいった。「この人の名前はデイヴィス・リロイといいます」

「どこに住んでいるか、あるいは最近親者に連絡する方法はわかりますか？」

アベルはめちゃめちゃになった死体から目をそむけて、機械的に答えた。

「住んでいるところはダラスで、娘のミス・メラニー・リロイが最近親者です。彼女は学生で、シカゴ大学のキャンパスに住んでいます」

「わかりました。すぐにだれか人をやりましょう」

「いや、それはやめてください。わたしが行って伝えます」

「それはどうも。こういう報《しら》せはなるべくなら見知らぬ他人からは聞きたくないもんですよ」

「なんという恐ろしい、無益なことをしてしまったんだ」とアベルは呟いて、友人の遺体に視線を戻した。

「シカゴで今日七人目ですよ」警官は無感動にいって、小さな黒い手帳を閉じると、救急車のほうへゆっくり歩いて行った。

アベルは救急員がデイヴィス・リロイの遺体を路上から片づけるのを見守った。悪寒《おかん》に襲われ、膝《ひざ》をついて排水溝《はいすいこう》に激しく吐いた。またしても無二の親友を失ってしまった。もう少し酒を控えて、よく考えていれば、友を救えたかもしれなかった。立ちあがって自分の部屋へ戻り、冷たいシャワーを長時間浴びてから、やっとの思いで着がえをした。ブラック・コーヒーを注文し、それからおのれに鞭打《むちう》って特別室へあがって行き、ドアの鍵《かぎ》をあけた。バーボンの空壜《あきびん》二本のほかには、数分前に演じられたドラマをしのばせるものはなにもなかった。やがて寝た形跡のないベッドのかたわらの、テーブルの上から遺書が見つかった。宛先は一通目はメラニー、二通目はダラスの弁護士、そして三通目はアベルだった。彼は自分のを開封したが、涙のせいでデイヴィス・リロイの最後の言葉がよく読めなかった。

親愛なるアベル、

銀行の決定のあとに残された唯一《ゆいいつ》の方法を選ぶことにした。もはやわたしには生きるよりどころがない。はじめからもう一度やりなおすには年をとりすぎた。きみだったらこの苦境を転じて福となすことができると、わたしが信じていることを知ってもらいたい。

わたしは新しい遺言状を作成して、リッチモンド・グループの株の残りの七十五パーセントをきみに遺贈した。今やそんなものは無価値だということはわかっているが、株はグループの法律上の所有者というきみの立場を保証してくれるだろう。きみは自分の金で二十五パーセントを買ったほどの根性のある男だから、銀行となんらかの取引ができるかどうかやってみる資格も充分にある。それ以外のわたしの全財産は、家も含めて、メラニーに遺《のこ》した。わたしのことはきみの口から伝えてくれ。警察まかせはやめてほしい。きみを義理の息子にできたら、さぞ鼻が高かったことだろう。

きみの親友、
デイヴィスより

アベルは遺書を何度も読みかえしてから、きちんと折りたたんで紙入れにしまった。

その日午前中に大学へでかけて行って、できるだけ穏やかにメラニーに事件を知らせた。長椅子に腰をおろしてそわそわしながら、どんな慰めの言葉をつけ加えようかと迷った。彼女はまるでなにが起きるか知っていたかのように、驚くほど冷静にこのニュースを受けとめた。アベルの前では涙一滴見せなかった——たぶん彼が帰ってから泣くのだろう。彼ははじめて彼女に同情をおぼえた。

アベルはホテルへ戻り、昼食を抜くことに決めて、郵便物に目を通しながらウェイターにトマト・ジュースを命じた。コンチネンタル・トラストのカーティス・フェントンから手紙がきていた。明らかに今日は手紙で始まって手紙で終る一日になりそうだった。フェントンはケイン・アンド・キャボットというボストンの銀行が、リッチモンド・グループの財政上の責任を引き継いだという通告を受けていた。グループに属する十一のホテルの処分について話し合うための、デイヴィス・リロイ氏との会談の日どりが決るまで、当分のあいだ業務は平常どおり続けられる。アベルはその文面をみつめながら坐《すわ》っていたが、二杯目のトマト・ジュースを飲んでから、ケイン・アンド・キャボットの頭取のアラン・ロイドなる人物に宛てて手紙を一通書いた。五日後にアベルは、破産担当取締役とグループの清算について話し合うために、一月四日にボストンでおこなわれる会議に出席されたし、という返信を受け取った。それまでに銀行側はリロイ氏の突然の悲劇的な死の意味するところを仔細《しさい》に検討する予定である。

突然の悲劇的な死？　「その原因を作ったのはだれなんだ？」アベルは急にデイヴィス・リロイの言葉を思いだして、憤然として叫んだ。「……人当りのよい青二才に、体よく追っ払われてきたよ。もしも再起できたら、あいつとあいつの銀行に仕返ししてやる」

「心配は無用です、デイヴィス。仕返しはわたしにまかせてください」と、アベルは声に出していった。

アベルはその年の最後の数週間従業員をきびしく監督し、宿泊料金を抑えてリッチモンド・ホテルの営業を続け、かろうじて帳尻を合わせた。グループのほかのホテル十軒はどうなっているだろうかと思わずにいられなかったが、ようすを見に行く時間の余裕もなかったし、いずれにせよそれはもはや彼の責任ではなかった。

17

一九三〇年一月四日に、アベル・ロスノフスキはボストンに到着した。駅からケイン・アンド・キャボットまでタクシーに乗り、予定より数分早く着いた。応接間に腰をおろして待ったが、その部屋はシカゴ・リッチモンドのどの部屋よりも大きく、凝った造りだった。彼は《ウォール・ストリート・ジャーナル》を読みはじめた。一九三〇年は前年よりもよい年になる、と新聞は断定していた。だが彼はそれを疑った。取りすました中年の婦人が応接間に入ってきた。

「ケインさんがお目にかかります、ロスノフスキさん」

アベルは腰をあげ、彼女に従って長い廊下を通り過ぎ、オーク・パネル張りの小部屋に入った。部屋には大きなレザー・トップの机があって、その向うに長身の、ハンサムな、アベルの見たところ自分と同じ年ごろの男が坐っていた。男の目はアベルのそれに劣らず青く澄んでいた。背後の壁に彼よりも年長の男の写真が飾られていて、机の向うに坐っている若い男と瓜《うり》二つだった。きっと父親だろう、とアベルは心のなかで苦々しく呟《つぶや》いた。こいつはきっと暴落を生きのびる。銀行は常にどっちに転んでも損をしないようになっているらしい。

「わたしはウィリアム・ケインです」と、若い男は立ちあがって片手を差しだしながらいった。「どうぞお掛けください、ロスノフスキさん」

「ありがとう」

ウィリアムは寸法の合わない背広を着た小柄な男を観察し、その決然たる目の光に気がついた。

「よろしかったらわたしの見た最新の状況を説明したいのですが」と、青い目の青年は続けた。

「どうぞ」

「リロイさんの悲劇的な、早すぎる死が……」と、ウィリアムは自分のもったいぶったいいまわしに嫌悪をおぼえながら切りだした。

あんたたちの冷酷さがその原因なんだよ、とアベルは思った。

「……銀行がホテルの買手を見つけるまでのあいだ、リッチモンド・グループ経営の直接責任をあなたにゆだねたものと思われます。グループの株式は今や百パーセントあなたの名義になっておりますが、十一軒のホテルという財産は、故リロイ氏への二百万ドルの融資の担保に入っていたので、現在法律上は当行の所有に帰しております。したがってあなたにはいかなる責任もなく、あなたがグループの事業から手を引きたいと考えておられるとしたら、引きとめはいたしません」

ずいぶん人をばかにした提案だが、これはどうしてもいわなければならないことなのだ、とウィリアムは思った。

銀行家というやつは、なにか問題が起きるとだれでも逃げだすものと決めてかかっているらしい、とアベルは思った。

ウィリアム・ケインが続けた。「銀行への負債二百万ドルが清算されないかぎり、残念ながら故リロイ氏の財産では返済に不足だと考えざるをえません。銀行としては、あなたとリッチモンド・グループとのかかわりあいを尊重して、あなたと直接話し合う機会を持つまでは、ホテルの処分に関してまだなにもしておりません。建物も土地も事業も明らかに価値ある財産ですから、それを買いたいという人をあなたが知っているかもしれないと思いましてね」

「しかしわたし自身に資金援助をするだけの価値はない、と考えたわけですな」と、アベルがいった。彼は濃い黒髪をさも疲れたというように片手で掻《か》きあげた。「買手を見つけるまでどれぐらい猶予《ゆうよ》をいただけますか?」

ウィリアムはアベル・ロスノフスキの手首の銀の腕輪に気がついて一瞬ためらった。その腕輪をどこかで見た記憶があったが、思いだせなかった。「三十日だけ待ちましょう。銀行が十一軒中十軒のホテルの毎日の赤字を負担していることも理解していただかなくては。若干の利益をあげているのはシカゴ・リッチモンドだけなのです」

「おたくから時間と資金援助をいただければ、どのホテルでも利益があげられるんですがね、ケインさん。わたしには自信があるんですよ。それを証明するチャンスをわたしにください」

「リロイ氏が去年の秋銀行へ見えたときもそういってましたよ」と、ウィリアムが答えた。「しかし今は時期が悪い。ホテル経営が上向きになるかどうかは予断を許さないし、ましてわれわれはホテル経営者ではなく銀行家ですからね、ロスノフスキさん」

アベルは洗練されたみなりの銀行家にしだいに腹が立ってきた。デイヴィスがいったとおり、こいつは確かに「青二才」だった。「ホテルの従業員にとっても、これ以上悪い時期は考えられません」と、彼はいった。「あなたがいきなり頭の上の屋根を売り払ったら、いったい彼らはどうなるのでしょう？」

「残念ながらそれはわたしの知ったことではありませんな、ロスノフスキさん。わたしは銀行の最大の利益を考えて行動しなければならんのです」

「あなた自身の最大の利益、じゃないんですか、ケインさん？」と、アベルが興奮していった。

青年の顔がさっと赤くなった。「それは不当ないいがかりというものですよ、ロスノフスキさん。あなたの辛《つら》い気持を理解していなかったら、わたしは大いに憤慨するところですよ」

「どうせ理解してくれるのなら、手遅れにならないうちにデイヴィス・リロイの立場を理解してもらいたかったですな」と、アベルがいった。「そうすればあなたは役に立てたんです。あなたが彼を窓から突き落して殺したも同然なんですよ、ケインさん。あなたと、心に疚《やま》しいところのないあなたの同僚たちは、われわれが景気のよいときはあなた方をたんまり儲《もう》けさせ、景気の悪いときはあなた方に踏みつけにされるために、汗水たらして働いているのを、のうのうとここに坐って見ているのです」

ウィリアムもまたしだいに腹が立ってきた。だが彼はアベル・ロスノフスキと違って、感情を顔に出さなかった。「こんなことをいくら話し合ってもなんにもなりませんよ、ロスノフスキさん。警告しておきますが、三十日以内にリッチモンド・グループの買手を見つけられないときは、公開市場でホテルを競売にかけるしかありません」

「そしてつぎはよその銀行へ金を借りに行ったらどうかとわたしに助言するんでしょう」と、アベルが皮肉った。「あなたはわたしの実績をご存じだ、ところがわたしを援助する気はまったくない、となるとわたしはここからいったいどこへ行けばいいんですかね？」

「残念ながらわたしにはなんともいえません」と、ウィリアムが答えた。「すべてはあなたが決めることです。当行の取締役会の指示は、できるだけ早く口座を整理せよというもので、わたしもその指示に従うつもりです。どうぞ二月四日までにわたしに連絡して、買手が見つかったかどうかを知らせてください。ではこれで失礼します、ロスノフスキさん」

ウィリアムは机の向う側で立ちあがって、ふたたび手を差しだした。今度はアベルがそれを無視して、ドアのほうへ歩いて行った。

「ケインさん、電話であなたと話したあと、あなたは気が咎《とが》めて救いの手を差しのべてくれるかもしれないと思ったが、どうやらわたしの考えが甘かった。あなたは骨の髄まで悪党だ。夜ベッドに入るときは、忘れずにわたしのことを考えなさい。朝起きたときもだ。なぜならわたしはあなたへの復讐《ふくしゅう》計画を、かたときも休まずに考えるつもりだから」

ウィリアムは閉じられたドアをみつめて、眉《まゆ》をひそめながら立っていた。例の銀の腕輪が依然として気にかかっていた――どこであれを見たのだろうか？

秘書が戻ってきた。「なんて失礼な人でしょう」と、彼女がいった。「いや、そうでもないさ」と、ウィリアムが答えた。「彼はわれわれにパートナーを殺されたと思いこんでいる。それから彼が自分の有能さを立証して見せたにもかかわらず、われわれが彼自身はおろか従業員の生活にも一顧だに与えずに、会社を解散させようとしていると思っている。それにしてはロスノフスキさんは驚くほど礼儀正しかった。わたしは取締役会が彼を援助できないと考えたことを、むしろ気の毒に思っているくらいだよ」彼は秘書の顔を見ながらいった。「コーエンさんを電話に呼びだしてくれ」

18

アベルは翌朝シカゴに帰り着いたが、依然としてウィリアム・ケインにすげなくあしらわれたことが頭にこびりついて、腹の虫がおさまらなかった。街角の新聞スタンドで売子が叫んでいる言葉も正確には耳に入らないまま、タクシーを呼びとめてバックシートに乗りこんだ。

「リッチモンド・ホテルへやってくれ」

「新聞社の方ですかい？」と、運転手がステート・ストリートに車を乗り入れながら話しかけてきた。

「いや。どうしてかね？」

「いやなに、リッチモンドというからですよ。今日は新聞記者たちがみんなリッチモンドに集まってますからね」

アベルは新聞記者が集まってくるような催しが、リッチモンドで予定されていたかどうか思いだせなかった。

運転手が続けた。「新聞記者じゃないんなら、ほかのホテルにするほうがいいかもしれませんぜ」

「なぜだ？」アベルはますますけげんそうな顔をした。

「リッチモンドに部屋を取ってあるとしても、たぶんあまりよく眠れないでしょう。あのホテルは丸焼けですよ」

タクシーがそのブロックの角を曲ると、アベルの目の前に骨組だけになってくすぶるリッチモンド・ホテルの姿が見えてきた。パトカー、消防車、黒焦《こ》げの木材と水が路上に溢《あふ》れていた。彼はタクシーからおりて、デイヴィス・リロイ・グループの旗艦の黒焦げの残骸《ざんがい》に目をこらした。

ポーランド人は転んでもただでは起きないぞ、と自分にいい聞かせながら、アベルは拳《こぶし》で不自由な脚を殴りはじめた。全然痛みを感じなかった——感覚がなくなっていた。

「ちきしょう」と、彼は叫んだ。「おれはこれよりもっとひどい目にあってきた、だが絶対にへこたれんぞ。ドイツ人も、ロシア人も、トルコ人も、ケインのやつも、そしてこの火事も。みんなぶちのめしてやる。アベル・ロスノフスキはだれにも負けんぞ」

副支配人が、歩道の縁で興奮しながら独り言をいっているアベルの姿を見つけて駆け寄ってきた。アベルは無理に自分を落ちつかせた。

「従業員と宿泊客は全員無事に避難したか？」

「ええ、ありがたいことに。ホテルはほとんどがら空きだったので、全員を避難させるのは簡単でした。一人二人軽い怪我《けが》と火傷《やけど》を負って、病院で手当を受けていますが、心配はありません」

「よし、少なくともそれを聞いてひと安心した。ありがたいことにホテルには多額の保険がかかっている。確か百万ドル以上のはずだ。禍《わざわ》いを転じて福となすことができるかもしれない」

「新聞の遅版の記事がほんとだとしたら、それは無理ですね」

「どういう意味だ？」

「自分で読んでみてくださいよ、ボス」と、副支配人が答えた。

アベルは新聞スタンドに近づき、売子に二セント払って《シカゴ・トリビューン》の最新版を買った。全段抜きの大見出しがすべてを語っていた。

リッチモンド・ホテル炎上——放火の疑いあり

アベルはまさかというように首を振り、もう一度見出しを読みなおした。

「えらいことになったぞ」と、彼は呟いた。

「なにか困ったことでも？」と、売子がたずねた。

「ちょっとね」と答えて、アベルは副支配人のそばへ戻った。

「警察の捜査責任者はだれだ？」

「向うでパトカーに寄りかかっているおまわりですよ」副支配人は若禿《わかは》げで長身の痩《や》せた男を指さした。「オマリー警部補です」

「きみは従業員を別館に集めてくれ。明日の朝十時にみんなと別館で会うことにする。その前にわたしに用があるときは、この件が片づくまでスティーヴンズに泊っている」

「わかりました、ボス」

アベルはオマリー警部補のほうへ歩いて行って自己紹介した。

背の高い痩せた警官はちょっと前かがみになってアベルと握手した。

「やあ、長いあいだ行方不明だった支配人がやっと黒焦げの焼跡へ戻ってきましたか」

「べつにおかしくはないでしょう、おまわりさん」

「これはどうも失礼。べつにおかしくはないですよ。なにしろ長い一晩だった。一杯やりに行きましょう」

警部補はアベルの肘《ひじ》をとって、ミシガン・アヴェニューを渡り、角のカフェへ連れて行った。そしてミルク・セーキを二つ注文した。

白く泡立《あわだ》つ飲物が目の前に置かれたとき、アベルは思わず笑いだした。彼には人並みの少年時代というものがなかったので、ミルク・セーキを飲むのは生れてはじめてだった。

「わかってますよ。おかしなことにこの町の人間はみな法に違反してバーボンやビールを飲んでいます」と、警部補はいった。「だからせめて一人ぐらいは真正直にやる必要がある。いずれにせよ禁酒法が永久に続くはずはないから、わたしが困るのはそれから先です。なにしろほんとにミルク・セーキが好きだってことがギャングどもにばれちゃいますからね」

アベルはもう一度笑った。

「さて、あなたの問題に話を進めましょう、ロスノフスキさん。最初に断わっておきますが、あなたがあのホテルの保険金を受け取れる可能性は万に一つもありませんよ。火災の専門家が建物の焼跡を丹念に調べた結果、大量の灯油が撒《ま》かれていたことがわかった。しかも偽装しようという気がまるでなかった。地下室のいたるところに灯油を撒いた痕跡《こんせき》がある。マッチ一本であの建物は仕掛け花火のように燃えあがったことでしょうよ」

「犯人の心当りはあるんですか？」と、アベルが質問した。

「それをききたいのはこっちのほうですよ。ホテルまたはあなた個人に恨みを抱いているような人間を知りませんか？」

アベルは唸《うな》った。「およそ五十人はいますよ。わたしは着任早々に災いのもとを一掃しましたから。役に立つのならその連中のリストを渡しますよ」

「たぶん役に立つでしょうが、現場での噂《うわさ》を聞くと、リストの必要はなさそうですね」と、警部補はいった。「ただしなにか確かな情報を入手したらわたしに連絡してください、ロスノフスキさん。警告しておきますが、あすこにはあなたの敵が大勢いる、だから情報はわたしに頼みますよ」彼は野次馬でごったがえす通りを指さした。

「それはどういう意味です？」

「犯人はあなただといってるやつがいるんですよ。あなたが株の暴落で全財産をなくして、保険金欲しさに火をつけたとね」

アベルがスツールから跳びおりた。

「まあ、落ちついてください。あなたが一日じゅうボストンにいたことはわかっているし、だいいちあなたの名前はホテルを燃やすことではなく、ホテルを立てなおすことで、シカゴじゅうに知れわたっていますよ。しかしだれかリッチモンドを燃やしたやつがいる、そいつをわたしがかならず突きとめて見せます。だからさしあたりはこれぐらいにしておきましょう」彼はくるりとひとまわりしてスツールからおりた。

「ミルク・セーキはわたしのおごりですよ、ロスノフスキさん。そのうちお返しをしてもらいますからね」

彼はレジの女の子ににっこりほほえみかけ、彼女の踝《くるぶし》にうっとり見とれながら、新しい流行のロング・スカートを呪《のろ》った。そして五十セント渡した。「釣りはとっときたまえ」

「どうもありがとう」と、女の子が答えた。

「礼をいわれたのははじめてだ」と、警部補がいった。

アベルがまた笑ったが、一時間前には三度も笑うなどとうてい考えられないことだった。

「そうそう」と、警部補はドアのほうへ歩きながら続けた。「保険会社の調査員があなたを捜していますよ。名前は思いだせないが、たぶん先方があなたを見つけるでしょう。その男に突っかからないほうがいいですよ。あなたを怪しいと考えるのも無理ないですからね。じゃ、なにかあったら連絡してください、ロスノフスキさん。またあなたとお話しするのを楽しみにしています」

アベルは野次馬の群れのなかへ消えてゆく警部補を見送ってから、ゆっくりスティーヴンズ・ホテルまで歩いて行って、一晩部屋をとった。すでにリッチモンドの宿泊客の大部分を受け入れていたフロント係は、そのうえ支配人まで泊めることになって笑いが止らなかった。部屋に落ちつくと、アベルはウィリアム・ケイン氏に宛《あ》てて形式的な手紙を書き、火事についてできるだけ詳しく報告すると同時に、この思いがけない自由な時間を利用して、グループのほかのホテルを視察するつもりであることを伝えた。アベルはシカゴにとどまってリッチモンドの余燼《よじん》で自分を暖めながら、だれかが助けだしにきてくれるのを待っていても意味がないと判断した。

翌朝スティーヴンズですばらしい朝食をとったあと――サーヴィスの行きとどいたホテルというのは、いつ泊っても気分がよかった――歩いてコンチネンタル・トラストのカーティス・フェントンに会いに行き、ケイン・アンド・キャボットの――というよりウィリアム・ケインの姿勢を報告した。そして無駄とは思ったが、二百万ドルでリッチモンド・グループを買ってくれる人間を捜していることをつけ加えた。

「火事はわれわれの助けになりそうもないが、とにかくやれるだけやってみましょう」フェントンの口調はアベルの予想以上に確信ありげだった。「あなたがミス・リロイからグループの株の二十五パーセントを買ったとき、わたしはホテルは価値ある財産だから、あなたはお得な買物をしたといいました。その後株は暴落しましたが、わたしはいまだにその考えを変えるつもりはありませんよ、ロスノフスキさん。ほぼ二年間にわたってあなたのホテル経営を見てきたので、わたし個人の意思で決定がくだせるのなら喜んであなたを援助しますが、残念ながらうちの銀行はリッチモンド・グループの援助には同意しないでしょう。あまりに長いあいだ赤字経営を見せつけられてきたので、グループの将来を信じていないところへもってきて、このたびの火事は、失礼ないい方かもしれませんが止《とど》めの一撃だったというわけですよ。しかしわたしには外部のコネもいくらかありますので、なんとかあなたを助ける方法はないものか当ってみるつもりです。あなた自身は気がついていなくても、この町にはあなたを高く買っている人間が結構いるかもしれませんからね、ロスノフスキさん」

オマリー警部補の言葉を聞いたあとでは、アベルはシカゴに自分の味方が一人でも残っているかどうか自信がなかった。彼はカーティス・フェントンに礼を述べて、銀行の窓口へ行き、出納係に命じてホテルの口座からキャッシュで五千ドル引きだした。その日の午前中はリッチモンドの別館で過した。従業員全員に二週分の給料を支払い、少なくとも一か月、あるいは新しい仕事が見つかるまで、別館で暮してもよいといい渡した。それからスティーヴンズに戻って、火事のせいで新しく買わざるをえなかった衣類をまとめ、リッチモンド・グループのほかのホテルの視察旅行の準備をした。

株式市場暴落の直前に買ったビュイックを運転してまず南へ行き、セント・ルイス・リッチモンドから視察を開始した。グループのすべてのホテルを回るのにほぼ一か月を要した。どこもみな不景気で、例外なく赤字経営だったが、アベルの見るところ手の施しようがないほどひどいところは一軒もなかった。いずれもみな地の利がよく、市内の一等地に建っているものさえあった。先代のリロイは息子より抜目のない商売人だったらしい、とアベルは思った。彼はすべてのホテルの保険契約を注意深く調べてみた。どれも問題はなかった。最後にダラス・リッチモンドに到着したとき、彼はこれだけは確信していた。すなわちだれがグループを二百万ドルで買うにせよ、その人間はたいそう得な買物をすることになると。グループの経営を黒字に転化するにはどうすればよいかを、彼がいちばんよく知っているだけに、できれば自分で買いたかった。

ほぼ四週間後にシカゴに帰り着くと、スティーヴンズに部屋を取った。いくつかの伝言が彼を待ち受けていた。オマリー警部補が連絡を待っていたし、ウィリアム・ケイン、カーティス・フェントン、それにヘンリー・オズボーンなる人物からも連絡されたしという伝言があった。

アベルはまず警察に連絡し、オマリーと電話で二言三言交わしたのち、ミシガン・

アヴェニューのカフェで会うことにした。アベルはカウンターに背を向けて高いスツールに腰かけ、リッチモンド・ホテルの骨組だけになった黒焦げの残骸を眺めながら警部補を待った。オマリーは約束の時間に数分遅れて到着したが、詫《わ》びもいわずに隣りのスツールに腰かけ、くるりとアベルのほうに向きなおった。

「なぜいつもこういう場所で会うんです？」と、アベルが質問した。

「あんたに貸しがあるからですよ」と、警部補は答えた。「シカゴの人間でオマリーにミルク・セーキの借りがあるやつは、絶対に逃げられませんよ」

アベルは特大と並みのミルク・セーキを注文した。

「なにかわかりましたか？」アベルは紅白の縞《しま》模様のストロー二本を警部補に手渡しながら質問した。

「消防署の連中のいうとおり、あれは間違いなく放火でしたよ。われわれはリッチモンドの元支配人だというデズモンド・ペイシーという男を逮捕しました。つまりあなたの前の支配人ですね？」

「残念ながらそうです」

「というと？」

「ホテルの収入をちょろまかしていたことがわかったんで、わたしがペイシーを馘《くび》にしたんです。この借りは絶対に返す、と彼はいいました。だが気にもとめなかった。なにしろわたしはいちいち真に受けていられないほどたくさん脅迫を受けていましたからね。ましてやペイシーのようなやつの脅迫など問題にしませんでしたよ」

「ところが警察も保険会社も彼の脅迫を大いに問題にしましたよ。あんたとペイシーとのあいだに放火についての共犯関係がないことが証明されないかぎり、保険会社は保険金を一銭も払わないそうですから」

「今はそれだけ聞けば充分です」と、アベルがいった。「ところでペイシーが犯人だという証拠でもあるんですか？」

「われわれは火事の当日、地元の病院の救急病棟で彼を見つけたんです。あの日ひどい火傷の手当を受けにきた人間がいなかったかという、病院への所定の問合せでわかったんですがね。たまたま——警察の捜査にはこのたまたまというやつが多いんですよ、なにしろわれわれみんなが生れながらのシャーロック・ホームズというわけじゃありませんからね——ある巡査部長の奥さんが、リッチモンドでウェイトレスをしていたことがあって、彼が以前支配人だったことを教えてくれたんですよ。いくらわたしでもこれだけ聞けばぴんときます。やつはあっさり白状しましたよ。逮捕されたことはどうでもよくて、アル・カポネを真似《まね》た彼なりの聖ヴァレンタイン・デイの虐殺《ぎやくさつ》を実行したことにしか関心がないようでした。ついさっきまでその復讐《ふくしゅう》の目的がなんなのかわからなかったが、今はよくわかりました。しかしさほど驚きはしません。とにかくこれでこの事件はほぼ解決というところですな、ロスノフスキさん」

警部補はゴボゴボという音でミルク・セーキの最後の一滴まで飲みほしたことに気がつくまで、ストローを吸いつづけた。

「もう一杯どうです？」

「いや、よしておきましょう。今日は仕事の予定がたっぷりつまってますから」彼はスツールからおりた。「では幸運を祈りますよ、ロスノフスキさん。ペイシーとの共犯関係がないことを保険会社の調査員に立証できれば、保険金はおりるでしょう。万一法廷に持ちこまれるようなことがあったら、わたしにできることならなんでもお役に立ちますよ。そのときは連絡をください」

アベルはドアの向うへ消えてゆく警部補の後ろ姿を見送った。ウェイトレスに一ドル渡して、一か月前まではリッチモンド・ホテルがあった空間、今はなにもない空間を凝視しながら、歩道に足を踏みだした。やがて向きを変え、考えごとにふけりながらスティーヴンズまで歩いて戻った。

ふたたびヘンリー・オズボーンからの伝言が彼を待っていたが、依然としてどういう人物かを知る手がかりはなかった。それを知る方法は一つしかなかった。アベルはオズボーンに電話をかけた。その結果、相手はホテルが保険契約を結んだグレート・ウェスターン災害保険の請求審査員であることがわかった。アベルは正午に彼と会う約束をした。それからボストンのウィリアム・ケインに電話をかけて、グループの各ホテルを視察した結果を報告した。

「何度もいうようですが、ケインさん、あなたの銀行が時間と資金援助をしてくださるなら、わたしはこれらのホテルの赤字を黒字に変えることができます。わたしがシカゴでやってのけたことを、ほかのホテルでもやれる自信があるんです」

「それはそうでしょう、ロスノフスキさん、しかし残念ながらケイン・アンド・キャボットは資金を援助することができません。グループの買手を見つけるまで、あと五日しかないことをお忘れなく。では、失礼」

「アイヴィ・リーグ出身の俗物め」と、アベルは切れた電話に向って毒づいた。「おれのような育ちの悪い人間には金は貸せないっていいたいんだろう？　今に見てろよ、こんちくしょう……」

アベルの予定表のつぎの項目は保険会社の男だった。ヘンリー・オズボーンは会ってみると、黒い目と、白いものが混じりはじめた黒い髪を持つ、長身の好男子だった。アベルは彼のきさくな態度に好感を抱いた。オズボーンにはオマリー警部補の話につけ加えることがほとんどなかった。すなわちグレート・ウェスターン災害保険は、警察がデズモンド・ペイシーによる放火説をとるかぎり、アベルがいっさいそれとは無関係であることが証明されなければ、請求保険金の一部なりとも支払う意思はなかった。ヘンリー・オズボーンはアベルの立場にたいそう同情的なように見えた。

「リッチモンド・グループにはホテルを再建する資金があるんですか？」と、オズボーンが質問した。

「皆無です」と、アベルが答えた。「グループのほかのホテルは目いっぱい抵当に入っていて、銀行はわたしに身売りを催促しています」

「なぜあなたに？」

アベルは自分が実際にホテル群を所有することなく、グループの株を所有するにいたった事情を説明した。ヘンリー・オズボーンは少なからず驚いたようだった。

「もちろん銀行があなたのすぐれたホテル経営手腕を知らないはずはないでしょう。あなたがデイヴィス・リロイのために利益をあげた最初の支配人であることは、シカゴじゅうのビジネスマンがみんな知っていますよ。銀行も楽じゃないことはわかるが、結局は自分のためになる例外を設けることを知るべきだと思いますね」

「この銀行はだめですよ」

「コンチネンタル・トラストですか？　わたしはまた、カーティス・フェントンはや杓子定規《しゃくしじょうぎ》だが、まるっきり話のわからん男ではないと思っていましたよ」

「コンチネンタルじゃないんです。ホテルの所有権はケイン・アンド・キャボットというボストンの銀行にあるんですよ」

ヘンリー・オズボーンは急に青ざめて腰をおろした。

「だいじょうぶですか？」と、アベルがたずねた。

「ええ、だいじょうぶです」

「もしかしてケイン・アンド・キャボットをご存じじゃないでしょうね？」

「ここだけの話にしていただけますか？」

「もちろん」

「実をいうと、過去にわたしの会社はその銀行と取引があったのです」オズボーンは躊躇《ちゅうちょ》するような口ぶりだった。「結局彼らを訴えるはめになってしまいました」

「なぜです？」

「詳しいことは申しあげられません。とにかく厄介な問題でした。取締役の一人がうちの会社に対して完全に誠実かつ率直ではなかった、とだけいっておきましょう」

「なんという名前の取締役です？」

「あなたの相手はなんという名前でした？」と、逆にオズボーンが問いかえした。

「ウィリアム・ケインという男です」

オズボーンはふたたび躊躇するそぶりを見せた。「気をつけてください。そいつは世界一卑劣な男です。お望みならその男に関する内情をいくらでも話しますよ、ここだけの話という条件でね」

「彼にはなんの恩義もありません」と、アベルがいった。「あなたと同じ気持ですよ、オズボーンさん。ケイン氏にはデイヴィス・リロイが受けた仕打ちのかたをつけなければなりません」

「ウィリアム・ケインがからんでいるのなら、どんなことでもお手伝いしますよ」ヘンリー・オズボーンは机の向うから立ちあがっていった。「ただしこのことはわれわれだけの秘密です。それからデズモンド・ペイシーがリッチモンドに放火したこと、ほかに共犯者がいないことが法廷で証明されれば、会社はその日のうちに保険金を全額支払います。そのときはあなたのほかのホテルも、わが社とご契約願いたいものですな」

「できればそうしましょう」と、アベルは答えた。

彼はスティーヴンズまで歩いて帰り、昼食をとりがてらこのホテルのメイン・ダイニングのすぐれた運営を自分の目で確かめることにした。フロントで新たな伝言が待っていた。デイヴィッド・マクストンなる人物が、一時に一緒に昼食をしたいが、都合はどうかとアベルに問い合せてきていた。

「デイヴィッド・マクストンね」アベルが大きな声でいったので、受付係が顔をあげた。「名前だけじゃわからんじゃないか」と、彼は呆《あき》れ顔の女の子にいった。

「このホテルの持主でございます、ロスノフスキさん」

「ああ、そうか。マクストンさんに喜んでお昼をご一緒すると伝えてくれ」アベルは時計をちらと見た。「それから数分遅れると伝えてもらえるかね？」

「かしこまりました」

アベルは急いで部屋に戻り、デイヴィッド・マクストンの用とはいったいなんだろうかといぶかりながら、新しいワイシャツに着がえた。

アベルが入って行くと、レストランはすでに満員だった。給仕長はスティーヴンズのオーナーが独りで坐《すわ》っている、アルコーヴの専用テーブルへ案内した。彼は立ちあがってアベルを迎えた。

「アベル・ロスノフスキです」

「知ってますよ」と、マクストンが答えた。「もっと正確にいうならば、あなたの評判を知っています。どうぞ掛けてください、そして料理を注文しましょう」

アベルはスティーヴンズに讃嘆の念を禁じえなかった。料理もサーヴィスもあらゆる点でプラザのそれに劣らなかった。彼がシカゴ一のホテルを持とうとするならば、このホテルを凌駕《りょうが》しなければならないことは明白だった。

給仕長がメニューを持って戻ってきた。アベルはメニューを丹念に眺めてから、最初の一品を丁重に辞退して、レストランがいい肉屋から仕入れをしているかどうかを簡単に見分けられるビーフを注文した。デイヴィッド・マクストンはメニューに目もくれず、あっさりサーモンに決めた。給仕長が小走りに引きさがった。

「わたしがなぜ昼食にお招きしたのか、と考えておられるんでしょうな、ロスノフスキさん」

「ひょっとしたら」と、アベルが笑いながら答えた。「スティーヴンズの経営を引き受けてくれとおっしゃるんじゃないかと思ってましたよ」

「まさにそのとおりなんですよ、ロスノフスキさん」

今度はマクストンが笑いだす番だった。アベルはいうべき言葉を知らなかった。給仕が最高のビーフをトロリーで運んできたが、彼は依然として口がきけなかった。給仕が肉を切り分けた。マクストンはサーモンにレモンをしぼってから続けていった。

「うちの支配人は二十二年間の献身的な勤務を終えて、五か月後に退職を迎える予定だし、副支配人もすぐあとを追って引退するので、わたしは今、旧弊を一掃するための新しい帚《ほうき》を捜しているところなんですよ」

「このホテルはそんなに散らかっているようにも見えませんが」

「わたしは常に向上を心がけているんですよ、ロスノフスキさん。立ちどまるのは嫌いなんです」と、マクストンは答えた。「わたしはあなたの仕事ぶりを注意深く見守ってきました。あなたがリッチモンドの支配人に就任するまで、あすこはホテルのうちにも入らなかったぐらいです。以前は大きな木賃宿といったところでした。あと二、三年もすれば、リッチモンドはスティーヴンズの強敵になっていたかもしれない。ところがあなたにそのチャンスが与えられる前に、ばかな人間がいてあのホテルを燃やしてしまったのです」

「ポテトはいかがですか？」

アベルが顔をあげると、とびきり美人の若いウェイトレスが話しかけていた。彼女はアベルにほほえみかけた。

「いや、結構」と、彼は答えた。「マクストンさん、おほめいただいたうえに、お誘いまで受けて、こんなうれしいことはありません」

「ここならあなたにも満足してもらえると思いますよ、ロスノフスキさん。スティーヴンズは経営のしっかりしたホテルだし、初任給は週五十ドル、プラス利益の二パーセントを差しあげます。仕事はいつでも好きなときに始めてください」

「あなたの好条件を二、三日考えさせてもらいたいですね、マクストンさん」と、アベルが答えた。「正直いって大いに心を動かされています。しかし、リッチモンドのほうにもまだ若干の問題が残っていますし」

「莢《さや》いんげんはいかがですか?」さきほどの同じウェイトレスが、同じ微笑をたたえていった。

その顔はどこか見おぼえがあった。アベルはきっとどこかで会ったことがあると思った。たぶん前にリッチモンドで働いていた子なのだろう。

「いただこう」

彼はウェイトレスの後ろ姿を見送った。なにか記憶をかきたてるものがあった。

「このホテルにわたしの客として二、三日滞在して」と、マクストンがいった。「われわれのホテル経営をじっくり観察してみたらどうです? 決心するのに参考になるかもしれませんよ」

「その必要はありませんよ。客として一泊しただけで、いかにすばらしい経営がおこなわれているかがよくわかります。実は問題は、リッチモンド・グループがわたしのものだということなんです」

デイヴィッド・マクストンの顔に驚きの表情が浮んだ。「そうとは知りませんでしたよ。デイヴィス・リロイの娘が現在の持主だとばかり思っていました」

「これにはこみいったいきさつがありましてね」アベルは自分がグループの株を所有するにいたった事情をマクストンに説明した。

「問題はいたって簡単なんですよ、マクストンさん。わたしが本当に望んでいるのは、自分で二百万ドル工面して、リッチモンド・グループをりっぱなホテルに育ててあげることなんです。金をかけただけの価値のあるホテルにね」

「なるほど」マクストンは空になった皿を困ったように見ながらいった。ウェイターがそれを片づけた。

「コーヒーはいかがですか？」またしても同じウェイトレス。同じ見おぼえのある顔。アベルはしだいにそのことが気になりはじめた。

「そしてコンチネンタル・トラストのカーティス・フェントンがあなたの代理で買手

を捜しているというんですね？」

「ええ、もう一か月近くにもなります。実は今日の午後結果がわかるんですが、わたしは楽観はしていません」

「これは興味深い話を聞いたもんだ。リッチモンド・グループが買手を捜しているとは全然知りませんでしたよ。いずれにしても結果をお知らせ願えますか？」

「いいですとも」と、アベルは答えた。

「ボストンの銀行はあなたが二百万ドル工面するまで、あとどれぐらい猶予《ゆうよ》してくれるんですか？」

「たった数日ですから、わたしの決心をお知らせするまでさほど長くはかかりません」

「ありがとう。お会いできてうれしかったですよ、ロスノフスキさん。ぜひともあなたと一緒に仕事をしたいものです」彼は心をこめてアベルの手を握った。

「ありがとうございます」と、アベルは答えた。

レストランから出る途中ですれちがったとき、例のウェイトレスがふたたび彼にほほえみかけた。アベルは給仕長をつかまえて、そのウェイトレスの名前をたずねた。

「申し訳ありませんが、従業員の名前はお客さまにお教えできないことになっております。それは当社の方針に反することですので。なにかご不満がございましたら、わたくしにおっしゃってください」

「不満はない」と、アベルは答えた。「それどころか、実に申し分のない昼食だった」

支配人の地位を提供された今、アベルは前より自信を持ってカーティス・フェントンと対面できそうな気がした。銀行家は買手を見つけていないだろうという確信があったが、はずむ足どりでコンチネンタル・トラストへ赴いた。シカゴで最高のホテルの支配人になるという考えが気に入っていた。たぶん彼ならそれをアメリカで最高のホテルにすることができるだろう。銀行に着くと、まっすぐカーティス・フェントンの部屋へ案内された。銀行家は――彼は毎日同じ背広を着ているのだろうか、それとも同じ背広を三着持っているのだろうか？――アベルに椅子《いす》をすすめた。いつもは謹厳な顔ににこやかな笑みが浮んでいた。

「ロスノフスキさん、またお目にかかれてこんなにうれしいことはありません。午前中においでになっていたら、なにもニュースはなかったのですが、ほんの数分前にある人物から電話をもらったところです」

アベルの心は驚きと喜びではずんだ。しばらくは無言だったが、やがて質問した。

「その人がだれか教えてもらえませんか？」

「残念ながらそれはできません。当事者から、この取引は彼自身の事業と利害が衝突するおそれのある個人的投資だからという理由で、名前を明かすことを厳禁されているのです」

「デイヴィッド・マクストンだ」と、アベルは小声で呟《つぶや》いた。「いやはや！」

カーティス・フェントンはまったく反応を示さずに続けた。「ロスノフスキさん、今も申しあげたように、わたしは立場上……」

「そうでしょうとも、わかりますよ。で、その人の結論を教えてもらえるまで、あとどれぐらいかかりそうですか？」

「今はまだはっきりしたことはいえませんが、月曜日になればまた新しいニュースをお伝えできると思います。ですからもしもおついでがあったら……」

「ついでがあったらですって？　あなたはわたしの一生の問題を話しているんですよ」

「ではきりはっきり月曜の午前中と決めておきましょう」

アベルがミシガン・アヴェニューを歩いてスティーヴンズへ戻る途中、小雨が降りはじめた。ふと気がつくと、彼は『雨に唄《うた》えば』をくちずさんでいた。エレベーターで自分の部屋にあがり、ウィリアム・ケインに電話をかけて、ほぼ買手が見つかったから、来週の月曜まで待ってくれと頼みこんだ。ケインは渋っていたが結局承知した。「ちくしょうめ」アベルは電話を切って数回繰りかえした。「もう少し待ってろ、ケイン。デイヴィス・リロイを殺したことを貴様に後悔させてやる」アベルはベッドの縁に腰かけて、フレームを指先でこつこつ叩《たた》きながら、月曜日までどうやって時間を過そうかと考えた。それからホテルのロビーまでぶらぶらおりて行った。ふたたび彼女の姿が目についた。昼食のときに給仕をしたあのウェイトレスが、今はトロピカル・ガーデンでティー・タイムの勤務についていた。アベルは好奇心に負けて、奥の席に腰をおろした。彼女が近づいてきた。

「いらっしゃいませ」と、彼女がいった。「お茶はいかがですか？」ふたたびあの見なれた微笑。

「どこかで会ったかね？」と、アベルがいった。

「そうよ、ヴワデク」

アベルはその名前を聞いたとたんに身をすくめ、彼女の短い金髪がかつては長く、流れ落ちるようで、ヴェールに覆《おお》われた目がたいそう魅惑的だったことを思いだして、かすかに顔を赤らめた。「ザフィア、わたしたちは同じ船でアメリカに渡ってきた。そうそう、きみはシカゴへきたんだっけ。ここでなにをしてるんだ？」

「ごらんのとおりここで働いているわ。お茶を召しあがります？」彼女のポーランド訛《なま》りがアベルの心を和ませた。

「今夜食事をつきあってくれ」と、彼がいった。

「だめよ、ヴワデク。お客さまと一緒に外出することは許されていないの。そんなことをしたらたちまち失業よ」

「わたしは客じゃない。きみの古い友達だ」

「落ちつきしだいシカゴへ会いにきてくれるはずだった人はだれかしら？　おまけにやっとシカゴへきたら、わたしがシカゴにいることさえおぼえていなかったじゃない」と、ザフィアが恨みごとをいった。

「わかってる、わかってるよ。許してくれ。ねえ、ザフィア、今晩食事をつきあってくれよ。一度でいいから」

「一度だけよ」と、彼女が念を押した。

「七時にブランデージで会おう。いいね？」

ザフィアは店の名前を聞いて顔を赤らめた。それはおそらくシカゴでいちばん高いレストランで、彼女は客としてはおろか、ウェイトレスとしてそこへ行くのさえ気が引けただろう。

「いやよ、どこかほかの、もう少し気のおけない店にして、ヴワデク」

「どこがいい？」

「四十三丁目の角にあるザ・ソーセージを知らない？」

「知らないね。でも見つけるよ。じゃ、七時だぞ」

「七時ね、ヴワデク。うれしいわ。ところで、お茶はいかが？」

「いや、やめとくよ」と、アベルは答えた。


彼女は微笑を浮べながら立ち去った。彼は数分間腰をおろしたまま、彼女がお茶をサーヴィスするのを見守った。記憶にあるザフィアより、目の前の彼女のほうがはるかに美人だった。結局月曜日までの時間つぶしもそれほど悪くなさそうだった。

ザ・ソーセージは、アメリカに到着したばかりのころの、最悪の記憶のすべてをアベルの心によみがえらせた。彼は冷えたジンジャー・ビールを飲みながらザフィアを待ち、給仕たちが料理を手荒くテーブルに投げだすのを、職業上の見地から非難の目で眺めた。この店ではサーヴィスと料理のどっちがより悪いのか、彼には決めかねた。ザフィアは二十分近く遅れて戸口に姿を現わした。最新流行に合わせるために、最近数インチ丈をつめたらしいこざっぱりした黄色いドレスを着て、かつては痩《や》せて貧弱だった体がたいそう魅力的になったことをうかがわせ、とてもスマートな印象を与えた。灰色の目がヴワデクの姿を求めてテーブルからテーブルへとさまよい、自分に注がれる男たちの視線を意識して、ばら色の頬が赤味を増した。

「こんばんは、ヴワデク」と、彼女はポーランド語でいった。

アベルは立ちあがって、火に近い自分の椅子を彼女にすすめた。「よくきてくれたね」と、彼は英語でいった。

彼女は一瞬とまどったような表情を浮べたが、やがて英語で応じた。「遅くなってごめんなさいね」

「そうかい？　気がつかなかったよ。なにか飲むかい、ザフィア？」

「いらないわ」

二人はしばし沈黙し、それから同時になにかいいかけた。

「すっかり忘れていたけど、きみはとても美しい……」と、アベル。

「あなたはあれから……」と、ザフィア。

彼女は恥ずかしそうにほほえんだ。アベルは彼女に手を触れたいと思った。今から八年以上も前、彼女をはじめて見たときも同じ衝動を経験したことをはっきり思いだした。

「ジョージはどうしてるの？」と、彼女がたずねた。

「彼とは二年以上も会っていないんだ」と答えて、アベルは突然後ろめたさをおぼえた。「わたしはずっとシカゴのホテルで働いていた、ところが……」

「知ってるわ。だれかがそのホテルに火をつけたのね」

「どうして訪ねてこなかったんだ？」

「わたしのことなんかおぼえていてくれないと思ったからよ、ヴワデク。そのとおりだったじゃない」

「どうしてわたしだとわかったんだ？　わたしはずいぶん太ったよ」

「その銀の腕輪よ」

アベルは腕輪を見て笑った。「この腕輪にはいろいろと世話になった。今度はこいつのおかげできみと再会できたわけだ」

ザフィアは彼の視線を避けた。「ホテルがなくなってしまってから、あなたはなにをしてるの？」

「仕事を捜しているところだよ」と、アベルは答えた。スティーヴンズの支配人の地位を提供されたことを話して、彼女を畏縮《いしゆく》させたくなかったからである。

「スティーヴンズにいい仕事の口があるらしいわ。わたしのボーイフレンドがそういっていたの」

「きみのボーイフレンドがそういってたって?」アベルはその気のもめる言葉を一語一語繰りかえした。

「そうよ。うちのホテルは近々新しい副支配人をスカウトするらしいわ。あなたも応募してみたらどう? あなたなら大いに見込みがあるわよ、ヴワデク。わたし、前からあなたはアメリカで成功するに違いないと思っていたのよ」

「それも悪くないな。いろいろ気をつかってくれてありがとう。でも、きみのボーイフレンドはどうして応募しないんだ?」

「だめよ、彼は下《した》っ端《ぱ》すぎて話にならないわ。わたしと一緒に働いている食堂のウェイターなんだもの」

ふと、アベルはその男と入れ替りたいと思った。

「食事をしようか?」

「わたしは外で食事しなれていないの」と、ザフィアが答えた。彼女はメニューを眺めながらぐずぐずしていた。アベルは、ふと彼女がまだ英語を読めないのかもしれないことに気がついて、二人分の料理を注文した。

彼女は大してうまくもない料理をおいしそうに食べ、口をきわめてほめた。メラニーの倦怠感《けんたいかん》にみちた、洗練された物腰のあとでは、ザフィアの純真な有頂天ぶりがむしろ一服の清涼剤だった。二人はアメリカに着いてからのそれぞれの生活について語り合った。ザフィアは家政婦からはじめて、スティーヴンズのウェイトレスに出世し、もう六年間もずっとその仕事を続けていた。アベルが自分の経験を残らず話すうちに、やがて彼女が彼の時計をちらと見た。

「時間を見てよ、ヴワデク。もう十一時過ぎよ。わたし、朝食当番で、あしたの朝六時に出なきゃならないわ」

アベルは四時間もたったことに気がつかなかった。彼女が無邪気に口にする讃辞でいい気分になって、一晩じゅうでもそこに坐《すわ》ったまま話し続けていたことだろう。

「また会ってくれるかい、ザフィア？」と、腕を組んでスティーヴンズへ戻る途中、彼が質問した。

「お望みならいいわよ、ヴワデク」

彼らはホテルの裏の通用口で立ちどまった。

「ここがわたしの入口よ」と、ザフィアがいった。「あなたは副支配人になれば、表の入口から入れるのよ、ヴワデク」

「そのヴワデクをやめて、アベルと呼んでくれないか」

「アベル？」彼女はまるで新しい手袋でも試すように、その名前を発音してみた。

「でもあなたの名前はヴワデクじゃない」

「以前はそうだったが、今は違う。わたしの名前はアベル・ロスノフスキだ」

「アベルなんておかしな名前だけど、あなたには似合うわ。夕食をごちそうさま、アベル。再会できてとてもうれしかったわ。おやすみなさい」

「おやすみ、ザフィア」

彼は通用口に消えて行くザフィアの後ろ姿を見送ってから、そのブロックをゆっくりひとまわりして、正面玄関からホテルに入った。突然——生れてはじめてというわけではなかったが——激しい孤独感に襲われた。

アベルはザフィアと彼女に結びつくさまざまなイメージを思い浮べながら週末を過した——三等船室にたちこめる臭気、エリス島の移民たちの混乱した行列、とりわけ救命ボートのなかでの束の間《つかのま》の情熱的な出会い。彼は少しでも彼女に近づき、彼女のボーイフレンドを観察するために、食事はすべてホテルのレストランでとった。そしてにきびだらけの若者がその男に違いないという結論に達した。だが残念なことに、にきびだらけではあったが、給仕たちのなかでいちばんハンサムだった。

アベルは土曜日にザフィアを誘いだしたかったが、彼女はまる一日仕事で忙しかった。それでも、日曜の朝彼女のお供で教会へ行き、ポーランド人司祭が忘れがたい言葉でミサをあげるのを、懐《なつ》かしさと腹立たしさの入りまじった気持で聞いた。アベルが教会に足を踏み入れるのは、ポーランドの城で暮した日々以来のことだった。当時はやがて耐えなければならない苛《か》酷《こく》な運命をまだ知らなかったが、今はその体験のせいで慈悲深い神の存在を信じることができなくなっていた。教会へ行った収穫といえば、一緒に歩いてホテルへ帰る道すがら、ザフィアが手を握らせてくれたことだった。

「あれからスティーヴンズの副支配人の口のことを考えてみた?」と、彼女がたずねた。

「明日の朝いちばんに、彼らの最終決定がどうなるかわかることになっている」

「うれしいわ、アベル。あなたなら優秀な副支配人になれるわよ」

「ありがとう」アベルはおたがいの話が食いちがっていることに気がついた。

「今夜わたしのいとこたちと一緒に食事をしたい?」と、ザフィアがたずねた。「わたしたち、日曜の晩はいつも一緒に過すのよ」

「うん、ぜひ行きたいね」

ザフィアのいとこたちはザ・ソーセージのすぐ近く、市の中心部に住んでいた。彼女たちはザフィアがビュイックの新車を乗りまわすポーランド人の友達を連れてきたのを見て、ひどく感心した。ザフィアがあの一家と呼ぶその家の住人は、カーチャとヤニーナの姉妹に、カーチャの夫のヤーネクという顔ぶれだった。アベルは姉妹にバラの花束を贈り、それから腰をおろして自分の将来の見通しに関する彼らのもろもろの質問に、流暢《りゅうちょう》なポーランド語で答えた。ザフィアは明らかに当惑していたが、どんなポーランド系アメリカ人の家庭でも、新しいボーイフレンドが現われれば同じ質問がおこなわれることをアベルは知っていた。彼はヤーネクの羨望《せんぼう》のまなざしがかたときも自分からはなれないことに気がついたので、肉屋に住みこんで働いたころからの出世ぶりを、できるだけ控え目に話そうとした。カーチャが素朴なポーランド料理、ピロシキとビゴス（訳注　酢漬キャベツと肉のごった煮）をごちそうしてくれた。十五年前のアベルならもっとずっとうまそうに食べていたことだろう。彼はヤーネクに見切りをつけて、もっぱら姉妹の歓心を買うことにした。そして事実彼女たちに気に入られたようだった。たぶんあのにきび面《づら》の若者も気に入られたのだろう。いや、そんなはずはない、あの男はポーランド人じゃない――あるいはポーランド人かもしれない――アベルは彼の名前を知らなかったし、話すのを聞いたこともなかった。

　スティーヴンズへ帰る途中、ザフィアが彼の記憶にあるコケティッシュな一面をちらとのぞかせて、女の子の手を握りながら自動車を運転しても安全かどうかと質問した。アベルは笑って手をハンドルに戻し、ホテルに着くまで両手で運転した。

「明日も会ってくれるかい?」

「そうしたいわ、アベル。もしかするとそのころあなたはわたしのボスになっているかもしれないわね。とにかく幸運を祈るわ」

彼は独り笑いを浮べながら、裏口に吸いこまれて行く彼女を見送り、もしも彼女が明日の決定の重大さを知ったらどう思うだろうかと考えた。彼女が通用口に姿を消すまでその場から動かなかった。

「副支配人か」と彼は呟《つぶや》き、大声で笑ってベッドにもぐりこんだ。カーティス・フェントンのニュースが明朝なにをもたらすかと考え、ザフィアのことを頭から締めだそうと努めながら、枕《まくら》を床にほうりだした。

彼は翌朝五時ちょっと前に目をさました。《トリビューン》の早版を取り寄せて、経済欄に目を通すころ、部屋のなかはまだ暗かった。レストランがあく七時には、着替えもすんで朝食におりる用意ができていた。ザフィアはその朝メイン・ダイニングの係ではないらしく、にきび面のボーイフレンドのほうが勤務についていた。アベルはそれを悪い前兆と受け取った。朝食をすませて部屋に引きあげた。彼は知らなかったのだが、それからわずか五分後にザフィアが勤務についた。彼は鏡の前で二十回目のネクタイの点検をおこない、もう一度時計を見た。ゆっくり歩けば開店と同時に銀行に到着するだろうと計算した。実際は開店五分前に着いてしまったので、そのブロックをひとまわりして、ショー・ウィンドーの高価な宝石や、新製品のラジオや、手縫いのスーツなどを見るともなしに眺めた。自分もいつかこういう服を着られる身分になるだろうか？　ふたたび銀行に戻ったときは、九時四分すぎだった。

「フェントンさんはただ今体がふさがっております。三十分後にもう一度おいでいただくか、それともこのままお待ちになりますか？」と、秘書がいった。

「出なおしましょう」と、アベルは答えた。焦《あせ》っていると思われたくなかったからである。

それはシカゴにきてから記憶しているかぎりではいちばん長い三十分間だった。ラ・サール・ストリートのありとあらゆるショー・ウィンドーをのぞいた。婦人用品店をのぞいたときは、ザフィアのことを思いだしてほのぼのとした気分になった。

コンチネンタル・トラストに戻ると、秘書が告げた。「フェントンさんがお待ちしております」

アベルは手に汗を握りながら支配人室に入った。

「おはようございます、ロスノフスキさん。どうぞお掛けください」

カーティス・フェントンは机のなかから一通の書類を取りだした。アベルはその表紙に書かれた「極秘」という文字を読みとった。

「さて」と、彼は切りだした。「これからお伝えするニュースを喜んでいただけるものと思いますよ。先方の代表者は、わたしの考えではきわめて好意的な条件で、ホテルの買収を進めようとしております」

「それはありがたい」と、アベルがいった。

カーティス・フェントンは聞えないふりをして続けた。「実際、これ以上の好意的な条件は考えられません。その人は責任を持ってリロイ氏の負債を清算するのに必要な二百万ドルの全額を出資し、同時にあなたと共同で新しい会社を設立して、その株を自分が六十パーセント、あなたが四十パーセントの比率で配分する。したがってあなたの四十パーセントは八十万ドルと評価されるわけですが、これは新会社からあなたへの融資として取り扱われます。融資の条件は、十年以内に返済すること、利率は四パーセント、返済は会社の利益から同じ比率でおこなわれる、というものです。つまりある年度に十万ドルの利益があがったとすれば、その利益のうち四万ドルが、あなたの八十万ドルの借入金に対する返済金に当てられ、そのほかに四パーセントの利息を払うことになります。もしも十年以内に八十万ドルの借入金の返済がすんだ場合、あなたは会社の残りの六十パーセントを三百万ドルで買収する一回かぎりの選択権を与えられます。これでわたしの依頼人は投資から最高の利益をあげ、あなたはリッチモンド・グループを百パーセント所有するチャンスを与えられることになります。

「加うるに、あなたは年間三千ドルのサラリーを支給され、グループの社長として傘《さん》下《か》の全ホテルを完全に支配することになります。あなたがわたしに指示を仰がねばならないのは、財政上の問題についてだけなのです。わたしはその出資者に直接報告する義務を負っており、新しいリッチモンド・グループの取締役会において、彼の利益を代表するよう依頼されました。喜んで依頼に応じると答えておきましたよ。わたしの依頼人はみずから直接関係することを望んでいないのです。前にも申しあげたように、この取引には彼の職業上の利害の衝突が発生するおそれがあるためですが、この点は充分ご理解いただけるものと思います。また彼は絶対に自分の正体をあなたに詮《せん》索《さく》されたくないといっております。以上の諸条件を考慮するのに二週間の猶予《ゆうよ》が与えられますが、これはきわめて公平な取引であると彼は考えており、わたしもまったく同感なので、話合いの余地はありません」

アベルは口がきけなかった。

「どうぞなんとかおっしゃってください、ロスノフスキさん」

「決心するのに二週間も要りませんよ」と、ようやくアベルがいった。「あなたの依頼人の条件をそっくり呑《の》みます。どうぞその方に、わたしの感謝の気持と、ご希望どおり正体を詮索しない旨《むね》をお伝えください」

「結構です」と、カーティス・フェントンが苦笑しながらいった。「つぎに細かいことを二、三申しあげます。グループのすべてのホテルの口座はコンチネンタル・トラストの支店に置かれ、主口座は当店に開設されて、わたしの直接監督下に置かれます。そしてわたしが、新会社の取締役の一人として、一千ドルの年俸を受け取ることになります」

「あなたもこの取引で儲《もう》けることができてよかったですね」と、アベルがいった。

「え、なんとおっしゃいました？」

「あなたと一緒に働くことができてうれしいですよ、フェントンさん」

「あなたの出資者はまた、これから数か月間のホテルの営業経費として、当店に二十五万ドル預けました。この金も利率四パーセントの融資と同列にみなされます。足りないときは遠慮なくわたしにおっしゃってください。ただし二十五万ドルで間に合わせるほうが、あなたに対するわたしの依頼人の評価もいちだんと高まると思います」

「ご忠告を肝に銘じておきましょう」アベルは銀行家の話しぶりを真似《まね》て、重々しい口調で答えた。

カーティス・フェントンは机のひきだしをあけて、太いキューバ葉巻を取りだした。

「やりますか?」

「ええ」とアベルは答えたが、葉巻をやるのは生れてはじめてだった。

彼はラ・サール・ストリートを歩いてスティーヴンズまで帰る途中、ずっと咳《せ》きこみ続けた。アベルがホテルに帰り着くと、デイヴィッド・マクストンが所有者然としてロビーに立っていた。アベルはほっとしながら吸いかけの葉巻を揉《も》み消し、彼のほうに歩み寄った。

「ロスノフスキさん、今朝はばかにうれしそうですな」

「ええ。このホテルの支配人としてあなたのために働けないことだけが心残りです」

「わたしも残念だが、率直にいって、そのニュースはわたしには少しも意外ではありませんよ、ロスノフスキさん」

「いろいろありがとうございました」アベルはその短い言葉のなかに万感をこめ、感謝のまなざしで相手をみつめた。

彼はデイヴィッド・マクストンと別れて、レストランへザフィアを捜しに行ったが、彼女の勤務時間はすでに終っていた。エレベーターで自分の部屋に取って返し、ふたたび葉巻に火をつけて、用心深く一服吸ってから、ケイン・アンド・キャボットに電話をかけた。

「ケインさん、リッチモンド・グループの所有権を引き継ぐのに必要な金のめどがつきましたよ。コンチネンタル・トラストのカーティス・フェントンという人から、今日じゅうに電話で詳細な報告があるはずです。したがってホテルを公開市場で売却する必要はなくなりました」

短い間《ま》があった。アベルはウィリアム・ケインがこのニュースを聞いて、さぞや口惜《く》《や》しい思いをしているだろうと、ひそかに溜飲《りゅういん》をさげた。

「ご連絡をどうもありがとう、ロスノフスキさん。後援者が見つかっておめでとうと申しあげます。将来の成功を祈りますよ」

「こっちはとてもそんな気にはなれませんね、ケインさん」

アベルは電話を切ってベッドに寝ころび、将来のことを考えた。

「今に見てろ」と、彼は天井に約束した。「きさまの銀行を買収して、ホテルの十二階の部屋から跳びおりたい心境にさせてやる」それからふたたび受話器を取りあげて、交換嬢にグレート・ウェスターン災害保険のヘンリー・オズボーン氏を呼びだすように頼んだ。


（下巻につづく）

Title : KANE AND ABEL (vol. I)
Author : Jeffrey Archer

ケインとアベル (上)

新潮文庫　　ア－5－3

Published 1981 in Japan
by Shinchosha Company

昭和五十六年五月二十五日　発行
平成十九年十月二十五日　五十五刷改版
平成二十年八月二十五日　五十六刷

訳者　永《なが》井《い》淳《じゅん》
発行者　佐藤隆信
発行所　株式会社 新潮社
郵便番号　一六二―八七一一
東京都新宿区矢来町七一
電話 編集部(〇三)三二六六―五四四〇
　　読者係(〇三)三二六六―五一一一
http://www.shinchosha.co.jp

価格はカバーに表示してあります。
乱丁・落丁本は、ご面倒ですが小社読者係宛ご送付ください。送料小社負担にてお取替えいたします。

印刷・東洋印刷株式会社　製本・加藤製本株式会社

ISBN978-4-10-216103-6 C0197